正誤表『「脱資本」「超近代」の未来社会への入口を探る』

このたび本文中に次のような誤りがありました。訂正してお詫び申し上げます。

頁	行数	誤	正
20	17	顕在していまので	顕在していませんので
35	19	しなければない状況	しなければならない状況
48	17	貢献をした技術者・監理者	貢献をした技術者・管理者
59	11	少人数の監理者	少人数の管理者
69	24	中国固有企業	中国国有企業
79	22	利子率の低下した賃金	利子率の低下した資金
89	17	大量に一切に	大量に一勢に
143	24	秩序をやすく	秩序をしやすく
190	12	界知識人」と顕し	界知識人」と題し
205	7	自他——如	自他一如
221	15	食文化伝統文化	食文化・伝統文化
243	11	4代綱吉の治世	4代家綱の治世
254	7	文学者が絵師	文学者・絵師
258	15	産業革命の	産業革命の頃の
262	最終行	多くのお金を持てば、	重複につき削除
263	14	合理主義からの	個人主義の
274	1	理解を認知し	理解を認知すれば
274	2	人間と自律的社会	人間と社会
274	4	これは哲学の(中略) 理解します。	1行削除
281	下から5	私は生まれも	私達は生まれも
281	下から2	理解してはいけない	対立として理解していない
332	20	裏づけとなると	裏づけが無くなると
367	3	バブル経済以後	バブル経済崩壊以後
371	19	生命や社会的弱者	人命や社会的弱者
372	8	第二歩は、	削除
379	12	監理・統制化	管理・統制化
388	16	近代社会の断続	近代社会の継続
389	9	としての受給者	としての需要者
408	20	動乱」が始める。	動乱」が始まる。

文芸社　ISBN978-4-286-22070-3

「脱資本」「超近代」の未来社会への入口を探る

濵田富司
HAMADA Tomiji

文芸社

—目　次—

第6章　資本主義の終焉②野田聖二氏の著述から

第7章　国際金融体制の破綻

第8章　トランプ現象とトランプ政治

第13章　未来社会の原型としての江戸（天下泰平）の時代

第14章　パラダイムの転換へ

第15章　パラダイムシフトは身近な生活から

第16章　自身の描く　未来社会への原則と基本理解

まえがき

現代の人類社会は日本のみならず全世界が「お金」を多く持つ人と僅かしか持っていない人・まったく持っていない人という区分化が進展しています。お金を持つ人はよりお金を持つようになりますが、持つ人も徐々に少数化し、一方の人々は徐々に多数化し生活が苦しくなるという「二極化」した社会になっています。

以前では、多少お金を持ち経済的に豊かな人々でも、一般の店でその他の人々と同様な買物をしていましたが、徐々に品質のよい高価格の所謂高級店が増加し、お金をたくさん持つ人、また、それに憧れを持つ人は高級店を訪れ買物をしますが、それ以外の人々は高級品店を訪れることもなく、身近な一般店で、より安い物を買い求める状況となり、都市部の百貨店は徐々に廃業に追い込まれています。

日本では、こうした状況の系向は約30年ですが、ヨーロッパ諸国・アメリカでは50年以上前から進んでいて、お金を持つ人が買うお店・住む所・街と、また、お金を持たない人の買うお店・住む所・街までが区別化される時代となっています。

こうして、経済と社会が二極化・対極化し一方のお金を持つ人と持たない人との関係が固定化し、社会階層化しています。

また世界を見渡せば、1人で20兆円以上のお金や資産を持つ人々が出現し、他方では8億人以上の人々が飢餓に対面する状況に追い込まれているのです。

現代は過去になかった社会犯罪が多発するようになりました。かつての生活が全体として貧しかった時代での犯罪と現代の犯罪は、基本的に異なっています。貧しかった時代では貧困の苦しみや飢餓から脱するために犯罪が行われましたが、現代では、お金を持たない人々よりお金を多少とも持つ人が、より一層お金を持ちたいという欲望から犯罪を起こしています。

お金をより多く持たなければ、将来が不安でたまらず、より多くのお金を持ちたいという気持ち・心が、お金中心の社会をつくっているのです。

人類社会・国際社会・国内社会・地域社会・家庭というあらゆる社会関係のなかでの様々な問題は、直接的また間接的に何らかの形で、「お金」がその原因をつくり出しています。つまり、「問題の根源のほとんどが『お金』にある」と言えるのです。

しかし「お金」について人間は確かな理解をしていないのです。それは経済活動が我々の生まれた以前、資本主義が生まれた以前、人類が農耕生活を始めた頃から使用されているからです。そして資本主義経済社会化が、お金を「不思議な物」として「不可解な物」にしてしまったのです。不思議で不可解な「お金という物」が人間・人間社会を振り回し人間社会を「お金の社会」にし、人間を「お金の奴隷」にしてしまったのです。

お金のその起源は約１万年前の、自然採取・狩猟の営みから、農耕・牧畜の営みにさかのぼります。農耕によって農産物の生産が増え余剰物の「物々交換」が行われるようになり、各地の物々交換の仲立ち媒体として、石・貝殻などが使われるようになり、それが発展して、鉄・銅・銀・金へと変わり、現在は紙幣から電子マネーへと変遷しています。

お金の社会的・経済的役割と地位は、封建社会のなかで徐々に高まっていき、西暦1780年頃の「産業革命」によって、劇的に、お金の役割と地位が経済的に高まります。

産業革命は、資本主義という経済経営システムを確立しました。資本というのは会計学上のお金に財産を加えた総額のことです。ですから厳密には異なるのですが一般的にはお金と資本は同一と理解してください。

資本主義とは、資本の増殖を目的とする経済経営システムです。お金・資本が経済や経営の中核に位置づけされ、資本主義の成長によって徐々に、お金が経済や社会そして人間を従属化する社会、お金なしでは生活することができない時代・社会を資本主義がつくり出したのです。

資本主義が資本の増殖を目的とする経済経営システムであることを理解し、そのシステムが社会や人間に多大な影響を与え、社会や人間に悪影響を与え・社会や人間を歪(ゆが)めることを指摘・非難し資本主義を排除することは洋の東西を問わず行われましたが、お金・資本の本質を理解することなく、資本主義の伸長・発展を結果的に許容し、経済や社会の問題がいろいろな側面に生み出され、より一層深刻化する事態を許し続けました。

資本主義の成長が成熟化へ進展し終焉化へと向かった20世紀、ヨーロッパ社会にお金の本質を理解しそれを指摘する人々が出現しました。シュタイナー、エンデ、ゲゼルといった大思想家達で、お金の本質は、お金という物にとりつく「利子」であることを指摘し「利子のつかないお金、老化するお金」と提唱しそれを知った人々が、「利子のつかないお金」貨幣をつくり、金融制度をつくりそれを実行しているのです。

しかし20世紀に理解された貨幣論は20世紀の資本主義・金融資本主義化・グローバル化の大波に打ち消され沈められてしまったのです。

21世紀に入り、日本において、資本主義の本質は「利子率」の低下・ゼロ化にある事を指摘し、資本主義は1970年頃のアメリカの産業資本主義の成熟化が終了し、終焉化の段階に至りやがて資本主義は「死」に至ると解析し理論化した経済学者の水野和夫が出現し、水野氏の指摘は、世界経済の現在の動向と一致していると私は理解し、それも一つの拠り所として、著述しています。

人が「商品」を買い求めたり、経済的サービスを受けたりするなかには、お金・資本の取り分である利子が必ず含まれています。利子を含めて商品の価格・サービスの提供価格が決定されているのです。商品価格・サービス価格のなかに、業種・企業・産業によって異なりますが全体としてみると、商品価格のうち約25%、賃貸業においては約33%以上の「利子」の金額が含まれていると言われています。

仮に商品価格に占める利子の割合が25%であったとすれば、同じ物を4回以上買えば1個の商品価格以上の利子（利息）の金額が買った人から売った人へ、移動していることになります。つまり買い手の持つお金が売り手に移転することになります。それを商品による「富」(お金を含む財産の総体)の移転と表現します。資本主義は、利子のつくお金によって商品を製りそれを販売して富の移転を行う経済経営システムですので、商品を供給する側にそれを買う需要の側の富の移転の歴史が資本主義発展の歴史であり、それが近代社会の争乱・戦争の原因であり背景であり、近代化という名の社会発展理論は、「利子のつくお金」によって成立しているのであり、その他にそれを成立させる基本的要因はないのです。

私は、資本主義に依る「近代化」という名の社会発展理論を基調として成立している「近代社会」は、水野和夫氏が示されたように、1970年代のアメリカの経済の成熟化によって、資本主義は終焉期となり、その後の資本主義は金融資本主義化、情報資本主義化という方向に変容しながら、もがき苦しみながら、人間社会にさまざまな、深刻な問題をもたらし、自然環境や生態系を破壊し、異常気象をもたらし、深刻なとり返しのつかない災禍をもたらしているのです。

つまり、資本主義の崩壊は「死」の宣告、言い換えれば、利子率が完全に0になる前にこれまで以上に人類社会が破局化する状態が予想できる状況となり、それが目に見えないところで進展し、間近に顕在化し目に見える状況となることが多くの有識者・研究者が指摘・予見しているのです。

人類は生命力の強い動物で誰かが破局を超えて生存すると思われますが、破局による犠牲者が多数となると思われます。

予見される破局は、基本的には、人類によってつくられた破局と言えます。人によってつくられた資本主義という名の経済経営システムによる近代社会がもたらす破局ですので、人間の知恵で、破局を避ける・避難するか破局の犠牲者を多く出さない、方途（進むべき道・方法・しかた）を模索することが可能であり必要となります。

それが現実に生きる人類の最大の課題と理解し、それを乗り越える努力・知恵の集積が必要との理解に依り、この書を著述します。

人間、現実を肯定的に生きられればよいのですが、現実はそれを許容してはくれません。現実を肯定的に生きる人々にも、資本主義のもたらす災禍は及び、生活を脅かし、人生設計を狂わします。

現実を肯定的に生きる人にも、否定的に生きる人にも、家族があり、子があり、孫がありその後の世代もあるのです。現世に生きる人々は、後世に対しても、自分自身をこの世に送り出してくれた前世にも、自分が生きた時代に責任を果たさなければならないのです。

私は、現在の時代が、少なくとも数百年、理解によっては数千年に一度の、時代の大転換期と理解しています。その時代の先頭を走っているのが、ヨーロッパ諸国でもアメリカでもないのです。人類の先頭に日本・日本人が立っているという認識は少ないのですが、江戸時代以後の約400年の日本の歴史がそれを実現してくれたのです。封建社会の末期の江戸時代と、それに相反する明治維新以後の近代化が実現してくれたのです。

日本国・日本人は、全人類に全世界に近代社会を超える未来社会を実現することによって、その実現の後ろ姿を見せるだけで、全人類の未来を変えることのできる立場に立たされているのです。

私は、過去の偉大な人々の知恵を利用させていただき、独自のあるべき未来社会像とその実現の方途を自己の理解とアイデアを示し、著述させていただきます。僅か数ヶ月間でまとめた文章であり、細部についてはお叱りを受けるかもしれませんが、大局については、自信もあり、荒唐無稽と評されてもかまいません。

過去の歴史から学び、現在を解析し・理論化することは大切であると理解しますが、過去の歴史は時とともに書き換えられていたり歪曲されていたりもしますし、歴史に学ぶだけでは未来を適確に予見することは容易ではないのです。また、現在の理解は、分業化され部分的局面を理解することができても、未来を予言し、未来構想を描くには、局部的な理解では描き切れません。学際的・総合的理解によって統合化して描かねばなりません。ですから未来を語るには、少なくとも「未来」から現実を理解する努力が必要と思われます。

そのような視座によって、私独自の判断による理解や提案ですので、持論を絶対とは思いませんので、それを未来に向けて役立たせていただきたいとの思いで著述いたします。

脱資本とは、簡単に言えば、お金や資本を目的とする資本主義経済から脱(ぬ)け出して、超近代とは、今までのヨーロッパ諸国とアメリカの主導によってつくられてきた近代社会を乗り越え、新たな人類の未来社会を築く。という意味であり、本来であれば、「大理想」を掲げ、長い時間をかけて、厖大(ぼうだい)なデータ・資料をもとに、精緻な論理を組み立て、「大理屈」をもって説明・説得すべき事柄ですが、現在の人類社会・世界の激変状況は、極めて一部の人々には予想されているとはいえ、あまりにもスピードが速く、一般庶民には目に入らない・理解しにくい状況変化であるとの理解のもとに緊急提言させていただきたいと思い、本書を著述させていただきます。

現在、潜在的に推移し、近々顕在化・表面化する事態は、現在の覇権国家と称されているアメリカらスタートとしヨーロッパ諸国、日本、次に発展途上国へと伝播しその影響は全世界・人類社会全体に影響し、近代化先進諸国と称されている国程影響が多大となります。

それは先進諸国が挙(こぞ)って創造してきた産業によってもたらされる災禍であるが故に最早停止することができない、コントロールできない必然的な状況によってもたらされる資本主義経済システムの崩壊の過程での事態であり、資本主義の「死の宣言」の前触れと理解できます。

人類はその死に際し「殉死」してはなりません。新たな人生を切り拓く努力でその死を乗り越え、新天地での「営(いとな)み」の準備が必要となります。それには、終焉・死の事態を冷静に直視・理解し、これからの状況に対応するために「ものの見方や考え方」を修正・転換して臨み、死の悪影響を避ける準備が必要となります。

その死を理解せず同情の念をもって対応すれば道連れとなり、殉死者となります。

資本主義の終焉と死を証明し予言しておられる有識者は多数いらっしゃいますが、現在進展し近々顕在化する人類社会の未曾有の激しい経済的・社会的地殻変動は「二つ」あります。それは、

（A）先端情報産業によってもたらされる「未曾有の失業」であり、数百万人・数千万人・数億人という失業者の発生であり、その失業者の人数はその筋の専門家でも予想できないレベルであり、数億人という状況に至ると思われます。
（B）世界の金融経済システムの崩壊、具体的には、アメリカのドル基軸通貨・金融体制であり、世界経済に多大な影響を与えるレベルではあり、アメリカとの関係の深い国ほど、国民経済が混乱し危機的状況に至るという事態です。これは、中国のバブル経済の崩壊によって連鎖的に起こる可能性もあります。

中国のバブル経済の崩壊は、アメリカの中国への貿易戦争によって加速化されていますが、中国は崩壊を避けるため、また、崩壊の準備のため、食糧・エネルギーの大量備蓄や金（キン）の貯蔵を行うなどしたり、強固な統制経済を敷いたりして対応していますが、崩壊は避けることはできません。

中国のバブル経済の崩壊が先行し、後に全世界の金融体制の崩壊が起こることも予想しますが、同時的に起こる可能性もあるのです。

中国のバブル経済の崩壊は、近隣諸国、中国の経済に依存する国々には深刻以上の影響が考えられます。

静かに進行している「雇用喪失」失業化の嵐。いつ起こるともしれない、中国バブル経済の崩壊や国際貨幣金融体制の崩壊。という二つの激震による大津波が単独で襲来するのか、同時多発的に起こるのか誰にもわかりませんが、中国のバブル経済の崩壊は計算できる、予想できる段階に来ているのです。

日本は震源地に隣接しているので、その影響は避けられません。

以上（A）（B）によって生じる影響は顕在化・表面化していませんが、（A）（B）は現在進行中の状況です。（A）の影響は日本に於ては約25年前より始まり徐々に進展し拡大し、日本の現今の従来型社会保障方式では対応できませんし、セーフティネットとしては役に立ちません。現在のセーフティネットは穴だらけで素材も弱いのです。大量失業者とその影響による社会的弱者の増大には耐え切れません。これからのあるべき社会保障に比較し微力で役割は果たせません。現在では（A）の状況が顕在していまので悠長に構えていますが、現況にも機能していない・国民に不安を持たせ・不安を増幅させている社会保障が（A）に耐えられるとは思いません。

（B）の事態はこれから何時発生するのかわからないのだから、それに対するセーフティネットは必要としないと理解されればそれまでですが、（B）の可能性は大であることを確信し、その可能性を説明することで制度提案をします。

この制度は現行の社会保障の問題の解消化や制度を正すことにとどまらず今後予想・予定される激変に対応すると共に近未来社会への布石となり、また、近未来の社会の生活の経済的基盤となり持続可能な社会制度であるとの確信を持ち提案します。それは、「ベーシックインカム（基本所得）保障をベースにし共生保障を積み上げ税制で全体調整を図る」（以下Ｂ・Ｉとします）という私自身の提案です。

この制度は１億人以上という人口を有する国家では容易に実現できるものはありませんし、仮に実行できたとしても継続することは容易でありません。

日本・日本人は約350年前の江戸時代から「日本人意識」が醸成され「一体感」を共有する民族です。人類史上、封建社会の末期に、近代化の前段に、このような意識を持ち得た民族国家は世界中どこを探（さが）しても存在しません。日本人の日本社会の良さはこの点にあり、それが明治維新以後の近代化を支え推進した原動力と言えます。

江戸時代徳川幕藩体制の下で培（つちか）われた意識と生活スタイル、また、それによって生まれた文化・芸術が世界の人々に評価され、世界の人々が日本人と日本に期待を寄せている事実が証明しています。

国際社会のなかで社会保障と社会福祉の実質的に充実した国は数ヶ国です。

例えばアメリカは建国（1776年）し約250年移民の増加によって支えられている国と言えます。建国以前のアメリカ社会は殺戮と強奪に始まり現在でも銃器の規制もできない多民族国家です。

宗教や価値観の異なる人々が利害対立しながらアメリカ合衆国憲法を唯一の拠所（よりどころ）にする多民族集合国家であっても、ベーシックインカムを提唱する民主党大統領候補アンドリュー・ヤン氏が立候補しています。

日本の近代化を「国家社会主義国」と評されていた時代もあったぐらい、外国人の日本人と日本の評価は他の資本主義国と異なるのです。

Ｂ・Ｉにはその制度の立ち上げ当初多額の資金の準備が必要となり、多くの制度の改変・廃止の立案・法律改正が必要となり、その立ち上げに５年ないし10年以上の期間が必要となります。そのためには、国民に真に信頼される民主的な政権の樹立が前提となります。

現在の政治には、未来への長期的展望や未来構想はありません。しかし現状の選挙制度は積極的・挑戦的な政策を掲げれば中間層の取り込みもでき、政界の流動化も可能と言えます。ただし、政策が普遍性を有し特に若い世代の未来を明るくできる展望が含まれていることが前提となります。現在の場当たり的政策では将来世代にマイナスの遺産を遺すだけと言えます。

以上を緊急の問題とその解決の制度としてのＢ・Ｉの概要をお示しします。現代の資本主義を基調とする近代社会の根源的問題である「お金（かね）」についての理解を深め「お金」の改良について述べたいと思います。

「お金」の「改良」⁉　不可解なこと言うなと言われるのが一般的であります。

お金と人間の関係は実に多様な関係と言えます。お金は喜びも苦しみも人間に与えます。お金は大切にしなければならないと思いますが、他の人に投げつけたくなる時もあります。

お金は時にお金を持つ人の人生も変えます。実に不思議で不可解な「物」です。お金は物ですが人の「目に見えないあるもの」がついているのです。それを「利子」と言います。

利子が紳士・淑女を狼に変えたり殺人を犯したりする原因となり、狂乱の世界をつくり「富の偏在や格差」をつくります。

私は「お金」を全面的に完全否定しているわけではありません。「お金」はもともと物と物との交換（物々交換）のなかだち（媒体）としての役割から生まれた物であり、その役割を残して、つまり「利子のつかないお金」に戻して使用する「お金」にしようとするものであり、その点が重要であるので理解していただきたいと思います。

人類の歴史は約200万年前からと言われています。当初は、自然物の採取・動物の狩猟が働きであり、食することが生活であった長い時代を経て、約1万年前頃より人口の増加に伴って地球上各地で農耕が開始されました。

穀物を栽培することは「種」を入手し育て増やすことでありました。

また、後の貨幣経済社会の下では「お金」を入手して物を作ったり売り買いしたりしてお金を増加させて生活するようになり、種・お金を準備してくれた相手には増加したなかから、分け前として相当分を増やして返さなければならない。種やお金の提供者を後に「資本家」と呼ぶようになり、貸した相手からもらった分け前分を「利子」（利息）と呼ぶようになりました。最初の提供された量（元本）と利子との割合を、「利子率」と呼び、提供者の元本に利子分が加わり増加したことを「資本の増加・増殖」と呼びます。

人口が増え、生産や売り買いが増える、つまり経済が成長するなかで次第にお金の提供者が殖え、その人達の経済活動が大きくなり仕事に力をつけて、お金をたくさん持ちそれを提供することを専門とする人が「資本家・ブルジョワ」と呼ばれるようになりました。

農耕と狩猟の社会も徐々に成長し、物と物の交換を仲介する商人も徐々に増え続け、お金の必要量が増え続けました。お金の提供者が増え続けるなか、お金と他の地域のお金の交換をするつまり「両替商」が生まれ、両替の手数料として利子を受け取るようになり、後に「銀行」となりました。商人が力をつけ「お金」を持ったり交換をしたりする人々が力を徐々に増し、「土地」をめぐる支配・被支配の封建社会のなかで社会的にも経済的にも力を増し続ける状況となりました。こうした状態は全世界中同様な傾向であって世界各地の違いはあまりなかったと言えます。

そのなかで今から約500年前の16世紀にヨーロッパ大陸の西、大西洋に面する国々（西欧諸国）の人々が海外に目を向け始めました。そうした国々の人々は新しい交易の航路を開拓し、新大陸の発見によって大きな富を得るようになりました。それは交易商人、それを警護する軍事力を持つ国王とその体制、また航海と交易を支援するお金を持つ投資家・銀行家達によって行われた。それは「富国強兵の主権国家」による重商主義（重金主義）と呼ばれています。

重商主義は交易による利益、生産資源や銀などの鉱物資源の略奪（かすめうばうこと）、収奪（強制的に取り上げること）を行い「富」を急激に増していきました。当時ヨーロッパ諸国ではルネサンス（文芸復興）や宗教改革もあり科学の発展・技術の進歩が進展していました。火薬・羅針盤・活版印刷術の発明はその代表です。西欧諸国の重商主義とその時代の社会の変革が封建社会時代のものの見方・考え方を変え（パラダイムの転換）他の世界の封建社会との間に差異（他と比較してのちがい）をつけ優越性が増し、圧倒的な立場をつくりました。

この重商主義により、巨万の富を獲得し多額のお金を持つ人々や国家が世界を牽引・リードを始めたのが、資本主義の起原であり、その後、イギリスに始まる「産業革命」によって物・商品を製（つく）る産業・企業が牽引する時代が始まりました。

産業は工場を建設し機械設備を必要とするため、多額の資本が必要とされるため重商主義によって潤った商人・投資家・銀行が高い利子で貸し付けることとなり、お金・資本の力が強力化し資本による支配・被支配の関係が始まりました。

工業製品の市場をめぐり、資本の増殖をめぐる争乱が多発化し、重商主義以来から1945年の第二次世界大戦の終結まで戦争と動乱の時代でありました。それまでの資本主義は富の略奪・収奪に始まり資本の増殖という経済行為は高い利子率が継続していたため、お金を持つ富裕層・商業者・投資家・銀行は動乱の時代を通じて富を増し続けることができました。

しかし西欧諸国及び、アメリカの産業資本主義は第二次世界大戦の終結の後1970年代には商品・製品の生産が過剰となったり、石油危機によって石油などエネルギー資源の高価格化などによって利益が少なくなったり利子率が低下するに至りました。利益（利潤）が少なくなればそれにあわせて利子率が低下し、お金・資本の借り手が少なくなり利子率が0に近づいていきました。その先頭にいたのがアメリカを追い越した日本であり、ヨーロッパ諸国・アメリカも、日本に続き利子率は限りなく０に近づいているのが現在です。

お金に利子がついているからお金持ち・投資家は働いていなくても利子によってお金が増える経済のシステムが資本主義であります。お金・資金の借り手は、利子以上の利益を生み出していかなければ経営はなり立ちません。現在では生活に密着・必要とされる商品をつくる産業・企業、又政府をはじめとする公共分野の資金需要も減退化し、目に見える商品・製品を製る実体の見える実物産業は利益を出せず、相対的に弱体化・衰退化しています。

金融機関・銀行は産業に貸し付ける商業銀行から「お金でお金を生み出す方法」をつくり出し、利子の少ないお金を預かってもそれを数十倍にしてお金を生み出す投機・ギャンブルによる資本を増殖する「投資銀行」となり、金融バブルという状況をつくり出しながら利益の追求をしています。金融バブルは破裂しなければ投資銀行の利益は確定しない。そのような極限の世界に入りこんで悍しい（ぞっとするような）世界を生み出しています。

金融バブルの破裂・崩壊は目に見える直接的に生活の影響が出る実物実体経済から利益を生み出し、実際の生活をする人々、また、税金によって成り立つ政府からも収奪を行うに至り、経済のみならず社会全体に多大なマイナスの影響を与えそれが深刻化しています。

それまでは利子のついたお金が、利子がつくことによって利益を生み出し、それが経済の成長に繋がった時代であり、物の豊かさを享受する時代となったが、お金を持つ人々が、お金を持たない人々を苦しめ、死にも至らしめる、おぞましい人類社会になってしまいました。なぜそのようなおぞましい人類社会になってしまったのかと言えば、お金・資本を増やし続ける領域が、領土的にも空間的にもなくなっているための現象であります。資本主義が約50年前に終焉することなくグローバル資本主義という名の「癌の」治療薬によって生き延びられたにすぎません。延命策も最早なく死の宣告を受ける寸前に在ると言えます。

人類の長い歴史のなかで利子のつくお金が徐々に認められ、利子のつくお金が人類生活を豊かにしたのは長くとも約200年間であり、約200年間で経済的に物質的に貨幣的に多少なりとも潤いを得たのは現在の約80億人の人類人口の10%以下の人々と言えます。

お金に利子がつくことは長い歴史の経過のなかで常識化し、利子がつくことに疑念を持ちながらもこれを捨て去ることができなかった。次第に社会のさまざまな問題の原因が「お金」にあることがわかってきたが「お金に住みつく利子」であることが現在に至るまで気づいてはいない。過去にこれを理解し新たな挑戦をした人々も多数おられましたが（それについては後に著します）。しかしそれも資本主義という大波によって沈められてしまいました。

これからの未来社会を築く上で最重要の課題はここにあると言えます。「利子のつかないお金」によって経済・金融システムを構築しそれを中核に社会全体・人類社会を修復しなければ人類社会に未来はなくなります。私自身これについては確信しています。

現在の人類社会の現状を危惧し改革をめざす人々も多数世に出てくると思いますが、この理解を欠落した改革はすぐに行き詰まり失敗します。

以上を別な表現をすると以下のようになります。

今、地球という周囲全体を金網で囲まれたデスマッチのリングに、戦闘服を着用した強そうな1人のレスラーと99人の弱そうな裸のレスラーがリングに立って闘いを始めました。強そうなレスラーが多数を倒し99人組が少しずつ減っていく。そのなかで戦闘服を着用した強いレスラーも多少ずつ戦闘能力が落ちていく。それを見て99人組が襲いかかるも強いレスラーは負けない。時を経るごとにレスラーの戦闘服が部厚くなっていき、99人組は少しずつ減っていく。いつになっても99人組は勝利することにならない。その繰り返しによって99人組が減っていき、勝利するのは戦闘服を着た強そうなレスラーとなる。デスマッチのリングは99人組の死体の山となる。

これが人類のおかれた現状です。戦闘服は、時を追うごとに利子のつくお金によって強化され部厚くなって99人組は勝利することができなくなります。

このような結果になる理由はデスマッチのリングは周囲を金網によって閉ざされ、両者とも逃げ出すことができないからであり、99人組が勝利し1人でも多く犠牲者を増やさないためには一刻も早く戦闘服を引き裂き剝(はが)すことです。一刻も早く。

現在の資本主義を基調とする近代社会を危惧し、問題の深刻さを訴え、多くの方々が問題解決に尽力されていますが、それに増して重要なのは、いかに根源的な理解をもって、現代社会や経済を基本的なところから改革するか、という認識をもたなければならない時と考え、富の偏在や格差の拡大・環境の破壊と言った現実の多くの問題を理解した上で、「超近代」の未来社会の在り方を展望し「脱資本」を実現する未来志向の改革の方向性とその入口での方法を大胆に著述させていただきます。

序　文

読者の皆様にとって耳に入れたくない、受け入れ難い事実をお知らせします。それは、将来のことではなく、現実に人の目にとどきにくく、ひそかに進行している事態が、数年内に突然に社会に出現し、その現実に遭遇すると人はたじろぐ状況となり、生活設計はもとより人生設計を破壊する事態です。この事態は経済的に豊かな人にも社会的弱者にも、あらゆる働く人々を襲う出来事です。

それは、「失業の嵐」「雇用の喪失」です。現在それを生み出す経済経営活動が大規模に進行中であり、その活動を停止することを大多数の人が否定するからであり、人が「便益」を求める心意・行動がそれを加速化されているからです。

失業の嵐の規模は、地球的規模で起こり、数百万人から数千万人そして数億人という、失業の嵐です。それは徐々に大規模化し、現在の経済発展国、アメリカ・ヨーロッパ、日本そして経済発展途上国へと順次進行します。現在の段階ですが一説ではアメリカの全雇用の４分の３ぐらいの予想を立てておられる識者もおられます。

これから襲う失業の嵐の発生は、先端情報産業・企業がリードするあらゆる産業・企業から生まれ産業・企業の規模に関係なく起こり、所謂「師・士」と言われる個人事業分野でも発生し、最も早く・最も大規模に発生するのは、ホワイトカラーの職種から職位に関係なく発生します。

それは、先端情報分野における「ロボット化」「AI化（人工知能化)」によって引き起こされ「職種はあっても就業者・人間は必要としない」という変化で、低いスキルから高いスキルへと順次移行します。低いスキルの働きは永久的になくなり失業者は増加し、失業者の就職は徐々に少なくなる事態です。この事態の期間は私の単なる予想ですが、このままに推移すれば30年50年と続くと思われます。

このような進行中の事態への対応は世界中どこを見渡してもありません。

ヨーロッパの社会保障の充実した国でも、アメリカでも日本にも「失業の嵐」への対応はできていません。現在の社会保障・福祉のセーフティネットではまったく支え切れません。

それに加え、現在の資本主義の終焉の末期的事態が進行中です。それは世界経済が現在の「アメリカの金融体制の崩壊」とそれに前後すると予想される「中国経済・中国社会の崩壊」という事態が進行中なのです。

「中国経済の崩壊」は多くの識者やウォッチャーによって予測され、予測を超えて予定のレベルまでの理解になっています。

中国経済の崩壊は中国の民衆のみならず、周辺諸国に多大な影響を及ぼし日本も例外ではありません。中国経済の崩壊は大規模な中国社会の崩壊に繋がる可能性は極めて高いと予測できます。社会崩壊の後の中国の社会については誰にも予想できません。

仮に日本が中国経済の崩壊による影響を小さく抑えることができても、社会崩壊の影響は数十年続くことになるかもしれません。

中国の社会崩壊の過程で、核付きのロケットの発射ボタンが押されることも予想できます。この結果として、人類の滅亡の危機がおとずれることも考えられます。

考えたくない事態に人類全体が直面している事実を見過ごす訳にはいきません。

このような深刻な事態を私なりに報告させていただいた後、その事態への対応の方法を、示したいと思います。それは「ベーシックインカム（所得保障）をベースに共生保障を築き税制を根幹から見直す」という制度改革です。

このような多くの深刻な事態を現在にもたらした原因は、我々が生活している「資本主義を基調とする近代社会化」というなかに必然的に生まれたと、私は理解しその説明を示します。

現在の日本は、多様で深刻な問題を抱えながら、問題の領域は日々拡張し、深刻化が進展しています。しかしその状況にまともに対面しているようには思いません。政治の実体がそれを示しています。国民は政治に期待したくとも、政治は国民の期待に応じるだけの能力が欠落し、何ら抜本的な改革政策を国民に示してくれてはいません。今の現実に埋没しているだけで長期的展望を示せず、特に若い世代の政治離れを加速させるだけで、若者世代に、夢や希望を持てる状況を提示してくれません。現実に埋没し、これからの社会への展望の欠片(かけら)さえも示していません。単なる意味不明なスローガンを掲げているだけで、それさえ行わない政治家が多数と言えます。

私事ですが、約50年前の学生時代に資本主義経済社会に深い疑念を持ち、現在に至るも疑念を持ち続け今に至りましたが約50年間社会全般に興味を持ち仕事の傍ら自身学究肌ではありませんが、幅広く学んできましたが長らく書き留めていた資料と多様な経験やその失敗から学んだことを依拠とし、この著作を、72歳の寸前から短期間で執筆しました。

著述する過程の研究のなかで、未来社会への展望が多少なり透視することができるようになりましたので、それに至る文献・著作・人物の紹介と解説をお示しするなかで「脱資本」「超近代」という新たな近未来社会への展望をお示しします。

次に現在の世界経済・社会また日本の経済・社会の危機的状況をお示しします。

現在の資本主義の終焉期に於いて社会保障の給付では生活ができない人々が増加し続け、年金受給者でも将来への給付削減化に不安感を持ち、国民年金受給者の今後は悲惨な状況となり生活保護の対象者は増大化し、これにアクセスできない人々が現在の受給者の数倍いるという現実と今後増え続ける失業者の問題を鑑みれば、現行の自助・互助・公助レベルの対応では悲劇的状況に陥ります。従来の保障制度に加え、国・地方自治体・ＮＰＯ・企業・地域社会などすべての人々が参加し有機的社会関係をつくり、従来型の「支えられる人」と「支える人」という関係での社会保障では最早限界と言えます。支える人が人口減少と今後の失業の増加で「支えられる側に大量に移行します。しかし共生保障を現在の社会保護システムに組み入れるだけでは短期間に限界に至ります。

そこで、ベーシックインカム（基本所得）を条件なしにすべての国民に国もしくは地方自治体が支給する。つまり、例えば18歳以上の国民には月額8万円程度、18歳未満の人には月額4万円程度を支給し、基本的な経済基盤をつくり最低レベルの生活を保障しそれを基本に共生保障制度を構築し、税制の根本的改革によって財源を継続的に確保し、社会の安定化、国民の安心化を実現する制度改革を詳しく提示いたします。

次に何故資本主義は終焉を迎えているのかを経済理論から、水野和夫氏、野田聖二氏御両名の指摘の中核箇所をお示し解説いたします。

御両名の理論は日本の多くの有識者が絶賛し、その論を拠り所にされている方々も多数いらっしゃいます。私もこの論に近い立場で理解しています。

次に、現在の資本主義は金融産業と情報産業が牽引する金融資本主義と言えます。金融の実態は金融の頂点にあるIMF（国際通貨基金）FRB（アメリカ合衆国連邦銀行）をはじめとする国立銀行や国際金融機関の実体・行動を知り貨幣制度や金融制度の新たな方向を模索し、新たな制度を構想しなければない状況にあります。それは「米国ドル基準通貨体制」が崩壊の危機に瀕している現状と、それに強く影響する「中国の金融バブルの崩壊」が間近に迫っている事実があるからです。これらは一般庶民には無関係と思われますが、実は極めて身近な問題で一般庶民の生活の劣化・困難化に直結することです。その世界はエリート中のエリートの世界であり、情報はなかなか漏れてはきませんが知り得る情報で理解を示したいと思います。

次に現在の世界で最も注目されている第45代アメリカ大

統領ドナルド・トランプ氏の政治を理解すると、アメリカ社会の現況と未来・世界のこれからが理解できます。彼の政策とその影響をお示しします。

次に、これからの未来社会を考える上でトランプ大統領とは対照的な政治スタイルで、南米諸国のなかで民主的な国家として国際社会から認められている、過去2010年から2015年までウルグアイ大統領に就いていて「世界一貧しい大統領」と評されているホセ・ムヒカ大統領の政治・生き方を紹介します。わかりやすく心豊かな人間像・清貧なライフスタイルは、これからの未来社会での（一つの）生き方を示してくれています。彼の言葉をそのまま列記します。また、彼は日本人・日本社会への期待を持ちながらも現実の状況を嘆き忠言しています。

これまで、資本主義を基調とする近代社会の現実について著述してきましたが、これより次なる未来社会の望むべき在り方について過去に遡り紹介し考察、それによって新たな近未来社会像を模索したいと思います。

近代社会は、ルネサンスと宗教改革によって封建社会の、時代のものの見方・考え方つまりパラダイムを転換し、近代の合理主義・個人主義によって、科学の発達と技術の進歩を実現しにそれを原動力に実現された社会と言えます。

近代を超えるには、近代の合理主義・個人主義を超える価値観と科学技術に関する新たな理解が必要不可欠と言えます。

近代は1600年頃からスタートした重商主義（重金主義）に始まり1780年頃のイギリスの産業革命によって（産業）

資本主義が確立し現在に至り終焉期を迎えています。資本主義の本質・目的は「お金・資本」の増殖ですので、約400年間「富の収奪」に明け暮れ、多くの戦争を起こし、全人類に災禍をもたらし、富の偏在と格差の人類社会をつくり、資本主義はグローバル化によって地球の領土空間に行き尽き、電子—金融空間の創設によって時間領域からも収奪を行いました。そして今、情報産業はAI化によって人間から仕事を奪い人間社会全体から収奪する究極の段階となり、定常系（型）である地球の自然・生態系を破壊し、人間の住めない地球に至らしめています。

これからの人類社会は「定常系地球」のなかで、収奪を止め、利害対立を解消化するなかで相和・融和して生存する以外にはありません。

人間の対立は「価値観の対立」と「利害の対立」という二つの側面があります。それはコインの裏・表の関係にあります。利害の対立に先行し価値観の対立を解消化する新たな価値観を考察することが第一義的です。

以上の理解をもって、資本主義の激流に流されず人類の未来を危惧し、近代社会のなかで警鐘を鳴らされた先人達の知恵を考察します。

これからの人類の未来の作業は、今までの多様な価値観を総合的・融和的に統合化し、近代の合理主義・個人主義を包含し超える、新たな普遍的な価値を模索する作業となると思われます。人類全体の「新たな真実」の模索の作業によって、新たな未来社会が拓かれていくと思います。

第二次世界大戦の後、アメリカとソビエトの対立が進み冷戦という状況となり、アメリカとソビエトの両者に与しないインド・中国・東アジア諸国などによる第三のグループが生み出されました。第三のグループは、欧米のリードする資本主義による経済や社会の発展以外の「もう一つの発展」の方法を国際連合と協力しながら模索する動きがありました。それは1970年代に起こり1980年代の後半に検討されましたが、当時のグローバル資本主義化のなかで打ち消され、発展途上国は従来型の近代化に飲み込まれました。

当時の資本主義による経済・社会発展（＝近代化）に依らない、もう一つの発展が「内発的発展論」として、当時の上智大学の鶴見和子氏、川田侃（ただし）教授らによって著されています。これを著述します。

次に未来社会における個人の基本的在り方、特に働き方について言及します。

未来社会は地球という定常系のシステムのなかで人が生きる社会と言えます。近代化の時代では人の生きる・働ける領域が領土的に拡張し続けることが可能であったので、外に向けて上に向けて、また、量の増大（量）化が人の心意行動に影響し人を成長させましたが、地球という領土空間に突き当たり量の増大（量）化による行為が限定化され、人の心も「内向き・下向き」にならざるを得ません。心が内向き・下向きになるなかで人は解決の方向を、「量より質」を求める方向にならざるを得ず、人は内面的な成長・心の発揚を求め、人間性の向上をめざします。人の内面的な成長と・心の発揚・人間性の向上によって、内面的な心の充実をはかり、自由で主体的で自律的で創造的な働き・生活を求めることとなります。

近代では「量の増大」や「外見」が社会的評価の基準となりましたが、最早その時代はすでに過ぎ去っているのです。このことを理解できない人々が問題をつくり続け災禍をもたらしているのです。

これからの時代は「質の充実」「内実」「心の深さ・豊かさ」が社会的評価の基準となりつつあります。経営のあり方、そこでの働きのあり方も変わることが必要となります。

私の大学時代の恩師、薄衣佐吉先生は今から55年前より、現在の経済・社会の問題を透視・指摘され、人の働きは本来「労働」ではなく「喜働」であると理解され「人間性の発揚」とそれによる「職務能力の開発」による創造的な企業経営のあり方を研究・体系化された方で、人の働き面から、企業・産業を診断され経営コンサルタントとして、また、経済思想家として活躍された方です。

資本主義経済が終焉・死に至らずとも、普遍的な企業経営のあり方、働き方を模索しなければなりません。「資本の増殖」を目的とするのではなく、人間の社会の国民の「福祉の増進と充実」を目的とする経営・働きに変革しなければなりません。恩師の著作をもとに著述します。

次にこれからの社会を構想する上で、極めて重要な指摘・ヒントが、20世紀のヨーロッパに実在しています。

ドイツの思想家であり教育者であったルドルフ・シュタイナー（1861～1919）とその影響を受けた、ファンタジー作家・経済を語る寓話作家として知られる、ミヒャエル・エンデ（独・1829～1995）の経済観・貨幣論を内包・示唆し「お金」への思案・問題意識が込められていた、ファンタジー童話「モモ」を読んだドイツの経済学者ヴェルナー・オカケンが当時の当時の経済学者シルビオ・ゲゼルとの共通性を理解したオカケンがゲゼルの「自由貨幣理論」とシュタイナーが提唱した「老化するお金」というアイデアが描き込まれていると感じその考えを「経済学者のための『モモ』」という論文にまとめ発表した後、多くの貨幣制度改革者が、ヨーロッパ諸国・米国に独自の地域制度をつくり、それを実践している状況を著述します。

ちなみに「モモ」は1973年に発表され30以上の言葉に翻訳され2011年頃に全世界で1500万部以上売れています。全世界中で「お金」に関心を持ち疑念を持っているのです。

以上、資本主義経済の実情そして近未来社へのパラダイムシフトに向けた理解を著述してきましたが、日本社会には、未来社会の原型と理解できる時代があったのです。世界中どこを探（さが）してもそのような時代があった国は存在しないのです。

それは、1603年から1867年、約260年間の時代「江戸時代」です。

江戸時代は、1868年の薩摩藩と長州藩を中心とした明治維新以後の日本の近代化のなかで無視され埋没化され歪曲（わいきょく）化されています。

江戸時代は多くの外国の識者に評価され、現在多くの海外から訪れる観光客に多くの感動を与え魅了しています。日本の近代化の終焉する今、世界史に類例をみない「平和で安定し持続可能な」社会・経済システムが構築され、賢明で美しいライフスタイル・文化を実現していた時代を正当に再評価し、その時代を総合的に学ぶことによって近未来社会への実現が促進されるとの思いで著述します。

江戸の町人達に「宵越しの金はもたねぇ、金は天下の回り物よー」と粋(いき)がらせた江戸の時代には、多くの宝と知恵が埋蔵していると思います。定常型社会の原型は、江戸時代にあります。

以上多くの先人達の知恵を拝借し考察してきましたが、これから私自身の考えを明確にお示し、これからの未来社会の構築に先行すべき主要な制度設計の概要を提案したいと思います。

最初に未来社会を実現する上で、社会発展レベル、国や地域を超えて、普遍的に適応可能な原則をお示しし、その自身の理解とその論理的根拠と私の経済学・経営学に対する基本的理解をお示しします。

次に新たな未来社会への基本的制度でありそのスタート時に実現の必要があり、それが実行できれば、日本のみならず世界・人類社会を大きく変え、現在の多様で深刻な社会・経済問題の解消化へ方向づけることの制度提案です。荒唐無稽として受け止めるのは自由ですが、これなくして未来社会は考えられないのです。私の提案によらずとも、誰かがこれを実現することになると確信します。

現在の世界のなかで、日本人・日本国のみが、この国家レベルでの制度の導入ができるのです。

次に、私が提案した制度を導入したことにより、多くの可能性が生まれます。

それは、人類史に初めて起きる「基本的・経済構造の大転換」が可能となり、現在進行中の国家間の対立・戦争の主原因となっている、「自由貿易」体制から「共生貿易」体制への移行が可能となるのです。

しかも、現在の社会の問題の深刻化の基本的原因である「お金」を「利子のつかないお金」に転換し、資本主義から、完全に脱却し新たな地球レベルでの経済・経営システムへの進展が可能となります。

私の描いた未来社会は、基本所得保障を原点に基盤に、スタートできます。

それによって、日本国の明治維新以来の「主権国家体制」による中央集権化からの脱却の一歩が始められ「地方分権社会」への方向に進められます。

この新たな未来社会への転換は「暴力革命」によって行うことではありません。

現在の資本主義によって腐蝕された、「民主主義」を再構築し、非暴力の「民主政治」によって実現できます。

現在の日本の政治の刷新は、国民が思う程困難な状況にはありません。長期的展望を提示し、現在の深刻な問題を解消できる、国民に世代を超えて納得される、国民に安心感を醸成できる政策・制度を提示し、そのプロセスを示せる、信用・信頼される政治を実現することでスタートできるのです。
現在の与・野党の中間に国民の約50％の無党派層があります。

その80％を野党に向けることは難しくはありません。それには、長期展望に立った、安心を与える政策を提示することが前提となります。

私の提示した、制度改革は、資本主義の終焉期で実施しその死に備え、しかも資本主義以後、また近代社会を超えた未来社会の入口の制度となり得るとの確信を私は持ちます。これを「たたき台」にし、具現化して欲しいと思います。

第1章　失業の嵐と先端情報産業

この人手不足の時代に何を言うか、というのが社会的通念であります。人手不足なのだから給料は上がり、仮に失業してもどこかに職はあるのだから心配しても仕方がない、と世間一般は受けとめています。期待を裏切る話は、耳にしたくないとの気持ちになっています。

しかし実情は、失業の嵐が差し迫っているのです。この事実を受けとめ、考えていただきたいという思いで、ここに著述します。

『GLOBOTICS（グロボティクス）』という著書が、2019年11月に発刊されました。日本経済新聞出版社の発刊で、著者は、現ジュネーブ高等国際問題開発研究所教授であり、米国政府の要職を経験し、日米間の貿易交渉を担当していた、リチャード・ボールドウィン（Richard Baldwin）です。

「グロボティクス」とは、グローバル化とロボット化を合わせた造語です。

この著作を、元アメリカ国務長官であった、ローレンス・サマーズも、「新しい経済の姿を描いた、これまでで最もすぐれた本」だとし、絶賛・推奨しています。

この内容に類似する著作『ロボットの脅威』という著作が2015年に、日本経済新聞出版社の発刊で、著者は、マーティン・フォード（Martin Ford)、シリコンバレーを拠点とするソフトウェア開発会社ファウンダーで25年以上勤務し、ロボット革命、人工知能、仕事の自動化、加速度的に進歩する情報技術が働き方、経済、社会全体にもたらす影響について、独自の分析を展開し、注目を集めています。

他にも内容の類似した著作は多数ありますが、皆、最先端情報技術に係わる極めて高い知性の人々であり、その人々の共通する認識は、オートメーション化（自動化）、ロボット化、AI化（人工知能）が経済・社会に激変をもたらし、雇用に多大な影響を与えることを指摘し、将来の人類社会への危惧を著述しています。

私事ですが、約6年前から、先端情報産業や多様な先端技術の開発の関係の末端での、機器の搬入・運搬・搬出などの業務に従事していました。日本の最先端企業とその関連分野のほとんどに関係し、実態を観察してきました。その数年間に、日本の産業構造が激変し先端情報産業の知識と理解が多少ともなければ経済を語ることはできないと、認識しました。

約5年前に、マーティン・フォードが指摘した状況が、リチャード・ボールドウィンによってその実情が示されているのです。

それは、人類が初めて経験する・修復の困難な・後戻りできない事態と言えます。

■キング牧師の予言・三つの革命

現在の事態を予想・透視し、それを表現していた人が存在しました。それは、マーティン・ルーサー・キング・ジュニア牧師その人です。今から約50年前、1968年、ワシントン・ナショナル大聖堂での演説に示されています。この演説の5日後彼は暗殺されています。

彼は今後「三つの革命」が起こることを示しています。

① オートメーションとサイバネーションの影響を受けた科学技術の革命

② 原子力兵器・核兵器の出現という兵器上の革命

③ 全世界における爆発的な自由化という人権上の革命

キング牧師は50年前に現況を予見していたのです。

■経済社会の恐ろしいトレンド

フォードは、経済社会の傾向を、「恐ろしい七つのトレンド」として示しています。

(1) 停滞する賃金

1973年時（アメリカ経済の最頂期）アメリカの労働者の標準的な給与額は、1人1週767ドルで、40年後664ドル、つまり約14%低下しているのです。

日本でも、1995年頃の金融バブルの崩壊以後約25年間で、人手不足が叫ばれているなかで実質賃金は上昇していません。これからも、少子高齢化による人手不足が定着しても上昇することはなく、実質低下の方向に向かうと予測します。また、現実化しています。

(2) 労働分配率は低下し、企業収益は増大。この傾向はアメリカでも日本でも同様です。この傾向が、先端情報企業がリードする企業経営・経済の特質であり、産業が統合化される過程で一層顕著となります。これについては詳しく後述します。
⑶ 労働力率の低下
⑷ 雇用創出の減少。雇用なき景気回復の長期化・長期失業者の増大
⑸ 格差の拡大
⑹ 近年の大卒者の所得の低下及び失業
⑺ 分極化とパートタイム職の増加

フォードが示した、恐ろしき七つのトレンドについて、私自身の理解を示します。

付加価値＝利益＋人件費、という関係から説明します。

情報企業に限らず先端企業は、他の競合企業との競争に勝利するために、他の企業との間に、「差異・優位性」をつけるために、研究開発・技術開発の経営努力を行います。

つまり知的財産権・特許で優位性の確保を実現し、他の競争相手に比較し、高価格での商品・サービスの提供が可能となります。

これによって、研究・技術開発に貢献をした技術者・監理者・経営者の高い所得が実現できますが、利益を維持増加させるために総体としての人件費の削減の努力をします。開発の補助的役割を担った人、開発に直接的に関係しなかった人々の所得をでき得る限り低くすると同時に単純な労働を多様な機器の導入によって人件費割合を低くする努力のなかで、企業全体のなかで機械装備率が高まります。機械はお金・資金によって調達されますので、徐々に資本の役割が増加し資

本装備率が高まります。

結果として、人件費は抑制され総体として労働分配率は低下し、資本装備率を高めることで資本の所得である利益を確保することとなります。

経済が成熟化し競争に勝ち、利益を確保するためには、開発技術者などに高い給与を与え、一般的な労働に従事する人を排除・低所得化する結果となります。これは一般的な先端企業の宿命的な傾向ですが、先端情報企業・産業ではより顕著な状況となり、市場占有率の高い・市場支配率の高い企業ほどこの傾向が強いのです。

上記（6）については、フォードは次のように説明しています。

1985年から2013年にかけての28年間で大学の学費は538%の上昇、消費者物価は121%、医療費は286%上昇し、学費ローンの残高はアメリカ全体で少なくとも1兆2000億ドル（約132兆円）。アメリカの大学生の70%は借金をし、その額は約3万ドル（約330万円）。6年以内の卒業率は約60%という実情が示されています。

この間、大学の教育のコストは多少の増加にとどまり、営利志向の大学が増加しています。こうした大学の教育の傾向は日本に於いてもみられる傾向と言えます。

アメリカ経済の情報産業との関係の歴史は以下のように記述されています。

1947年から1973年はアメリカ経済の黄金時代に、テクノロジーが進歩し、生産性の増大が見られた。

1970年代、アップルやマイクロソフトが創業し、1971年には、現在のスマートフォンに使用され情報の頭脳部分である、CPU が開発され、1980 年代、情報テクノロジー化が進展し、1990 年代、IT イノベーションが加速化しインターネットが開花し、IT 化が進展し、この時代は、コンピューター・ネットワークの管理者の賃金は上昇し、全体の生産性の拡大も顕著であり一層の IT の変革が行われた。

2000 年代に至ると、IT が加速度的進歩をとげ、生産性も向上したが、企業がオートメーション化し、IT をクラウドコンピューティングサービスにアウトソーシングし始めると、質のよい雇用の多くは消えていき、所得の上昇は止まり、労働市場は分極化し、雇用なき回復が標準となった、と記述している。

現在の日本は、アメリカの情報産業の後追いをし、クラウドコンピューティングサービスのアウトソーシングが始まったレベルであり、これから情報技術の影響が本格化すると思われる。

また、40 年間の賃金の停滞の背景についてグローバリゼーションの影響は少ないと著述している。その理由は、グローバル貿易の直接の影響を及ぼすのは貿易部門に働く労働者達であるが、総じて大多数の労働者の賃金は下がっていないとし。

また、ウォルマートに代表される商業部門の、商品及びサービスは 82%がアメリカ製で、中国製品は消費支出の 3%に過ぎないと分析し、テクノロジーが製造業部門の職を排除し続け労働者を減少させていると分析している。つまり、IT が直接的また間接的に影響を及ぼし雇用を喪失させていると著述している。

日本もアメリカのITの影響を後追いしています。

■テクノロジーが雇用の75%を奪う

フォードは次のように著述している。

今後、新たな時代の新たなイノベーションに対応する仕事が生み出されることを否定し、ITは、従来の「良質」な仕事を不要なものに変えつつあるとし、例を挙げている。

弁護士を補佐する法律家・ジャーナリスト、オフィスワーカー、コンピュータープログラマー、ブルーワーカーを問わず仕事は消滅し労働者階層・中間層は苦境に立たされる。また同時に、家計は、教育、医療・健康という情報技術による大きな変容がもたらせない二つの分野で費用は高騰するとし、テクノロジーが「雇用の75%を奪う」と結論づけているとし、新たな社会の展開への選択が迫られている。としています。

フォードの理解は、ITがさらに進化を遂げれば、人間の精神だけに残された領分だと、ほぼ誰もが考えるような領域まで入り込むようになっている。機械が好奇心・創造性を示し始めている、と著している。

■遠隔移民とホワイトカラー・ロボット「アメリア」

最初にお示しした、ボールドウィンの『グロボティクス』という著作は、フォードの著作の約4年後ですが、ITの進展はより加速化し深刻な状況にあることを示してくれています。

ボールドウィンは、AIの一例として、「遠隔移民」について記述しています。

これは、テレコミューティング（情報通信技術を利用した在宅勤務）がグローバル化し、テレマイグレーション（情報通信技術を利用した遠隔移民）という現象が成立したと、記述しています。

2017年「機械翻訳」が定着し、情報端末を持ち、インターネットに接続し、スキルさえあれば、誰でも遠隔地のオフィスと繋がり仕事ができるようになった。発展途上国の、有能なスキルの高い人であれば、遠隔地から指示が出せる状況になった。それは機械翻訳技術に加えビデオ会議システムや拡張現実（AR）などの充実化によって可能となった。

また、ホワイトカラー・ロボット、「アメリア」を紹介しています。

アメリアは、スウェーデンの銀行SEBのオンラインと電話の相談窓口で働いている他ロンドン・チューリッヒでも働いている。300ページのマニュアルを30秒で暗記し20ヶ国語を話し、数千本の通話を同時に処理できる。

アメリアは思考するコンピューターで賃金はゼロである。ホワイトカラーを代替する、ロボットが安価に製造されている。

これから、ホワイトカラーのみならず、あらゆるサービス産業にAIロボットが導入されていくことは必至と言えます。日本でも店頭に続々ロボットが導入されている現況を直視すれば今後の雇用の見通しを変えざるをえないでしょう。

ロボット化、AI化は今後急速に、急激に進展し、人間の働きを排除していく、少なくとも、数百万人、数千万人、数億人というレベルの「雇用の喪失」が、予測から、時の経過とともに、予定に変わっていくのです。

■スキルの低い人は永久に職につけない

ロボット化AI化は、職はあっても、人がその職に就けない状況である。スキルの低い人々は永久に職に就けないのであり、スキルの高い人でも、AIロボットの脅威にさらされる時代が間近に迫っています。

この事態、つまりロボット化・AI化による雇用の喪失に対し、人間と社会はどう対応したらよいのか、思案のしどころです。

この現実を容認するのか、この現実を拒絶するのか、容認する場合、人間とAIロボットとの関係をいかに保つのか、拒絶する場合いかなる方法で拒絶するのか等々。

この問題の解決の方途はある、と私は理解しています。でも現況ではできません。

ボールドウィンは次のように著述している。

自動化もグローバル化も1世紀も前からある話だ。グロボティクスが過去と違う大きな理由は二つある。襲来のスピードが凄まじいこと。そして不公正に見えることだ……。

また、トランプ大統領や欧州連合（EU）離脱に賛成票を投じ、2016年の反動を主導した人々は、自動化やグローバル化の雇用破壊力を知っている。彼らやその家族、コミュニティーは何十年も前から、国内ではロボットと海外では中国との競争にさらされてきた。……グロボティクスによる激変を特徴づける「壁」がどんなものになるかわからない。反グロボティクスの壁かもしれないし、反テクノロジーの壁かもしれないし、反企業の壁かもしれない。……

■民主党大統領候補アンドリュー・ヤンとベーシックインカム

……先進国の多くの人々は、怒りや焦り、脆さといった感覚をすでに共有している。ホワイトカラーが同じ痛みを共有し始めた時、なんらかの形の反動は避けられない。彼らの想像力に訴えるポピュリズムの政治家が一人いればいい。じつは、すでにブルーカラーとホワイトカラーの怒りを結集しようとしているポピュリストがいる。アンドリュー・ヤンだ。
…… 2020 年の大統領選に名乗りをあげているヤンは、アメリカに必要なのは、大量の失業と暴力的な反動を食い止める斬新な政策だと主張している。……

……ヤンはこう訴える。子供たちは、「チャンスがどんどん減り、一握りの企業と個人が新たなテクノロジーの果実を刈り取る一方、それ以外の人々はチャンスがなかなか見つからず、職を失っていく」国で育つことになる、と。

以上は第一章　はじめに、からの引用です。アメリカ社会・EU 諸国も、ロボット化 AI 化による雇用破壊についての認識が徐々に広まっている内容の文章です。

片や日本にはこうした認識はまったくありません。日本の政治はこれほどに劣化しているのです。日本の官僚も同様です。

でもこの引用での理解は、資本主義の延命を前提としていると言えます。それはボールドウィンの認識をもっても、民主党大統領候補アンドリュー・ヤンをポピュリストとして理解している事実からです。アンドリュー・ヤンは前述しましたフォードも期待し、支持していました。ヤンの政策のうちに「ベーシックインカム」の政策を推奨しています。

仮にアンドリュー・ヤンの政策が民主党内に浸透し、共和党候補ドナルド・トランプに勝利することができれば、ロボット化・AI化を調整・誘導することの可能性が高まります。
現在のトランプ政権では困難です。

■ GAFA

ここで前述しました、労働分配率は低下し企業収益は増大というテーマの続きとして、現在の世界の最強企業GAFAの理解を示してみたいと思います。
Gグーグル、Aアップル、Fフェイスブック、Aアマゾン、の頭文字をとってGAFA（ガーファ）です。+マイクロソフトが対象となります。

GAFA4社の売上高は、2018年次　G 15兆円、A 29兆、F 6.1兆、A 25兆円、総計約75兆円、利益率は、G 22.4%、A 22.4%、F 39.6%、A 4.3%です。利益総額は統計的に13.5兆円。研究開発費はG 2.4兆円、A 1.6兆円、F 1.1兆円、A 3.1兆円、総金額は、約8.2兆円、の状況にあります。
そして、株式時価総額は、2019年8月現在、G 80兆円、A 94兆円、F 47兆円、A 93兆円、計315兆円と日本の国家予算約101兆円の3倍以上です。

GAFAは、それぞれが得意の分野をもち棲(す)み分けし、競合関係にあります。

共通する特徴は、インターネットというサイバー空間の成長とともに、業務内容を拡大し短期間で成長し、サイバー空間を寡占的に支配しています。

サイバー空間は、国境を超越し、国家主権の及ばない領域であり、インターネットが人類にとって不可欠な道具となった現在、サイバー空間を寡占的に支配し極大の利益を生み出しそれが現在の全体経済に多大な影響を与えています。

グーグルは、検索サービスで世界の98%を独占し、サービス自体は無料ですが売上はその85%を広告収入から得ています。グーグルの広告売上高は、日本の総広告費のほぼ2倍の規模です。しかしそれをフェイスブックによって侵食され、現在世界の実体経済を巻き込む、AI化の方向にシフトしています。そして、徹底したM&A戦略で、AI技術を取り込んでいます。

■アマゾンの経営――税金を納めず技術開発

アップルは、もともとコンピュータメーカーでしたが、スマートフォン、iPhoneの販売と関連するサービスの充実によって、製造コストの安い、iPhoneを高く売ることで、出荷台数の14%で、スマートフォン市場全体の60%の利益を獲得しています。また、音楽や動画や電子書籍の分野でコンテンツを配信していますがそれは他企業の追い上げを受け、約5年以上にわたり売上は低迷しています。それに加え現在、スマホ本体のハード技術、5Gの開発の問題で経営が危険視されてきています。

フェイスブックは2004年に設立され、ソーシャル・ネットワーキング・サービス（SNS）を立ち上げ、現在世界に24億人以上で売上高もうなぎ上りの状況で、40％弱の利益率を実現しています。売上は、実名登録制度によるターゲッティング広告による収入で、売上高に占める割合は98.5％に及んでいます。広告収入の拡大の余地は残されていますが、従来からのSNSに「VR向けSNS」に進出したため近々広告収入に基本的問題が派生することが心配されています。また「リブラ」という世界通貨の提唱をめぐり世界から警戒され始めています。

実体経済に強い影響を及ぼしているのが、アマゾンです。

1995年インターネットを通じ書籍を販売することから始まり、現在アマゾン単体での扱いは1200万品目マーケットプレイスを加えると、3億5000万品目を扱う、エブリシング・ストアであり、EC（エレクトロ・コマース）の巨人としてあらゆる産業・企業に影響する企業であり、資本主義の究極的経営モデルとも理解できます。

アマゾンの創業者・現最高経営者である、ジェフ・ベゾスの経営理念は、顧客第一を前提に長期的視点で圧倒的なシェアを獲得するというものです。

顧客指向・長期的視点という点では、見習わなければなりませんが、圧倒的なシェアという点が問題と言えます。歴史的には産業資本主義の成長段階で巨大企業と独占資本の問題で、その形態である、カルテル・トラスト・コンツェルンを禁ずる「独占禁止法」が、社会一般化しました。しかしグローバル化が国際競争力の強化を理由に、独占禁止を形骸化し、独占を許容する社会となってきました。独占から生ずる問題が認識されていたにもかかわらず、消費者・生活者の「便益」の追求という欲望によって忘れ去られているのです。

アマゾンは、ECを拡充し絶大な市場支配力を持つに至りました。現在アメリカのEC小売市場の47%を占有し、ガリバー型独占状況をつくり出しています。

ガリバー型独占状況では、他の競合企業はガリバーのルールに従って企業経営を行いますので、長期的には、顧客・消費者からの収奪が増大化します。

また、アマゾンは徹底的にコストをカットする経営をするなかで、自社で構築し利用するECのためのサーバーシステムを「AWS」(アマゾン・ウェブ・システム)と称し、アマゾン以外にも貸し出すサービスつまり企業向けクラウド・コンピューティング・サービスを行い、売上を上げています。AWSは全世界の50ヶ所以上のデータセンターを使用し行われています。これが現在のアマゾンの利益の大部分の源泉になっています。

アマゾンは2018年次2328億ドル(約25兆6千億円)の売上に対し100億ドルの利益を計上しながら、年間288億ドル(約3兆1600億円)をかけて研究開発を行って、キャッシュ・フローも健全に推移しています。

つまり本業のECの利益を研究開発にすべて注ぎ込んでいるのです。つまりECでの圧倒的独占的地位を一層強化するなかで実体経済を侵食・従属化の経営を行っています。

ECの最大の問題は、運輸・配送の分野です。運輸配送の分野は元来従属的体質をもち利益の出ない産業分野で、今までアマゾンの配送を担っていた業者も採算割れで業者関係を解消してきた分野です。しかしアマゾンは、商品を販売するための巨大な倉庫を整備し、在庫管理や注文処理・出荷・配送に関するシステムを構築し、ロボット化による省力化・無人化を推進しています。

また、アマゾンとの取引先との関係から、金融業務などを行い始めました。

アマゾンは、新たなシステムをあらゆる産業分野に創出し、既存のシステムを破壊していきます。税金もほとんど払わず、一時的な雇用で、少人数の監理者・経営者による経営モデルを構築し、サイバー空間のプラットフォーマー以上の立場を築き、産業経済全体を支配化・従属化することを追求しています。

従来型の産業経営モデルは、ロボット化、AI化によって変革され徐々に人間の働きの領域は縮小化・減少化されることに至ります。

アマゾンの経営、ジェフ・ベゾスの経営は、資本主義の資本の増殖を長期的に・安定的にしかも安全に実行できる経営であり、資本の増殖の知恵がみごとに集積・統合化した経営であると理解できますが、人間にとっては、極めて非情と思える経営と思われます。

■人が考えていることは実現可能

GAFAのうち、長期的には、グーグルとフェイスブックは生き残れますが、アップルはどこかに吸収合併される可能性があると思われます。アマゾンはこれから全人類・全世界を敵に回して、いつまで生き伸びられるか、それは資本主義の死の時と一つになるかと思われます。

ロボット化、AI化の進展は、

①スマートフォンと情報ツールに便益を求める心意行動。と、

②近代の合理主義による技術の進歩を信奉する心意行動。

に要因が求められますが、この進行している究極とも考えられる、情報資本主義は現在では容易にストップさせることはできませんが、可能性は少なくありません。

それは、経済構造を基本的に見なおす、即ち資本主義が死に至る前に社会的に制限化することで可能となります。資本主義を肯定すれば絶対にできません。それについては後述します。

私は、AIの技術をもってすれば、病(やまい)の人が、AIロボット医師の前に立てば、即座に診断をし、治療方法・処方箋を書き請求書を出すというレベルに至る。

また、犯罪者が、AIロボット裁判官の前に立つだけで即座に判決文が書ける。人の恣意的偽善的行為まで見抜くことができると思います。

先端情報技術は私達が考えられる以上のことを実現できる状況になっています。人が考えていることの実現可能な産業を人は生み出してしまったのです。また、AIロボットを管理・統制できる人一人で社会を統制可能な時代なのです。

ロボット化は「省力化」をめざし、AI化は「省人間化」をめざし、AIロボット化は究極的には、「非社会化」に繋がります。

第2章　世界経済の危機的状況

現在の世界経済の実情の理解とこれからの世界経済の予測は、以下の三点に着目すれば可能となります。

(1) 輸出主導型経済の理解

この先進国は日本でありかつてのドイツです。その後追いをしたのが韓国・台湾でありその後追いをしているのが大多数の発展途上国です。

(2) 金融主導型経済の理解

イギリス・アメリカがその典型です。

20世紀後半、サッチャリズム・レーガノミックスという新自由主義によって推進された経済です。

(3) 中国経済の理解

中国は2008年のリーマン・ショック以前は、輸出主導型経済でしたがその後金融主導的になった特異な経済です。

■高いROE（総資本利益率）を求められる

まず、日本経済の実情を示します。

現在の日本経済は「輸出主導型」経済です。大多数の発展途上国はこの日本の後追いの道を歩んでいます。

①輸出主導型日本経済は発展途上国の追い上げで、その輸出攻勢によって利潤率は低下の一途を辿っています。それは国内企業全体の総資本利益率（ROE）が低下の一途を辿（たど）り経済成長率は0、利子率は0に限りなく近づく安定した経済状況にありますが、資本家、機関投資家、金融機関、投資ファ

ンドなどが配当の増額・割当増資などの要求によって、利潤率ROEの向上を要求され、これを実現に努力しなければ経営者の罷免やM＆Aの対象となります。

■高付加価値化――技術開発――設備投資

②輸出型企業は利潤率の向上の要求に対応するため、高付加価値化を推進します。付加価値は、人件費（賃金）と利益の合計をさしますので、技術開発などの経営努力によって商品価値を上げる努力によって、利潤率を上げられればよいのですができない場合、機械設備の導入、現在では、製造ラインのロボット化や経営全体のAI化などによって、製造コストの削減を行い、利潤率を向上させます。設備投資には多額の資本が必要とされ資本装備率は上昇します。これによって利潤率が上がればよいのですが、上がらなければ人件費の削減によってコストの削減努力を行うこととなります。これによって国際競争力の維持・向上とROEの向上をめざすこととなります。日本経済は長年資本装備率を高める経営努力で、日本国内の低利の資金を利用してきました。

■デフレ経済化

③日本経済は経済成長が0化し利子率が0に限りなく近づく状況の下、海外からの低価格の商品の輸入によって物価が下がり国内経済がデフレーション化（需要に比較し供給が増え物価が下がる状況）となります。日本はその状況を1995年頃から約25年続けています。デフレ経済は供給者企業など

にとっては利潤が出ず苦しい立場に追い込まれますが、需要者・消費者にとっては「お金」が価値を高めることになりますので、豊かな消費生活ができるようになります。

■大企業優遇・非正規社員化・円安・インフレの政策

④日本政府は供給者側、特に輸出企業のなかでも大企業の立場に立つ政策を行いました。輸出は国内経済の需要を大きくしなくとも、海外から「富」を移転できますので、大きな経済成長を実現しなくとも、企業も国民も政府（国）も経済成長できます。1990年頃まで国内の需要を増大させて経済成長を実現しましたが、その後輸出主導型の政策となり、上記①から③の状況となりました。
⑤輸出主導型経済は、輸出企業に有利な状況をつくる政策をとりますが、1995年以前の政策に加え以下のような政策を行いました。

①大幅な減税を行い企業に内部留保を増やす政策。これによって設備投資が可能となります。
②付加価値に占める人件費を削減する政策。正社員を減らし非正規社員を増やし人件費を削減する政策であり、1980年代に始まり「労働者派遣法」によって徐々に拡大しました。
③外国資本の導入政策
　日本には貯蔵された預金が潤沢にあり必要性はないのですが、外国資本が資本市場に深く係わり、資本による従属化・支配化を認めるだけの政策をアメリカの強要で実行した政策です。これによって株式市場が海外市場と連動し、株価操作

の土壌がつくられました。
④「円安」の為替政策
　日本国全体にとって「円高」が消費者・輸入業者の利益になるのですが、輸出業者が有利になる競争力を強化・維持し利潤率を高めるために円安にする政策を行いました。1995年1ドル80円であった為替レートを1ドル130円台まで低下する政策を行い現在110円レベルで推移しています。日本国内の輸入に依存する産業は痛手を負い、円安は国内依存企業・産業を窮地に追い込みます。
⑤技術、特に先端技術に係わる多様な助成案、これは他の政策に比して問題は少ないのですが、技術開発は短期間で実現するわけではありませんし、全体経済に対する貢献度は少ないので実効は上がりにくい政策です。
⑥インフレーション政策を実行しました。
　グローバリゼーションは輸出市場の開放を求めるため、国内市場を開放しなければなりません。市場の開放によって外国から低価格の商品が輸入され、物価が下がります。デフレ化が進み定着します。それを無理に解消化するため、インフレ化経済政策を行います。公共投資を行い財政負担を強化し社会保障費などや福祉予算などが削減され、政府債務（国債）が増加し続けます。

　こうした政策を実行しても実効が上がることはありません。それは全世界の輸出主導型国が同様の企業経営努力を行っているからです。
　輸出主導型国は、産業資本の競い合いです。それで過当競争によって利潤率は下がり、総資本利益率（ROE）も下がります。

一般的に、実体経済の産業資本のROEは約10%ですが、金融資本のROEは15～20%ですので、金融資本は輸出主導国の優良企業をターゲットにし経営支配や企業買収を行うのです。優良企業を支配すれば関連企業を含め従属化し、そこからも収奪を行うのです。

■韓国の悲劇

輸出主導型経済は、日本のように、利子率も低く、優秀な製品を作れる国でも、やがて衰退化して次第に経済のみならず社会も疲弊化していきます。

その事例は隣国「韓国」です。

韓国は日本の後追いをしながら、開発独裁の政策によって急速に経済成長してきました。

日本は敗戦によって、財閥解体が行われ朝鮮動乱の特需によって経済成長の立ち上げを行いました。一方韓国は朝鮮動乱の後、日本の戦争賠償によって経済成長を立ち上げましたが、東西冷戦の影響もあり、財閥解体も行われず、一部大企業の育成・強化で、中小企業も育成されず、一時はGDPに占める貿易依存度が40%という極度の輸出主導型経済で当初は順調に推移しましたが、1997年の金融危機の際、IMFの指導下で再建を講じましたが、その際、外国資本の支配下に入り、主要銀行11行のうち1行を残し10行は外国資本となり、財閥企業も資本市場を通じて外国資本の支配下にあります。

その結果、韓国の民の働きの果実は海外に持ち去られているのです。韓国民の悲鳴が聞こえてきます。

輸出主導型経済の国は、自国に経済的豊かさを実現するため、地道な国内経済の発展によらない、安易とも言える富の移転・収奪を行うことのできる「輸出」に依存する経済を選択し経済成長にひた走ったのです。

日本はたまたま幸運に恵まれ、国民が一体感、日本人意識をもって努力した結果、韓国の状況に至っていないだけです。現在の国状では韓国民の後追いをしかねません。

次に金融主導型国家・アメリカについて著述します。

1944年、ブレトン＝ウッズ体制（IMF体制）によって生まれた覇権国アメリカ主導の産業経済中心の経済が成熟化し利潤率が低下し続けた頃、アメリカがベトナム戦争に実質的に敗北した頃、全世界に学生運動があった頃世界経済の拡大によって、それまでの金本位の通貨金融体制から1971年のニクソン・ショックによって米国通貨ドルと金とが交換できなくなり（兌換停止）、アメリカドル（$）が世界の基準通貨となり、資本主義経済が実質的に終わったと評された頃、1971年にインテルのコンピューター、スマートフォンの頭脳に当たるCPU（Central Processing Unit）が開発され、スイスでダボス会議が開催されています。1974年にフリードリヒ・ハイエクが、1976年ミルトン・フリードマンがノーベル賞を受け、この2名の経済学者が「新自由主義」を唱えるなど時代の分岐点の時期でした。

当時の情報産業の成果を金融業に組み込み旧来の実体産業の上層に「電子・金融空間」と言われる金融産業をつくり、実体産業の停滞のなかで徐々に立場を強化し、1995年には本格稼働となり、アメリカのみならず全地球的規模で経済全体を支配し続けています。

■お金でお金をつくる投資銀行・実体経済からの収奪

金融主導型経済・アメリカはグローバル化と称する、人・物・金の自由化なかでも「お金・資本」の自由化を世界に強要し、アメリカにとって有利な金融ルールを「規制緩和策」として強要し、世界のお金・資本をアメリカが自由に利用できる状態をつくり、利子率の低い（特に日本の）お金を集めそれをレバレッジという手法によって、少なくとも12.5倍時に50倍60倍としてのお金に変えて、それを元手に、投機・ギャンブルの金融空間に、機関投資家から資金ファンド・富裕層・一般投資家・一般企業・一般庶民まで引き入れ、住宅ローンや建築開発などを中心とした「金融商品」「金融派生商品」を売却し、あらゆる階層から収奪する金融サービスを行いました。

これは金融経済が実体経済を上から見下ろす形で、実体経済とは距離を置きながら、実体経済から収奪し、金融経済のマイナスを、下の実体経済に負担させ、マイナスを帳消しにし、上の金融業のみが生存可能な経済であり「電子空間」が自国のみならず地球全体の実体経済を収奪の対象とする経済であり、2008年リーマン・ショックと言われる金融バブルの崩壊で一度清算されました。2008年の清算で60兆ドル以上を実体経済から収奪し、1995年から2008年までの13年間で約100兆ドル（1京円）という利益を上げ、破綻と思いきや、今もなおひそかに存在し経済を支配しています。次の金融バブルの崩壊時、これにどう対応するかが大きな課題と言えます。

毎日実体経済の数倍という規模で資金が運用されているのです。

これは、実体経済に融資する「商業銀行」でなく、投資を目的とし「お金でお金をつくる、投資銀行」によって行われています。

それは実体経済・生活とは無縁なのですが収奪はされるという状況にあります。これは「強欲」という欲望のなせる業です。

お金に執着のある人がその世界に引き込まれれば丸裸となる世界と言えます。

アメリカは、グローバル化で、金融業の利益のために、アメリカの実体市場を開放しています。実体経済は、先端情報産業や航空機産業といった先端産業や多国籍企業に支えられ崩壊は免れていますが、先行きは不安材料が多くあります。最大の問題は現在進行中のドル基準通貨・金融体制の破綻・崩壊の問題です。

■輸出主導から金融主導の特異な経済

中国経済は2008年以前には極度の輸出主導型経済でありましたが、2008年以後金融経済主導的にはなったが、アメリカの金融主導型経済に比較して極めて程度の悪い体質としか言いようのない経済であり、私は「共産党独裁独占金融資本主義」と理解します。

中国の統計はほとんどあてになりません。全体像の把握の材料として観案する程度と思われます。

中国は1949年の建国の後、毛沢東によって大躍進政策を行いましたが、失敗によって数千万人の犠牲者が出たり、文化大革命時にも内乱化したり、これも数千万人の犠牲者があったと言われているが確かなことは何も知らされない異常な国であります。

中国は、欧・米・日の主導するグローバル資本主義化のなかで1981年鄧小平の指導の「一国二制度」(社会主義政治と資本主義経済)という矛盾の多い政策転換によって「世界の工場」として経済発展し、2011年には国民総生産(GDP)で日本を追い越し、第二の経済大国として国際的な影響力を多面に亘り増大化してきました。

グローバル資本主義多国籍企業は、中国の低コストの製造業による製品を自国及び世界中に販売したり、中国内の経済市場・購買力を当てにしたりして利益を追求してきましたが、中国企業の模倣から始まった工業も熟練化・高技術化によって国際競争力を持続しながらも、当初豊富で低賃金であったが労働力の不足(実際には中国国内全体では過剰)によって高賃金化し、次第に国際競争力の低下に繋がるようになり、2000年代に中国固有企業などの経営状況が悪化するようになりました。約30年間以上の輸出金額の国民総生産に占める割合が最高40%レベルに至るまでの貿易依存の経済で、2014年には中国の外貨準備金は約4兆ドルに達し、米国連邦債（国債）も約130兆円を所有するに至っています。それに中国の国民は将来への不安を感じ、所得の40％を預金や投資に回す、所謂貯蓄性向（所得に対する預金の割合）の高い投資経済化が進み消費が増加しない、歴史的にも特異な投資中心の金融経済となりました。

中国の土地・建物といった不動産は基本的には実質国家が所有し、国民はその使用・利用の権利を買っているに過ぎませんので、国民の預金・投資はすべて国家に集中し国の金融機関は預金に対し利息を支払わなければなりませんので、当然運用のため貸付融資や投資をすることになります。そこで国内の優良企業や地方政府に融資しましたが、2000年代にはずさんな経営などによって経営が悪化し、不良債権が積み増しされ企業や地方政府を倒産させない国の政策によって一層の不良債権化が進展しました。

2008年アメリカのリーマン・ショック、金融経済バブルの崩壊があり、中国にも大幅な株価の下落や資産の低落などの影響があり、中国政府は2009年、2010年に日本円で約50兆円という多額の財政による投資を行い始め、経済成長の鈍化を防ぐ成長維持政策を行い、その流れが現在に至るも続いている状況にあります。つまり、中国政府自らが金融によって経済成長をつくり体制を維持するに至ったと言えます。

グローバル資本主義は利子率の低下ゼロ化のなかで経済が成長できなくなり、デフレ化した経済を支えるために財政支出を増加させ続け、金融・財政の破綻が懸念される状況に至っています。

中国は経済成長が鈍化（2018年時ですでに実質マイナス成長となったと評され）・停滞・マイナス化を続ける状況の

下、実体産業・企業・及び地方政府などの負債が増加し続けるなか、金融状況を悪化し続けそれを支えるため「人民元」を増刷しているという状況となっています。

■中国の通貨「元」はドルペッグ制、それがアキレス腱

中国の通貨体制は、米国ドルペッグ制を基本的には採用しています。中国は外貨準備金をドルとして所有し、所有量に応じて中国の通貨「人民元」の発行量を決め、同額であることが原則ですが、外貨準備金が減少していても、人民元を増刷しているのが中国経済研究者・評論家達の常識となってきています。

中央銀行はお金を発行して金融資産を買い上げる。刷ったお金は商業銀行経由で融資されるが人民銀行の負債になる。買い上げた金融資産は帳簿上資産の部に組み込まれて負債とバランスする。だが、資産の質が悪ければ不良債権化し銀行は損失をこうむる。優良資産がドルだけなのでドルが入らなくなると人民元は紙切れになり、極度のインフレが進行すれば経済が破綻するというメカニズムが成立するので、人民元建ての資産を持つ人はいまのうちに海外に持ち出そうとする。中国経済は人民元が米国ドル基軸の通貨体制下にあるという最大の致命的な欠陥があります。

■中国経済は借金の山

現在の中国の経済の概要を示しますと以下のようになります。

中国の、2018年頃の国民総生産（GDP）は1500兆円と公表されています。しかしその実態は70％程度1000兆円と推測されています。

外貨準備金の推移をみますと、1980年100億ドル、2014年4兆ドル弱、2019年3兆ドルと推計され、米国債保有高、1兆1250億ドルです。しかし中国のドル建債務残高が1兆ドルを超えている。

中国には約4000の銀行がありますが内420行はリスクをかかえている。

中国の借金状況は、個人・企業・地方政府の借金総額が9700兆円、また国有企業の負債総額が1830兆円、民間企業と住宅ローン合わせて4600兆円と推測されています。

また、貿易の輸出のうち20％が米国向けで、貿易黒字のうちの60％が米国によるという現状です。

つまり、実際予測値である約1000兆円のGDPと3兆ドル弱と言われるドルによる外貨準備高と輸出による利益が、借金まみれの中国経済・14億人の生活を支えているのです。

■習近平の愚鈍な政策――共産党独裁独占金融資本主義

そのような金融経済状況にもかかわらず、中国は「一帯一路」の政策、AIIB（アジア開発投資銀行）の設立や「南シナ海の埋め立てと軍事基地化を強行し「2025製造」という先端産業の発展充実政策を打ち出したりし、周辺諸国を軍事的・経済的に威嚇（いかく）し、アメリカに対しても挑発的対応を続けています。

トランプ以前、オバマ大統領の時代には挑発にも乗らず対応してきましたが、2017年トランプ大統領は「知的財産権」と「技術移転」の問題を踏み絵にし、中国の外貨準備金を減少化させ、アメリカの貿易収支の改善を目的として、貿易戦争を仕掛け、中国の「2025製造」を阻止する政策を行っています。

これに対し習近平は従来からの約160万人の軍隊と最新攻撃兵器の装備の充実のための軍事費を増額し、200万人の警察そして200万人の公安警察と従来からの8000万人以上と言われる共産党体制の下、一億数千万台の監視カメラによる監視と顔認証のシステムを導入し、PC・スマホのチェックを行うなどを2014年頃から独裁的な統制体制を一層強化しています。

習近平の愚鈍な政策は中国の民を苦しめ、国際社会に敵をつくり混乱を生じさせています。金融経済的には首根っ子をつかまれ経済的な敗退が決定的であると予想されるにもかかわらず貿易戦争、経済戦争に突入してしまいました。アメリカはもとより国際社会のほとんどの国がトランプのこの政策に現在同意していると思われます。トランプが大統領職を退いたとしても、民主主義国の総意となる今、アメリカはこれを遂行していくと思われます。

中国の共産党習近平独裁体制は共産党独裁独占金融資本主義が崩壊し国内の動乱が起これば軍事的な対立も予想され、動乱のなかで原子爆弾搭載のミサイルのボタンが押されれば地球全体の被害に繋がり、人類の死滅までも考えられます。そうした事態の発生は十分考えられます。

中国は世界経済の指導権を確保するためか、新たな金融体制を構築するがためか、経済崩壊の後の動乱に備えるがためか、その目的は分からないが、共産党国家当初より「金(キン)」を貯蔵し続けています。その重量は少なくとも4000 t 以上5000 t を超える金を貯蔵し続け、石油・食糧の大量備蓄を行っています。

欧・米・日を中心とした民間の金融資本主義と中国の共産党独裁金融資本主義との抗争は消耗戦となり、両国のみならず全世界に多大な影響を及ぼし、足下の日本も甚大な影響以上の結果となることは必至と言えます。資本主義から未来社会へのハードランディングの導きになる確率は高いと思われます。

■共に社会は二極化へ

日本を筆頭とする輸出主導型は過当な輸出競争によって利潤率の低下によって国内経済は疲弊化し続け、ROEの低下によって自国及び海外の巨大企業・投資ファンドといった「資本」の支配による従属下・支配下に脅え、社会も労働分配率の低下傾向の下、非正規社員化、契約社員化などに進展し、社会は不安化し、ロボット化・AI化の進展で雇用不安・雇用の喪失の不安に脅える状況に至っています。

一方アメリカ型の金融主導経済は国内市場を開き、海外からの安価な商品の流入によって国内の実体産業が育成されず、スキルの低い若年層に大量の失業が生まれ、ロボット化・AI化によって、スキルの高い人でも雇用喪失の不安を持ち、金融経済化、情報経済化によって二重・三重の商品・サービスを介して富の移転が生じ格差が拡大し社会の「二極化」が進展しています。

輸出主義型経済は利潤率の低下によって、それによる利子率の低下によって経済・経営が成り立たなくなり、金融主導型経済は、利子率の低下によって生み出された「電子・金融空間」での金融業・金融資本を優遇するために実体産業が弱体化し、その上に貿易・金融両方共に情報先端産業によるロボット化、AI化の影響を受けているため全地球的レベルで、経済面、社会面、両方で問題が短期間で深刻化しているのです。

つまり、資本主義経済が成熟化し終焉記に入り死の寸前にある状況下で、問題が深刻化していて、人の経済の活動の拡張領域が僅かな領土的空間を残すばかりになっている状況にあるからと理解しなければなりません。それは、利子率の低下からゼロ化への過程での出来事なのです。

第3章　近代化は「収奪」と「搾取」の歴史

「収奪」とは、強引に奪い取ること。

「搾取」とは、優越なグループが劣位にあるグループから価値を奪い取ること、と定義し、現代の人類社会に「富の偏在」や「格差の拡大」をもたらした「搾取」を論点にし、要約すると以下のよう著すことができます。

■資本主義は殺戮・強奪・収奪に始まる

西暦1600年頃・スペイン・ポルトガルを中心として、新航路の発見・新大陸の発見によって西欧諸国は、国王・貴族・官僚・常備軍商工業ブルジョワからなる絶対王政の下「富国強兵」の「主権国家体制」による「重商主義」（重金主義）によって、アメリカ大陸のインディオなど原住民を殺戮し、メキシコやペルーを征服し、「多量の金・銀を略奪」しスペイン人は、大鉱脈が発見されると鉱山とりわけ「銀山」の経営に乗り出し、先住民インディオの強制労働によってただ同然に収奪した時より発します。

重商主義はその収奪によって得た金・銀・宝物などの財を元に、当時の交易航路の地域・インドや中国（民）などに、軍事力をもつ「東インド会社」などによって、収奪的交易を行い、財貨を増大させ「お金・資本」を貯蓄した。これによって、西欧諸国と他の封建社会との間に、経済的差異・優越性を獲得し、重商主義によって得られた「お金・資本」がその後の人類経済・社会を決定づけました。

近代化は、西欧諸国・スペイン・ポルトガル・オランダ・イギリス・フランスといった国々による、殺戮・強奪・収奪に始まったことを肝に銘じておかなければなりません。

大英博物館に代表される西欧諸国の博物館の展示物・宝物の多くは重商主義によって、得られています。

■産業革命以後は商品の強販で収奪

1770年頃、西欧諸国のなかで覇権を得たイギリスが他国に先んじ、「産業革命」を行った。

産業革命は、機械工業により製造した「商品」を販売することによって「搾取」を行う経済システムです。

工場制機械工業は、工場の建物や機械を設備するためには多額の「お金・資本」が必要とされる。重商主義によって得られた「お金・資本」が、工場や設備のための資金として使われ、それが会計上の「資本」として会社・企業に内在化され、「資本の増殖」を目的とする「資本主義」が確立しました。

これからの資本主義は、商品を作り、それを販売することが経済の中核にあるという理解で「産業資本主義」と名づけられます。

産業資本主義は、原材料費を削減し製造コストを削減し、極力商品の価格を高くして、販売する経済でしかも製造コストに占める人数を減少させる。労務費を削減することによって利益を極大化する経営システムです。

産業資本主義が生み出す商品には、原材料のレベル・製造のレベル、販売のレベルのすべてに資金費用（資金を借りて利息を含め資金を償還する費用）に加え、経営体の資本に対する対価、一般的には資本金額に対して資金費用の約1.5倍以上の金額が含まれています。

利子率が高ければ、商品価格は高くならざるを得ません。その借り入れた資金と資本における利子の金額は、業種・商品によりますが一般的には、少なくとも20%ないし25%が、商品価格のなかに含まれていますので、消費者は商品を買うこと自体で、お金・資本の提供者に、搾取され、お金・資本を提供する人々にその人々が働いていなくとも、利子分以上の富が移転していると言えます。

産業資本主義は、大量生産し、規模の経済性（大量に生産することによって一商品のコストが低下する）によって利益を獲得する経営です。ですから、自国民はもとより周辺諸国と全世界に「商品市場」の開放・自由化を要求し、大量生産・消費を実現する経営であり、過当競争の結果「独占」的地位を築き、より一層の利益を獲得する経済と言えます。

産業資本主義は、科学の発展や技術の進歩によって、付加価値（利益＋人件費）の高い商品を開発・製造し、国境を越え、地球の領土的空間を埋め尽くすまで、商品を提供し続け、1970年頃に限界に達し、それまで安価に収奪的に入手していた石油エネルギーや鉱物資源が高騰し、利益を生み出すことができなくなり、利子率が低下しました。

アメリカに於いては1970年代、日本に於いては1985年頃がその頃と言えます。

産業資本主義は、ブルジョワと呼ばれる資金・資本提供者と資金の融資元である「銀行」金融機関両方に「富」をもたらしましたが、その二者の関係に亀裂が入り、産業はサービス化し、金融は独自の道を歩み始めます。

産業資本主義は「貿易の自由化」の政策を全世界に強要するなかで、資源・エネルギーを収奪的に入手し、未開発国・近代化発展途国に商品を強販することで、富の移転と格差の拡大を行い、全世界に対立と戦乱を生み出し「飢餓」やエネルギー多消費や自然の破壊を続け気象変動を引き起こし、人類社会に多くの災禍をもたらしています。

産業資本主義は、全人類に資本による工業製品と商品による収奪と搾取の網をかけてしまったのです。

■金融は産業を見限り別の世界に

1970年頃産業資本との間に亀裂が入った。つまり産業資本に融資していてもこれ以上の利益を見込めないとの理解の上で、第二次世界大戦に開発・定着してきた「情報技術」と「金融」とを組み合わせた「電子・金融空間」を創り出し、従来の産業に融資していた「商業銀行」をお金がお金を生み出す「投資銀行」に変容させ、時間的空間から、つまり産業資本の領域を含めた全人類から搾取する経済経営システムをつくり出し、全体経済の中核を、産業やサービス業に変わる「金融資本主義」に推移しました。その時期は1985年には確立し2008年リーマン・ショックの金融バブル崩壊で一段落しましたが現在にもその搾取は継続しています。

それは、利子率の低下した賃金を元手に、レバレッジという手法で資金の50倍60倍という資金として利用し、金融商品・金融派生商品という目に見えない商品を販売し、金融商品を買った人々や企業から利益を生み出す経営システムです。

このため「資本の自由化」政策を行い、資本移動を容易にし、現実の実体経済（産業やサービスの目に見える生活に必要な経済）から資金を生み出し、その運用によって、実体経済から利益を生み出し主として住宅・建築・開発といった分野から利益を生み出す収奪の経営システムです。

2008年金融バブルの崩壊によって1995年から2008年13年間に約100兆ドル（1京円）の、利益を生み出して今も継続し次の金融バブルの崩壊によって利益が確定します。

人類社会は、産業資本の収奪の網の上に、金融資本による収奪の網が掛けられています。

■情報はあらゆる顧客・産業を対象に収奪

これで資本主義による収奪や搾取が終わったわけではありません。1970年以後金融資本主義化のなかで培養・醸成された情報産業による収奪・搾取の網が掛けられています。仮に情報資本主義と呼びます。

情報資本主義は、PCや携帯電話・スマートフォンといった情報機器の販売・情報提供サービスから出発しました。

情報サービスは情報のインフラ整備が先行し売上の増大とともにコストが低減する経営モデルです。当初、情報サービスの過当な競争によって顧客を獲得すれば、顧客の増大化によってサービス・コストを0に近づけることが可能となります。ですから、企業合併・吸収などによって企業を巨大化することによって規模の経済性を高め、産業の独占化によって、極大の利益を確保できます。情報資本主義は圧倒的な顧客の確保によって、旧来型の産業をその支配下に置く、つまり産業全体を「ヒエラルキー化」(組織内における上下の位置関係に基づく秩序）し、あらゆる産業を支配化・従属化し、あらゆる顧客・あらゆる産業を収奪と搾取の対象とすることが可能な資本主義と言えます。

■ロボット化・AI化は人の働きを奪う

そして今進行中の事態はサービスの提供による収奪・搾取を超えた、ロボット化、AI化による収奪・搾取が進展しています。

それは、人の働きを奪う、という究極とも思える、収奪です。ロボット化・AI化は、資本主義が育んだ・成長させた人間の「便役」への要求が、それを成立させたのです。

人間のあくなき「便益」の追求によって、情報資本主義の収奪と搾取の網が全人類の上に掛けられたと理解すべきです。

それは、GAFAやマイクロソフトという、国家を超えた巨大な先端情報産業の実情を直視すれば、特にアマゾンを理解すれば今後の展開が予想できます。

中国の習近平体制は、欧・米・日を中心とした近代化の体制の行き先を示してくれています。

中国の経済・社会体制は、中国共産党独裁独占資本主義国家であり、お金・資本を含め土地・建物まで、また、5Gという先端情報技術によって、情報面すべてを習近平共産党が独占・占有し、国民を管理・統制する社会となりました。

資本主義社会が中国と基本的に異なるのは、民主主義を確保しているという一点だけです。

これ以上の資本主義基調とする近代化と、決別しなければ、近代社会の死をもって人類社会の死となります。

■収奪と搾取の多重の網

資本主義は人類社会・経済に、二重・三重の収奪と搾取の網を仕掛け、極度の富の偏在と格差の拡大をもたらした要因は、「利子のつくお金」に魅了された人間の「欲望」に発しているのです。

資本主義の「収奪」と「搾取」は、以下のように表すことができます。

重商主義は、弱体・劣性な地域・国という領土的空間領域から、強力・優越な世界システムの中核国・覇権国という領土的空間領域への、軍事力を背景にした「交易」による、「地域格差」を利用した富の移転のシステム。

産業資本主義は、世界システムの周辺国という領土的空間領域から、世界システムの中核国・覇権国という領土的空間領域への、「商品」の「自由貿易」による「地域格差」を利用した富の移転。及び「労働」を介しての「搾取」による富の移転のシステム。

金融資本主義は、実体産業の全体という領土的空間領域から、「電子・金融空間」という時間的空間領域という、人には見えない金融産業への「金融商品・金融派生商品・金融サービス」を介した、「時間格差」を利用した富の移転のシステム。

情報資本主義は、領土的空間領域・金融産業の時間的空間領域及び「人間の働き」全体から「情報機器の販売・情報サービスの提供・ロボット化・AI化」による、情報産業への、「サイバー空間」を利用した富の移転のシステム。

と理解することができます。現在の人類経済社会には「二重・三重の収奪の網」がかけられてしまいました。

それは、1970年代以後の産業資本主義の、成熟以後の終焉期における約40年間という短期間に、資本主義が「重層化」し、「加速的」に進展したため、経済及び社会に多大な影響を及ぼし、問題の新たな派生や深刻化がもたらされています。

それは、新自由主義の名の下の、グローバル資本主義によってもたらされた状況と言えます。

資本主義は、産業資本主義の利子率が2%以下になった時、また、産業資本主義によって、エントロピーが最大化した時をもって終焉とすべきでありましたが、その後の資本主義は人間・社会に、多少の便益を与えてくれましたが、産業資本主義以前の問題の解消化を行わず、それ以後に問題を増幅させ災禍をもたらし続けています。

1970年代以後の資本主義は、大多数の人間の「営み・生活の向上・福祉の増進」に寄与・貢献することなく、極度の富の偏在と格差の拡大をもたらしました。

■収奪＝利子（利息）＋利潤

私の理解する「収奪」は、「利子」プラス「利潤」二つの要因になります。

資本主義経済経営システムは、借入金に利息金を加え返済しなければなりません。それがシステムを維持するための最低の条件なのですが、システムの主体は、その継続と成長・発展のための利潤を確保しなければ存続できません。そのため、利潤の極大化をめざすこととなります。適正な利潤レベルを設定することでは主体の責任が問われることとなるのです。

ですから、利子率の低下の状況でも、借入金がなくとも、利潤の極大化をめざすこととなり、借入金依存度の高い経営は金融企業の影響、資本金に占める他人資本・資本市場に占める割合が多いほど投資家・資本家の影響が高まります。

現在の投資家・資本家は、利子率の低下にもかかわらず、多額の資本報酬を要求します。その理由は、投資銀行の総資本利益率が高いことと、現在の企業経営は、技術・技術開発の依存度が高まり、労働の資本装備率が高くなければ、企業の存続が困難となるため、資本市場からの資金・資本の調達に依存するに至り、資本の呪縛からのがれられないのです。

そのために、企業の主体である社員の非正社員化まで行い、投資家・資本家のための経営に陥っているのです。

ですから、これからの企業経営は、お金を利子のつかない貨幣とその金融制度により、資本の呪縛からのがれることが可能となり、極大の利潤追求からのがれることを可能とし、利潤を「目的」から、全体社会の「福祉」のための「目標」

に変えられるのです。

収奪による富の移転は、総体的に見れば資本主義社会での資本の役割が基本的にはなくなり、終わる寸前の状態で縮小化が可能となっているのです。それを、利子のつかない貨幣とそれによる金融体制によって富の移転をなくすことが可能となるのです。

■資本の役割は基本的に終わる

現在、金融産業の「電子金融空間」に140兆ドル以上の金融資産があり、日本銀行にも、500兆円以上の日本国債が滞留し、経済の血液としての役割を果たすことなく、血栓状態にあり、資金が余っているのです。

現在、地球規模でも、資金は過剰状態で、利子率がゼロに限りなく近づいているにもかかわらず、投資家・資本家が高い資本報酬を追求していることを国家と国際社会が擁護と容認していることに、現在の経済社会の病理が発生し問題が深刻化するのです。

第４章　基本所得保障（ベーシックインカム、B・I）をベースにした共生保障と税制の抜本改革

■基本所得保障について

これからの未来社会を展望する以前に、目の前にある増大化・急増化する相対的社会的弱者の生存の保障と福祉の増進のための改革を急がなければなりません。

■憲法は国が国民の生存権を守るのが使命・責任を規定

日本国憲法第25条〔生存権・国の社会的使命〕には１項、すべての国民は、健康で文化的な最低限度の生活を営む権利を有する。２項、国はすべての生活部面について、社会福祉、社会保障及び公衆衛生の向上及び増進に努めなければならない。とあります。

日本国憲法において規定している国の国民に対する最大の責務を現在の国家は厳守しているのだろうか？　制度の充実と相応の予算化は行われているとは思えません。制度の不備は多く、予算化は後退し、保障の財源である基金も危うい状況で運用されている。現在強引に株価の上昇のための政策に流用され、十分に近々あり得る株価の下落の際に運用損失が巨額になった場合誰が責任をとるのであろうか。今後予想される金融経済の崩壊・破壊が生じた場合、年金基金は必ず「霧散化」すると予想できます。年金基金を「投資の場」に

晒（さら）すべきではないと主張します。

利子率0の状況下で投資の場に基金を流用すれば、ハイリスク、ローリターンでしかなく、4.1%という運用利回りが100年続くという非実的な制度は続けられません。

憲法第25条は、国民生活の根幹に係わる国家の役割・責任・使命を規定しているが、現行の年金制度・雇用保険制度・生活保護制度などのすべてが現在の社会・経済の実状と不適合であり、やたらと国民の不安感を増幅させるばかりであり、現行制度を部分的・末梢的に改革しても持続的な制度とはなり得ないし現行制度の矛盾を増幅することでしかなく、現在そして近未来の「定常型世界」化における継続的な制度とはなり得ません。

■ 1990年代までの社会保障制度は順当

現行の社会保障制度は、1961年に、戦前からの公務員の年金・恩給・医療保険と、企業年金に加え、サラリーマン以外の農林水産従事者や自営業者が加入できる「国民年金」を設立し、すべての日本国民が参加する「国民皆保険」としてスタートしました。

1960年代以後1980年代までは、「高度経済成長」と「若年人口社会」という背景によって、この制度は、「積立方式」に基づき、中小企業に自営業・農林漁業者に、政府が公費によって財政援助することによって、順調に推移することができました。

この時代は、保険積立が順当に行われ、給付対象者も少なく、当時は「利子率」も高く運用益も多く積立金も増加し続けました。

「積立方式」とは、現役世代のうちに、自分の老後に使うための社会保障費を積み立てておくという財政方式です。

「賦課（ふか）方式」とは、自分が老後に受けとる社会保障は、その時に生きている現役世代が払う保険料によって支えてもらう、という財政方式を、専門用語で賦課方式と呼びます。

1990 年代に、日本経済は、「バブル経済の崩壊」によって大転換期を迎え、長期的な経済停滞・デフレ経済化が進展し、利子率も低下の一途を辿るという経済状況となり「少子高齢化」対策も実効を得ず推移していきました。

1990 年代、就職氷河期が始まり、非正規雇用が増加し、グローバル資本主義の多大な影響により、1961 年からの国民皆保険の前提が総崩れとなる状況となったにもかかわらず、抜本的な制度改革は行われず推移し続きます。

1985 年に「共済年金」「厚生年金」「国民年金」が統合化され、1 階に「基礎年金制度」2 階に「厚生年金・共済年金」を築く 2 階建ての制度にし、2002 年～ 2006 年と制度の修復を進めましたが、①負担の引き上げと②給付のカットにしかなりませんでした。

■ 1990 年代以後、国民皆保険制度は総崩れ

2000 年頃には、「賦課方式」は完全に崩壊していましたので、「積立方式」に移行するチャンスもありましたが、これも行われず今に至っています。

しかも現在、その「積立方式」もその成立前提が崩壊しています。それは積立主体である若年世代が少人数化している

ことに加え積立を継続できなくなっている事態に追い込まれている状況です。それは非正規雇用の増加であり雇用の喪失であり、相対的貧困化であり「家族」の崩壊などです。

グローバル資本主義経済化は、日本の雇用を非正規社員化・契約社員化などにより人件費の削減を行い、労働分配率の低下によって利益を獲得するという経営を行い、政府もそれを促進させる政策を1990年代から行っています。そうした政策が、社会保障の崩壊の一因であることは否定できません。

これから前述しました、先端情報産業・企業のリードする「ロボット化」「AI化」の影響が、雇用の喪失・大失業時代をもたらします。現在顕在化していませんが、潜かに進行中で、徐々にマスメディアを騒がす状況に至るのは間近と言えます。

これからの失業は低いスキルの仕事から高いスキルの仕事に移行しますので再就職は困難化が予想できますし、ホワイトカラーは、大量に一切にその事態に追い込まれます。

■保険から共済へ

社会保障という制度は「保険」という理念によって成立しています。

「保険」は、資本主義の発生時イギリスで確立した経済行為です。その基本的理解は以下の通りです。

①保険の掛け金は掛け捨てである。事後的に保険を使った人も使わない人も、事前的には両者ともリスクに備えられたのであり、そこには損得は存在しない。

②保険は、加入者の間で「公平」でなければならない。
③保険は、同質のリスクを抱える集団の間にかけられる必要があり、異なるリスクを持つ人からは、異なる保険料をとる。

とされています。

①に「損得」という理解があります。経済行為であれば損得で割り切れますが、社会保障は損得の経済関係ではありません。損得を超えた人間・社会関係と言えます。

②に「公平」とあります。社会保障では保険料も給付額も人それぞれです。同額ではありません。ですから社会保障に加入しない人が出てくるのです。

③に「同質のリスク」とあります。加入者は同質のリスクを共有していません。人はそれぞれ固有のリスクを抱え生きているのです。

このように解釈すれば、社会保障を、経済的行為の理念である「保険」によって制度化してはいけないのです。「共済」（共同して助けあうこと）を理念にしなければなりません。

■B・Iの概要

この状況を全面的に解消化し、新たな社会へのパラダイムシフトに通じ、継続性・持続性のある、私独自の提案を示します。

ベーシックインカム（以下Ｂ・Ｉとします）の概要は以下の通りです。

①個人に対して給付する――家族単位ではない。
②無条件に給付する――個人がどのような状況・境遇かは問わない。
③現金で給付する――実際には個人の銀行口座への振込送金とする。
④毎月ないし毎週といった定規的な支払の形をとる。
⑤給付は国家または地方自治体とし公的に管理される資源から支払う。
⑥給付水準は、人が尊厳をもって生き、実際の生活において選択肢を保障するものではなくてはならないし、その水準は公的機関の民主的な手続きによって決定される。
⑦この給付に対しては課税されない。
⑧この給付は、資力・稼動能力の調査なしに行われる。
⑨ 18歳未満の給付金の管理については、世帯主・両親・親族やそれに準ずる人が責任をもって行う。
⑩給付は日本国籍をもつ人に限定し多国籍の人には給付しない。外国人居住者に対しては特別の審査をもって対応する。
⑪給付は個人番号カードを手続上使用する。

■B・Iのメリット

B・Iの直接的メリットは以下の通りです。

①現行の制度に比較し複雑でなく単純化された、わかりやすい制度であり、受給者にとっても理解しやすい。
②給付金が自動的に振り込まれるので、給付から漏れる問題や、受給に当たっての「恥辱感」を感じるという問題はなく

なる。
③現在の社会保障制度や税制から生じる「貧困の罠」や「失業の罠」が除去される。
④この給付のために必要な増税があった場合でも受給者に直接戻される。
⑤従属的な家事労働から解放される状況に至ることもあり、家事労働の重要性の再認識に繋がり、真の「男女平等化」への一助としての可能性をもつ。
⑥日本の所得保障の仕組みが現実的には機能不全に陥っており、その解決の重要な一つとなる。
⑦その給付は、個人の自由な行動の最低のセーフティネットとなる。
⑧給付水準にもよるが、雇用保険・生活保護及び基礎年金及びその他の公的給付の廃止ができる。
⑨現行の社会保障業務が簡素化し、担当者の削減によって他業務への移動が可能となり全体として行政コストの削減に繋がる。
⑩企業・経営体の雇用保険・年金の費用負担が軽減化もしくはなくなるので経営の効率化に役立つ。
⑪この給付によって、現行の医療・教育・保育・介護への悪影響は考えにくい。この給付によって経済的にも社会的にも格差の是正・解消化が進展するのでプラスの影響を多大に与える、等々。

B・Iの間接的メリットと社会的・経済的影響は以下が考えられます。

①この全国への一律の給付の実現によって、社会的に「安心感」を醸成し、日本人としての「一体感」も生まれ、新たな「価値観」が醸成or培養され、新たな社会への社会の「安定化」の一歩が始められます。
②①によって、新たな社会への展開が可能となります。
③①・②の結果として、人間関係・社会関係においても、「利害の対立」の温床の一部が除去され、「拝金主義」や「物質中心主義」的心境・行動にプラスの影響を与え、犯罪の減少化も可能な経済的状況を創り出せます。
④前記⑪に繋がることですが、社会関係の基盤である「家庭・家族」に多大なプラスの影響を与えます。それは後述します「共生保障システム」によって一層の充実化が実現できます。

例えば、出産時のストレスの減少、乳児養育の充実は子供の能力や感性に多大な影響を与えますのでそれにプラスの影響を与え、保育の選択肢や充実も可能となり充実した家族の実現の一助となります。そして「少子化」に歯止めをかけられます。
⑤「少子高齢化」の問題のほとんどを解決の方向に向けられます。現在の制度では「支える側」の若い世代に加重な負担がかかります。若い世代の経済的負担の軽減と、挑戦的な人生設計も可能となります。
⑥この給付は全国一律・同額としますので、当然の結果として、現在の「東京一局集中」から「地方分散型・地方分権型」日本社会に自然に移行します。現在の東京は対外的重要拠点としその充実を図るなかで地方分権型社会の充実によって、自然の再生・生態系との共存・共生によって、環境の充

実した・自然災害の少ない国土形成も可能となり、食料やエネルギーの自給自足化への転換も可能となります。
⑦ここでは著述しません。読者に考えていただきたいと存じます。

人類の歴史上初めての経済的大転換への入口なのです。

■B・Iの給付水準

次に、B・Iの給付水準について。

現在、B・Iの研究者によって給付水準の研究算定が行われていると思いますが、2020年時でも、私の個人の（感覚的）理解では以下の金額を考えています。
・18歳以上　男女・年齢を問わず1月当たり7万円～8万円
・18歳以下　男女・年齢を問わず1月当たり3万円～4万円

ただし、原則として、医療（先進・高額は除く）、高等学校までの教育・介護・保育の無料化を、その前提とします。

当初の年間予算は、2020年次の人口で推計すると、85兆円から最高100兆円となります。

当初年次は多額となりますが、同時並列的に、①社会保障の抜本改革と、②税制の抜本改革を行いますので、次年時から、順当に推移できます。

現在の国家予算の歳入の約半分を、「国債」に依存する不健全な財政状況からの脱却のスタートとなり得ます。

■B・Iの原資——原資を消費税に求めることは反対。B・I資源は確保できる

現在B・Iについての提唱者は多数おられます。多数の方は、B・Iの原資を、年金の「基礎年金」の部分に求めています。そしてその部分を「全額税収で賄う」とし、その税収を「消費税又累進消費税」に求めるとしています。

私は、基礎年金に原資を求めることは賛成であり、当然であると理解しますが、消費税に求めることは絶対に反対です。

消費税は、逆累進性をもち、税率が高まることでそれが顕著となります。

例えば、1億円の所得の人と、300万円の所得の人の消費の割合が著しく異なるからです。

1億円の所得のある人は1千万円消費すると、消費税30%の場合、300万円の消費税を支払います。

300万円の所得の人は約230万円消費をして約70万円の消費税を支払うこととなります。現実的には、230万円の生活費は生きるのにぎりぎりの生活費であり預貯金はできません。一方1億円の所得の人は8700万円の預貯金などが可能となります。

消費税という税は、階層社会・階級社会の固定化を目的にした税であり、経済的格差の是正、平等化とは基本的には矛盾します。

基礎年金は、50%を「公費」50%を年金積立金に依存します。故に全額税金で充当します。その上、年金の2階部分である「厚生年金」と「共済年金」は存続することとなります。

これにどのように対応するかが課題となります。それには四つ形が考えられます。

第一は、そのまま公営で存続。第二は、民間委託の民営化での存続です。第三は（一）・（二）の複合化での存続です。第四は廃止です。

私は第四の廃止を主張します。その際に両年金を現在ある年金準備金を基礎年金分と厚生年金分と共済年金分に負担割合に応じて分割し、その金額を中期的（約10年から20年間）に、返却すべきと考えます。

Ｂ・Ｉの制度化は、行政組織・財政運営を、簡素化・簡略化させます。一般国民にとって納得できる、理解しやすい、スッキリとした行政に改変でき、政治家・官僚の役割も大きく変容せざるを得ません。国民が政治・行政を監視・チェックが容易となります。

現在の日本のGDPは約500兆円以上、日本の租税収入は、国税約64兆円、地方税は約30兆円、合わせて100兆円弱、海外純資産は約360兆円以上、国民の金融資産は約1500兆円以上、企業の内部留保金は460兆円以上、という世界一の金融超大国であり、約30種類の税金をもち、国は一般会計の他、財政投融資計画・地方自治体会計をすべて刷新し、富の偏在を是正し、格差の拡大を是正する税制を立案すれば、容易にＢ・Ｉ原資は確保可能です。

ただしこれ以上国債発行残高を増加せず、減少化に方向づけすることが前提となります。今後、今以上の所得は望めませんので貯蓄は減少化することを前提とします。

B・Iの運営主体は、基本的に現在の社会保障関連ではありません。一部存続しますが、徴税機関が主体となります。

■グリーピアの問題・消えた年金記録問題

厚生年金の改ざん問題、後期高齢者医療制度の迷走・介護人材不足問題など多くの社会問題を生み出した厚生労働省や社会保険庁に運営を託してはならないのです。

国民の大切な資産を厳正に管理・運営できる可能性の高い官僚に預託すべきです。

B・Iの制度化には、国家の一般財政・財政投融資・地方財政すべての根本的変革が必要となります。現在の財政は戦後約75年間基本的に改革されていません。この機に大ナタを入れることができます。財政改革のなかで確かな財源は確保できます。そのためにも現在の年金準備金を減少化させないことです。年金準備金を投資・投機の場に晒しては絶対にいけません。

■共生保障について

次に、共生保障について著述します。

■人は相対存在――融和・協調・協働して

B・Iは、社会保障の経済的側面の充実ですが、これだけでは、福祉の充実はできません。

人が生きるなかで、他人との人間関係または社会との関係を密にし、豊かにすることで、人生を充実することが可能となります。人間は一人では生きることができません。仮に孤独な人生を望む人がいても、生活を支えてくれる人や社会の存在があるのです。

また、頑健な体力・高い職務能力のある人でも挫折し路頭に迷い、家族関係を破壊することにもなります。

人間の存在は「相対存在」です。それぞれの生き方や利害も相反しています。相対存在である人間同士が反目しあわず、融和・協調して生き、個人の人生の充実・社会の福祉の充実のための必要最低限のセーフティネットを張り、セーフティネットから立ち上がる方策を、人間関係・社会関係の「すべて」が参加・協力して実現するという「共生」の社会保障を実現することが必要不可欠と理解します。

■近代は社会関係を破砕

近代の「個人主義」「合理主義」に基づく資本主義は、その経済活動によって、封建社会の秩序化された社会関係を破砕してきました。初めは「囲い込み」によって、農耕社会から「労働者」を生み出し、農耕社会の大家族的秩序を破壊し、資本家・労働者という経済関係が社会関係の中核となり、資本主義によって「地域」「コミュニティー」の社会関係を破壊し、商品経済化のなかで、人の働きを「労働」と規定し「骨の折れる・苦痛な働き」という働き観にしてしまいました。

「労働」は「時間」で計測され、「時は金也」という価値観を定着させ、労働はお金(かね)、お金は時間という誤った価値観を生み出し、資本主義は、商品経済化によって、「家庭」の崩壊までもたらしました。

家庭は、「夫婦」という横の社会関係であり、「親子」という縦の社会関係であり、その人類普遍の社会的基盤である家庭に亀裂を入れ国家・企業と個人が直接に対面する社会関係をつくり出しました。

資本主義は、充実した社会関係をもつ社会的人間に比較し、社会関係の希薄な経済的に孤立した経済人にすることが、人間をコントロールしやすく、人間の消費から収奪することが可能である経済状況をつくり出し、人間の社会関係を破壊し続けて、生命体として社会的動物としての人間を否定したのです。

現在の人類社会は「孤立した個人」と「お金・資本の増殖を目的とする巨大な組織」とが直接対峙する社会です。孤立した個人がより一層弱体化・疲弊化することは必至と言えます。

しかも、現在、人間の営みの基本である「働き」がなくなるという究極の事態が潜かに進行し、近々顕在化する事態となっているのです。資本主義の収奪行為は加速化・過激化しています。

人間を「労働」とし「商品」とし「お金」として理解する経済中心の社会から脱却し、人間の、営みである、生まれ、育ち、生きていくことを第一にする人間社会への転換への一歩が「共生保障」という制度化によって実現されなければなりません。

■公助のシステムは破綻へ

封建社会では、「自助」「互助」のシステムが封建社会秩序のなかに内在化されていました。自然災害や戦乱の状況の下、絶対的窮乏を避けるため「互助」が機能しなくなり、身売りや姥捨て(うば)の状況となりました。それは全体が生存するための非情な決断と言えます。

資本主義を基調とする近代化は、自助・互助による社会関係を前提に始まりましたが、貧困や社会的弱者を多数生み出し、そのなかから社会福祉・社会保障の必要性が生まれ、民主主義の発展によって、主権国家による「公助」のシステムが徐々に築かれていきました。「公助」のシステムは、近代化の過程で徐々に充実化が図られ、特に第二次世界大戦の後、デンマーク・ノルウェーを中心とした北欧諸国から徐々にヨーロッパ諸国へ拡張しました。北欧諸国は高負担・高福祉、ドイツ・イギリス・フランスなどは中負担・中福祉で、日本・アメリカの低負担・低福祉より充実していますが、その原資は消費税が基本です。消費税は前述しましたように逆累進性ですので、究極的に経済的破綻・失業の増加によって社会保障は破綻します。階級社会の固定化を目的とする消費税を中心とする財源では中・長期的に社会体制は崩壊せざるを得ません。欧州諸国の人々はこれを乗り超えると思いますが、その時は、資本主義が死を宣告される時期と重なります。

日本は、北欧諸国の社会保障を後追いし、模倣から始まり「共助」のシステムの充実に努力してきましたが、西欧諸国を追い越す経済発展を実現したため、その経済的条件が西欧諸国に先行したことと、全世界で少子高齢化のトップランナーとなったことが基本的に影響し「公助」のシステムが破綻しているのです。

■新たな独自の社会保障へ

世界の福祉国家は、公助のシステムを構築し充実する努力をしていますが、将来的にはその経済的基盤が崩壊するに至ると理解できます。

日本を経済的に後追いしている欧州諸国の社会保障を後追いすると、多くの困難と多額の無駄が生じてきます。

日本は、独自に、主体的に、新たな社会保障を実現し、国民の福祉の充実の制度改革を行い、他国に模倣されるような社会システムを早急に実現すべきと考えます。

人類の歴史は、「土地」と次の「資本」によって、統合化の進展した歴史です。そしてその時代は統合化の力が、対立・戦乱をつくり、人間社会に苦難をもたらしました。

これからは、定常系「地球」のなかで、「人間の新たな知恵で」人間・世界をリードし、対立・戦乱のない社会づくりが実現されなければなりません。それが日本社会の置かれた立場であり、今後の世界での役割と理解すべきです。

■人は８種の人間関係のなかで生活

人間は、生まれ、育ち、生きていく過程で基本的に８種の人間関係のなかで生活します。

①親、②子、③配偶者、④親戚・きょうだい、⑤師、⑥友

人、⑦職場関係、⑧地域社会・隣人、という人間関係のなかで生活しています。

人間の一生はこの８種の人間関係の『関係の密度・質』に強く影響されています。

この８種の「人間関係の充実度」が、個人の人間性・能力を規定し、この８種の人間関係の相互理解に出発し、相互理解の深まりのなかで心豊かな人生が実現すると思います。

親と子との関係に、相互理解が欠ければ、心の歪みや対立が生まれます。ましてや夫婦関係であれば、生まれ育ちの環境や条件が異なりますので相互理解がなければ不倫や離婚にもなり、子供への影響は深刻となります。

これからの社会は、お互いの存在は、相対存在であり、その関係の理解から出発し、その関係を親密化し、信頼を育み、関係を高めるなかで生きることが肝要と思います。

■公助から共生へ

現在の社会保障・福祉は「公助」から「共生」への進展への過程にあると理解できます。

現在の社会保障は、上記⑧の地域社会・隣人との関係とその延長上にある、地方自治体・NPO（非政府組織）ボランティア・グループ、そして社会保障の営利組織体によって充実の努力が行われています。そして徐々に、⑦の職場関係・企業・産業の参画が必要不可欠との認識に至り、社会保障への理解ある企業・能力のある人材を確保したいという企業また収益力の高い経済的に余裕のある企業が社会保障のシステムに参加する状況に至っています。

現在の経済・社会の急展開のなかで一般企業は経済的に余裕のない、企業の存続をかける経営状態に至っている企業が増えています。

企業経営者のなかには、現在の経済社会を憂い、従業員の雇用を心配する人も多数出現しています。

Ｂ・Ｉは企業経営上、多少とも人件費コストを低く抑え、雇用保険や企業の年金負担を軽減・解放することが可能であり、中小・零細企業・自営業への影響はプラスをもたらしても、マイナスを排除できる制度です。ほとんどの営業・経営に負担はかけません。また、Ｂ・Ｉによって最低限の所得が確保されていますので企業の雇用も容易となり、共生保障システムへの参加者の増加は十分に期待できます。

■時間が生活

人間が生きる基盤である所得を住居に近い地域に求め、その経営体とともに成長・発展し、時間的余裕を確保し、時間を心豊かな生活で過ごすことが可能となります。ゆとりある社会への一歩となります。

ミヒャエル・エンデのファンタジー童話「モモ」のなかに、次のような一節があります。

時間をケチケチすることで、ほんとうはぜんぜんべつのなにかをケチケチしているということには、だれひとり気がついていないようでした。じぶんの生活が日ごとにまずしくなり、日ごとに画一的になり、日ごとに冷たくなっていることを、だれひとり認めようとはしませんでした。
　でも、それをはっきり感じ始めていたのは、子どもたちでした。というのは、子供と遊んでくれる時間のあるおとなが、もうひとりもいなくなってしまったからです。
　けれど、時間とはすなわち生活なのです。そして生活とは、人間の心のなかにあるものなのです。
　人間が時間を節約すればするほど、生活はやせほそって、なくなってしまうのです。

　共生保障システムは「型にはまった」ものではありません。それぞれの地域に住む人達が、その社会的状況・経済的状況を踏まえ創造する社会保障システムと言えます。

■共生保障は支え合い

「共生保障」については、現中央大学教授、宮本太郎氏の著作『共生保障〈支え合い〉の戦略』岩波新書1639、2017年を中心にお示しします。

　宮本氏の著作の“はじめに”に、「地域社会が持続困難になりつつあるのではないか、そのような見通しが表面化され、実感をもって受け止められている。現役世代が数の上で減少しているだけでなく、経済的に弱体化し、社会的に孤立する人々が増えている。高齢世代など『支えられる側』と見なされてきた層が膨らむなかで、中間層が解体し、地域を支える力が弱まっているのである。…… 2016年6月に安倍内閣が閣議決定した『ニッポン、一億総活躍プラン』では『共生社会』の実現が掲げられた。それは『支え手側と受け手側に分かれるのではなく、地域のあらゆる住民が役割を持ち、支えながら、自分らしく活躍できる地域コミュニティー』とされる。厚生労働省は同年七月に『地域共生社会実現本部』を設置した。……

……共生社会というスローガンは、政府のこうした動向より早く、野党…… 2015年2月に『共生社会創造本部』を立ち上げ、この言葉を政策づくりの基軸とした。……

……社会のあり方として共生が打ち出されると、その中味が曖昧だからこそ、異を唱えにくいゆえに、政府や行政が都合よくこれを使うという面がある」……と著述されている。

以上が共生保障に対する政治の認識ですが現状では、何ら進展していません。常に消費税増税のためのスローガンと理解されても仕方がない状況にあります。

■共生は信頼

宮本氏は「日本型生活と信頼」に以下に著述しています。

「これまでの日本型生活保障は、信頼関係が行き渡りにくく、会社などを超えた協力の条件が整いにくい仕組みであった。

第一に、企業や業界を超えた繋がりの弱さである。……

第二に、政府に対する信頼の欠落である。……政府が社会に対して生活保障の明確なルールを示すことはなかった。公共事業や業界保護などの手段で男性稼(かせ)ぎ主の雇用を支えることに重点を置いた。『支える側』の『強い個人』という見かけはこうして可能となったが、政府や自治体の施策はあくまで裁量的であったために、政府への信頼は育たなかったばかりか、利益誘導型の仕組みに不信が増した。中央政府を信頼していると回答した市民の割合は、日本では2007年の24%から2012年の17%に低下した。ちなみに2012年のOECDの平均は40%である（OECD2013）。

第三に、『支えられる側』に切り離し絞り込む仕組みである。生活保障制度に代表されるように『支えられる側』として給付対象となる人々は絞り込まれ、多数の人々との接点は見えにくくなった。そのために、現実には受給総額の0.4%程度である不正受給が日常化しているかに受け取られるなど、ここからも不信が生み出されることになった。日本型生活保障においては『支える側』『支えられる側』が分断されていたのみならず、『支える側』の企業や業界も相互に仕切られていた。……社会全体としては『信頼社会』ではなかった」と著されています。

現在の社会保障は、保障の関係は人と人との関係でありその関係の基本が「信頼」であるにもかかわらず、政府がその信頼を失う施策を行い、政府自体が信頼を毀損（きそん）しているが故に、日本政治の掲げる共生保障は単なるスローガンとしか国民には受けとめられないのです。

■共生保障とは支える側を支え直す

宮本氏は共生保障の基本的な考え方を示しています。

「共生社会とは、いかなる制度や政策を指すのか。

第一にそれは『支える側』を支え直す制度や政策を指す。

第二に、『支えられる側』に括られてきた人々の参加機会を広げ社会につなげる制度と政策である。

第三に、就労や居住に関して、より多様な人々が参加できる新しい共生の場をつくりだす施策である」としている。

共生保障は、1980年代から日本で重ねられてきた社会保障改革の理念と重なり、また、地域におけるNPOなど民間事業者と地方自治体の新たな取り組みとも重なり、地域から問題提起を受けとめつつ、社会保障改革の新たな方向づけにつなげる枠組みである。と説明している。

第一では、子育て支援、職業訓練、就学前教育などをあげている。

■交差点型社会

新しい共生保障モデルとして、「交差点型社会」を提案している。

「図表1の説明：すべての人々に関わる社会保障・福祉や雇用の施策によって、人々が職場や地域のなかで力を発揮することを支援する。そのためにまずは、教育・家族・失業・離職、身体とこころの弱まりという多様なステージから雇用に移行できること、他方で必要に応じて離職して改めて雇用以外のステージに立ち戻れることが大切である。（中略）

いったん仕事に就いた後に、給付型の奨学金を受け直すこ

図表１　交差点型社会と四つの橋

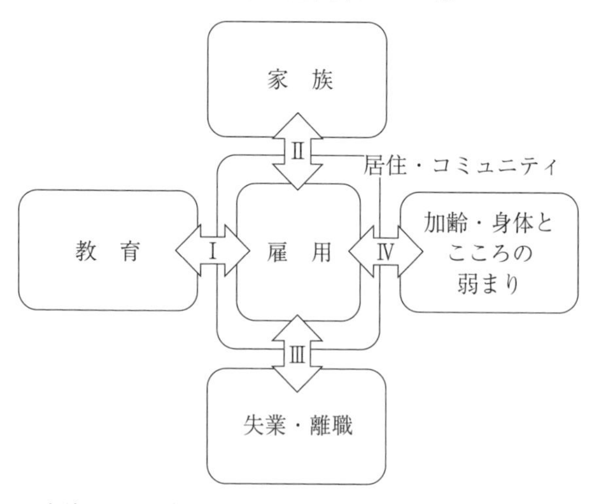

出所：Schmid（2002）の図を大幅改訂
『共生保障〈支え合い〉の戦略』宮本太郎著（岩波新書）より転載

とができることは、自らの負った仕事を選択し、支え合いのなかでより大きな力を発揮するための条件でもある（Ⅰの橋）。

家族のケアをしながら働き続けることを可能にする保育（就学前教育）や介護のサービスは、生活水準を大きく下げることなく休職できる育児・介護休業制度と連携しなければならない（Ⅱの橋）。

失業から雇用への移行を支援する職業訓練やリカレント教育が利用できるということは、その期間は何らかの所得保障があることが大事な条件となる（Ⅲの橋）

加齢あるいは癌やうつなどで身体とこころが弱まっても働き続けることができるためには、短時間労働や業務内容の調整など、多様なかたちで仕事に関わる条件が確保される必要がある（Ⅳの橋）。（中略）

これまでの日本社会では、図の左から右へすすむ『一方通行型』の社会であった。……これを『出口なきロータリー型』ともいうべき就労動員社会への接近である。……」

共生保障の模索の事例を示している。

○藤里町社会福祉協議会の取り組み

秋田県の北端、白神山地の麓の位置する人口3600人の町。現役世代のひきこもりを町の活性化につなげようとした試み。

○ NPO法人「ふるさとの会」

都内で、困窮・精神障害・認知症・発達障害などを抱えた高齢者および若年層を対象とした、生活保護、無料低額宿泊所、軽費老人ホーム、精神障害者グループホームなどによる支援事業。特徴は、高齢者の生活支援を、同時に現役世代の就労支援の場として設計。

■ユニバーサル就労

○社会福祉法人「生活クラブ風の村」

千葉県内での「ユニバーサル就労」を展開。ユニバーサル就労とは、障害や生活困窮など、働きづらさを抱えていた人々が、支援を受けつつも多様なかたちで働くことができる新しい職場環境を指す。

当事者・支援団体、事業者の協議をふまえ仕事をきりだし、四つのグループに区分される。①交通費を支給するが業務は無償で居場所の提供に重点を置く「無償コミューター」、②支援を得て何らかの仕事を遂行できたことに一定の報酬を出す「有償コミューター」、③支援を得てほぼ1人分に相当する仕事をすることに最低賃金を支払う「最低保証職員」、④支援や配慮を受けつつ他の職員と同様に働くことができる「一般賃金職員」の四グループである。

ユニバーサル就労は広がりをみせている。時々報道にものぼる。

■共生保障における「場」の構築について

「図表２をご覧いただきたい。これまで、『支える側』とされていた人々は、一般的に就労し、多くの場合は持ち家を目指しつつ私的に居住し、勤労所得で生活してきた。この対極に『支えられる』に括られた人々のための仕組みがあった。すなわち、所得や資産の調査などを経て施設入所を認められたり、生活保護の住宅扶助の支給対象となったりした。また所得保障は、生活扶助や障害年金など、一般的所得の最低水準を超えないように設定された代替型の給付であった。

図表２　共生保障における場の構築

「支える側」		「支えられる側」
一般的就労 ⇔	ユニバーサル就労／共生型ケア	⇔ 措置型福祉
持ち家・私的居住 ⇔	地域型居住	⇔ 施設居住・住宅扶助
勤労所得 ⇔	補完型所得保障	⇔ 代替型所得保障
「支える側」を支え直す	共生の場の構築	「支えられる側」の参加機会拡大

出所：宮本太郎

『共生保障〈支え合い〉の戦略』宮本太郎著（岩波新書）より転載

今日、この両極の制度の『間』に、新しい働き方とケアのあり方、居住のかたち、所得保障を構築していくことが必要になっている。以下本章では、引き続き各地の取り組みも参照しつつ、ユニバーサル就労と共生ケア、地域型居住、補完型所得保障のそれぞれについて検討している」と記述されている。

以上、宮本太郎氏の著作から引用させてもらい、共生保障について、基本的な理解をお示ししました。

■共生保障は従来からの社会保障に積み重ねのシステム

共生保障は宮本氏が示すように、それが独自にあるということではありません。従来からの社会保障に「積み重ね」地域全体で取り組み充実化していく保障制度と言えます。日本の政治もやっとその必要性に気づき始め、これからの重要な課題となります。

■企業・経営体の参加が必要不可欠

共生保障の進展とその充実は、現状での雇用の不安定化・格差の拡大化の進展と、少子高齢化、迫り来る失業社会化を鑑みれば急務と考えますが、共生保障システムに、地域の企業や各種の経営体を取り込んでいかなければなりませんが、一部の経営者にはその理解はありますが、未だ、有能な人材の発掘・利用に留まっている感がします。一般的な企業は、利益の追求に終止し従業員を含め地域住民の福祉を考える余裕がありません。それは資本の論理によって、企業経営が追い込まれているからです。

地方自治体を含め、地域のボランティアやNGOによって新たな模索が行われていますが、政府による明確なルール化も示されていませんし、予算措置は望むべき状況になく後退的と理解できます。全体としての共生保障への認識が進むも、その進展への環境や条件が悪化し続け、支えられる側が急増し、支える側が急減する状況に「短期間」で推移することを共生保障への努力をする人にも理解されていない状況が見えます。

現状のような楽観的で恣意的とも思える経済見通しや理解では、これから顕在化する経済や社会の危機に対応できず、社会保障が従来からも含め全体が破綻・崩壊することに至ります。社会保障のみならずその基盤である財政までも破綻することが理解できます。

破綻・崩壊以前に、新たな制度設計を準備することが必要であり、でき得れば、新たな社会保障制度を実行できれば、資本主義の終焉の際に生ずる災禍を多少ならずとも避けることができ、社会の完全崩壊を避け、それから逃れられるのです。

それには、私が提唱する、B・Iを土台にした共生保障を模索する以外にないと、確信しています。それ以外に提案がありましたら、提示してください。仮に提案されたとして、実施されたとしても、資本主義経済を前提にしている限り短期間で崩壊します。

■税制の抜本改革

B・Iをベースにした共生保障への制度の導入には、中央政府及び地方自治体の全面的な組織の大変更・大改造が必要となります。それについては時間をかけた周到な準備が必要であり、公務員の配置換え・教育・訓練を行わなければなりません。この制度の実質的運用は、現在の徴税組織を中心にその用員も現在の2倍以上の用員となります。

現在の税制では、国・地方合わせて約30種の税種があります。現在の税種を統合化し、国民の大多数に容易に理解される税制に、単純化します。B・Iの給付規模また他の福祉予算との係わりで、変更もありますが、税率については明示できる状況にもありませんので、基本的な理解を示します。

①基本所得（B・I）は、課税対象外とします。
②消費税は、廃止します。
③個人所得税は、累進税率を現在より高めます。
④法人所得税は、資本金額、内部留保金を勘案し累進税率化します。
⑤物品税を復活し、累進税率化します。
⑥固定資産税は、一定評価格以下は無税とし規定評価以上は、累進税率化します。
⑦相続税は、一定金額以下を無税とし、規定金額以上を累進税率化します。
⑧譲渡税所得税は一定金額以下を無税とし、譲渡側の税率を累進税率化し、税の即納を義務化します。

⑨資本課税を強化します。

以上、9種の税を基本とします。例外規定は、国及び地方自治体との関連で一部認める以外、原則認めません。

その他、国と地方自治体との関連で現在の税種を残存することもあります。

税については従来からの国家・自治体への対価を求める納税の意識を越えて全体福祉の向上と社会の安定化のための利他と尊譲の意識による税制へと方向付けする。

そのためには当初は厳格化・厳罰化し、それによって習慣化し、自然に税への理解を変容させる。

第5章　資本主義の終焉①水野和夫氏の著述から

資本主義経済の終焉・崩壊に関する記述は1990年代の日本の金融バブルの崩壊後から2008年のリーマン・ショックの金融危機まで多くの論評がありましたが、自分としては十分に納得できるものではありませんでした。その渦中、2007年に『人々はなぜグローバル経済の本質を見誤るのか』という水野和夫氏の著作が発刊され、即刻購読しました。

私自身、低金利化しデフレ経済化した日本ではあり得ないが、世界経済・特にアメリカ経済の金融バブルの崩壊は間近という感触を持っていました。翌2008年に過去にないバブル崩壊になりましたので水野和夫氏の理論を信頼に足るとの理解に至りました。その著作は2007年の経済書のベストセラーになっていたことを後に知りました。それから水野氏の著作を何冊か読みましたが、2014年に集英社新書による『資本主義の終焉と歴史の危機』から著述します。

水野氏の著作は金融業界の最前線での研究者として膨大なデータと確かな資料と確かな歴史認識をもとに、明晰な分析によって資本主義・近代社会を解析されているので、私自身の理解を挿し入れる意味もなく烏滸(おこ)がましいと解しレポートいたします。是非水野氏の著作を御購読いただくことをお勧めします。

■フロンティアは残っていない。著作の「はじめに」―資本主義が死ぬとき―

水野氏の著作から「資本主義が死ぬとき」と副題のついた「はじめに」の一部を引用します。

「資本主義は『中心』と『周辺』から構成され『周辺』つまり、いわゆるフロンティアを広げることによって『中心』が利潤率を高め、資本の自己増殖を推進していくシステムです。

『アフリカのグローバリゼーション』が叫ばれている現在、地理的な市場拡大は最終局面に入っていると言っていいでしょう。もう地理的フロンティアは残っていません。……また金融・資本市場を見ても、各国の証券取引所は株式の高速取引化を進め、100万分の1秒、あるいは1億分の1秒で取引ができるようなシステム投資をして競争しています。このことは『電子・金融空間』のなかでも、時間を切り刻み、1億分の1秒単位で投資しなければ利潤をあげることができないことを示しているのです。……日本を筆頭にアメリカやユーロ圏でも政策金利はおおむねゼロ、10年物国債利回りも超低金利となり、いよいよその資本の増殖が不可能になってきている。

つまり『地理的・物的空間（実物投資空間)』からも『電子・金融空間』からも利潤をあげることができなくなってきているのです。資本主義が資本を自己増殖するプロセスであると捉えれば、そのプロセスである資本主義が終わりに近づきつつあることがわかります」

■中間層は資本主義から離脱

引用はさらにこう続きます。

「さらにもっと重要な点は、中間層が資本主義を支持する理由がなくなってきていることです。自分を貧困層に落としてしまうかもしれない資本主義を維持しようというインセンティブがもはや生じないのです。こうした現実を直視するならば、資本主義が遠くない将来に終わりを迎えることは、必然的な出来事だとさえ言えるはずです。資本主義の終わりの始まり。この『歴史の危機』から目をそらし、対症療法にすぎない政策を打ち続ける国は、この先、大きな痛手を負うはずです」と水野氏は著しています。

■資本主義への疑念深まる

以上の２頁の著述を現在の経済や社会の問題の多様化・深刻化の状況と照らしてみれば、適確な判断として理解できます。

水野氏は資本主義の終焉・死を高らかに宣言し、その必然性は「利潤率の低下」「利子率の低下」と「中間層の資本主義からの離脱・絶縁化傾向」によって説明し、資本主義の延命政策の危険性を指摘しています。

水野氏がこの書等を著したのは2007年。その時から13年以上が経過し、現在、資本主義が深刻化するなかで、反資本主義的傾向が潜在的に拡幅していますが、未だ気運のレベルにあるようにも思えますが、2017年アメリカ大統領にドナルド・トランプが就任したことにより、政治的・社会的にも経済的にも資本主義を信奉する人々も含め、資本主義への疑念が深まり・拡大していると私は理解します。

■利子率の低下が資本主義の死の兆候

以下、水野氏の理解の重要な箇所を列記します。

「『利子率の低下』は資本主義の死の兆候。

利子率（金利）は利潤率と同様に、2%を下回れば、資本側（所有者）が得るものはほぼゼロ、そうした超低金利が10年を超えて続くと既存の経済・社会システムはもはや維持できません。これこそが『利子率革命』が『革命』たるゆえんです」と著しています。

大多数の日本人は、1990年代からの預金の利息の低下に対し、当初は利息の上昇の期待もありましたが約20年低利息が続き、利息ゼロを抵抗なく受け入れ、金融機関も一般企業も、利益が上がらないのだから当然だろうとの認識を持つようになった事実が、水野氏の「利子率革命」の指摘は正しいと、民衆は納得できます。

■交易条件の悪化が利潤率の低下をもたらす

水野氏は、「10年物国債の金利の推移の検証から1970年代前半に『資本主義の終わりの始まり』という大転換が始まった」と著しています。

10年物国債利回りは、1970年代に、イギリス14.2%、日本11.7%、1980年頃13.9%であった利回りが、現在ゼロに近づいている表によって説明しています。

このことは、「利潤率の低下」その原因が「交易条件の悪化」がもたらしたとしています。交易条件とは輸出物価指数を輸入物価指数で割った比率で、輸出品一単位で何単位の輸入品が買えるかを表す指数です。とし、交易条件の悪化の事例を示しています。

■金融帝国へ——お金がお金を生む投資銀行

水野氏は「地理的・物的空間」での利潤低下に直面した1970年代半ばの段階で、「先進諸国は、資本主義に代わる新たなシステムを模索すべきであったが『電子・金融空間』に利潤のチャンスを見つけ『金融帝国』化していく道を選択し、ITと金融業が結びつくことで、資本は瞬時にして国境を越え、キャピタル・ゲインを稼ぎ出すことできるようになり、その結果1980年代半ばから金融業への利益集中が進み、アメリカの利潤と所得を生み出す中心的な場となっていった。

アメリカの『電子・金融空間』の元年は、1971年ニクソン・ショックのあった年であり、ドルと金が切り離されペーパー・マネーになった年であり、インテルが、今のPCやスマートフォンの頭脳であり不可欠なCPUを開発した年である」と著しています。

私はその頃大学を卒業する頃、恩師にロスチャイルドに代表される欧州の大金融企業と、チェース・マンハッタンに代表される米国の大金融企業とが対立を解消・和解し協調体制が成立した状況を知らされたことを記憶していますが、当時の私には、その裏の理解ができませんでした。水野氏の説明はよく理解できます。

■金融バブルの崩壊で清算

1971年以後の米国の産業資本主義の成熟化・終焉の段階に入った後、金融資本主義化に進展します。「新自由主義」の名の下に、グローバリズムという美名を掲げ、金融の自由化・資本の自由化を強制的に要求し、旧来の産業と距離を置く領域に金融市場をつくり、「お金がお金を生むシステムを1980年代に構築し1995年頃には定着し、従来の商業銀行を「投資銀行」に改変し、実際の資金の50倍60倍でのレバレッジ資金によって、金融商品・金融派生商品を販売し、その資金を運用する資本による狂乱の時代を生み出しました。

その新たな主たるターゲットは、アメリカに於いては住宅ローンを借りる人々であり、日本に於いては、民衆によって積み立てられた郵便貯金をはじめとする金融資産でした。2008年リーマン・ショックの金融バブルの大崩壊で清算され、金融空間に13年間に100兆ドル（1京円以上）の利益を計上し、実体経済に60兆ドルの損失をもたらし、その「付け」を政府すなわち税金に負担させ、一度は挫折し弱体化はしましたが、今はリーマン・ショック以前の状態にあると理解されています。いつ金融バブルが弾けるのか不透明な状況にあります。

■高いROE（総資本利益率）で産業支配に

金融資本主義化は、従来型の産業・企業に多大な影響を与えています。

その新自由主義の影響は、株主配当の増額無償増資の要求や、高い総資本収益率（ROE）を求め、経営者の交代やM＆A（企業買収）などによって企業支配を行うまでに至り、利潤の出せない経営者に対し、コストのカットのための雇用者の削減また従業員の非正規社員化を迫り、資本と労働の直接対決の構図が鮮明化し、経営の人的側面を弱体化させ、生産性の向上を阻(はば)み、より一層の競争力の低下に繋がっています。

産業資本を中心とした、まがりなりにも充実した経済社会を完全に「資本のための経済社会」にしてしまった。それは一般産業資本のROE（総資本利益率）が10％程度であるのに対し、金融業のROEが15％～20％であるが故金融による産業支配が進展し、資本力・金融力の強い企業に依存・統制される産業構造となり、結果として1％以下の富裕者のために99％の人々が働かされる極度の格差社会となり、相対的社会的弱者が増加し続けているのです。

リーマン・ショックを経験した後、日本が1990年代のバブル崩壊の後行った政策と同様のことを、アメリカは、積極財政と超低金利政策で経済成長の回復を追求しています。まさに日本の10年遅れの状況であり、EUも同様でありEUの崩壊までも予想される事態にまで陥っています。リーマン・ショックに際し、国家の公的資金の注入によって巨大金融企業が救済される一方で、負担は中間層に向けられ、非正規社員化・リストラなどによって貧困化が進展しているのです。

■ダブル・スタンダードまかりとおる

水野氏の著作のうちの主な指摘を列記します。

「○『資本のための資本主義』民主主義を破壊する。……民主主義を機能させるには情報の公開性を原則とする。

○賞味期限になった量的緩和政策

マネーの膨張は、中間層を置き去りにし、富裕層のみを豊かにするバブルを醸成するものだからです。……そもそも、マネタリスト的な金融政策の有効性は、1995年で切れています。…… 1995年以後の世界では、マネーストックを増やしても国内の上昇には繋がらないのです。

○バブル多発と『反近代』の21世紀

これまでバブルが崩壊するたびに、世界は大混乱に陥ってきました。しかしバブルが崩壊して起こることは、皮肉なことに、さらなる『成長信仰』の強化です。巨大バブルの後始末は、金融システム危機を伴うので、公的資金が投入され、そのツケは広く一般国民に及びます。つまり、バブルの崩壊は需要を急激に収縮させ、その結果、企業は解雇や賃下げなど大リストラを断行せざるをえないのです。まさに、『富者と銀行には国家社会主義で臨むが、中間層と貧者には新自由主義で臨む』ことになっていて、ダブル・スタンダードがまかり通っているのです」

■16世紀の価格革命が封建制から資本主義・主権国家システムの移行をもたらす

水野氏は、現在の資本主義の終焉の状況を「利子率の0（ゼロ）化」に加え「価格革命」によって説明しています。

「『価格革命』とは、供給に制約のある資源や食糧の価格が従来の枠組みで説明できないような非連続的に高騰することで、通常のインフレとは異質なものです。

通常のインフレはある一定の空間内で需給逼迫によって引き起こされる現実です。一方、『価格革命』は異なる価格体系をもっていた空間と空間が統合し、均質化する過程で起こる現象です。

そして『革命』的な価格水準の変化が起きる商品とは、空間が統合される前に『周辺』だった地域が供給していたものです。『長い16世紀』の『価格革命』では『周辺』の東欧諸国が、『中心』のローマに供給する穀物の価格が急騰しました。後述する『長い21世紀』の『価格革命』では、原油などの資源価格が高騰しています」と著述しています。

水野氏の著述によりますと、「封建時代の末期、ヨーロッパの中核、当時の神聖ローマ帝国の崩壊は、1447年頃まで安定的であった食糧を中心とする物価が、①人口の増加と②ヨーロッパ経済圏の『統合』によって、異次元の価格上昇を招き約180年間続く価格革命のなかで、社会の構造・システムが変わり、価格革命の当初に、資本と国家の一体化が成立し、1650年に価格革命が終息化し、消費者物価が安定的に推移する状況となり、実質賃金が安定化し、資本主義の発展とともに上昇的に推移し、1918年から1991年の約70年間の労働者の黄金時代が築かれたとしています。

価格革命の価格の大変動が単なるインフレではなく、政治・経済システムを根底からゆさぶるもの故、価格革命の収束は新たなシステムが誕生する時にしか起きないので、価格革命は、『歴史の危機』を意味するとし、『長い16世紀』の価格革命は、それまでの時代のシステムであった荘園制・封建制から資本主義・主権国家システムへの移行をもたらしたと」著述しています。

■現在進行中の新たな価格革命

水野氏は現在進行中の「価格革命」について以下のように著述しています。

「16世紀のヨーロッパ内（合計7000万人程度）のグローバリゼーションよりも、BRICSの29.6億人を世界市場に統合する今回……その大規模なグローバリゼーションの影響で、非連続的な資源価格の高騰が起きています。…… 1995年の国際資本の完全自由化で……世界でひとつに統合されたのです。……新興国の人々にとって耐えがたい物価の上昇をもたらしています。……中国、インド、ブラジルといった人口の多い国で、先進国に近い生活水準を欲して、それに近づけようとすれば、食料価格や資源価格の高騰が起き、1960～70年代半ばの日本が一億総中流に向かったのと違って、高度成長する新興国と停滞する先進国両方の国内で人々の二極化を引き起こすことになります」

■価格革命の結果は——中国バブルは必ず崩壊・覇権交代はもう起きない

「〇その結果として、『実質賃金の低下』を示されています。
〇価格革命はいつ終わるのか？

中国の１人あたりのGDPが日米に追いついた時点と予測されていますが、この著述は2014年ですので、米中の貿易戦争が始まった今、不透明になったと私は受け止めています。
〇中国バブルは必ず崩壊する。
〇資本主義システムの覇権交替はもう起きない。

もはや近代資本主義の土俵のうえで、覇権交代があるとは考えられません。次の覇権は、資本主義とは異なるシステムを構築した国が握ることになります。そして、その可能性をもっとも秘めている国が近代のピークを極めて最先端を走る日本なのです。

しかし、日本は第三の矢である『成長戦略』をもっとも重視するアベノミクスに固執している限り残念ながらそのチャンスを逃すことになりかねません。
〇バブルは資本主義の限界を覆い隠すためのもの」と水野氏は著述されています。

■自由化の正体

「金融の自由化や貿易の自由化はグローバリゼーション礼賛者がよく言う『ウィン・ウィン』の関係にあるわけではありません。元来、自由貿易からして貿易が利益をもたらすというのはごく限られた条件でしか成立しないのです。

○金融緩和してもデフレは脱却できない。
○積極財政政策が賃金を削る理由。

財政出動は『雇用なき経済成長』の元凶にもなっています。というのは、公共投資を増やす積極財政政策は、過剰設備を維持するために固定資本減税を一層膨らまし、ひいては賃金を圧迫することになるからです。

○ゼロ金利は資本主義卒業の証。

アベノミクスのごとく過剰な金融緩和と財政出動、さらに規制緩和によって成長を追い求めることは、危機を加速させるだけであり、バブル崩壊と過剰設備によって国民の賃金はさらに削減されてしまうことになります。……非正規雇用者が雇用者全体の三割を超え、年収200万円未満で働く人が給与所得者の23.9％（190万人）を占め（2012年）……」と水野氏は著述されています。

■前進するための「脱成長」

「成長を求めない脱近代システムをつくるためにはどうすればいいのでしょうか。

その明確な解答を私は持ちあわせてはいません。というよりそれは一人でできるものではなく、中世から近代への転換時に、ホッブズ、デカルト、ニュートンらがいたように、現代の知性を総動員する必要があると思います。ただ、少なくとも新しい制度設計ができ上がるまで、私たちは「破滅」を回避しなければなりません。そのためには、当面、資本主義の『強欲』と『過剰』にブレーキをかけることに専念する必要があります」と水野氏は著述されています。

■ハードランディングとソフトランディング

「私たちが取り組むべき最大の問題は、資本主義をどのようにして終わらせるかということになります。すなわち、現状のごとくむき出しの資本主義を放置した末のハードランディングに身を委ねるのか、あるいはそこに一定のブレーキをかけてソフトランディングを目指すのか」と水野氏は著述されています。

私はソフトランディングを前提として制度設計を準備し、新たな制度の実現をめざしながら、ハードランディングを避ける努力も共に行い。でき得ればハードランディングの前に新たな制度へ踏み込むことができれば、仮にハードランディングの事態になっても、人類世界で最初に、新たな未来社会への展開が可能となると理解します。それが世界のなかでの日本・日本人の最重要の課すべき役割であり責務と理解します。それが私の著作の最大のテーマです。

私は水野和夫氏の著作によって、購読以前の思索の昏迷から脱却することができました。水野氏の経済理解は資本主義に関する理解は世界の他の国にはありません。

私の未来社会への理解は、水野氏の理解を一つの拠り所としてそれを前提に組み立てられています。

尚、水野和夫氏の著作には多くの貴重な図表が添付され詳細に説明されていますが、「元データの許諾が必要なため転載は不可との理由」により本書には転載ができませんので、水野氏の著作（原著）を購読していただければと存じます。

第6章　資本主義の終焉②野田聖二氏の著述から

資本主義の終焉・死に関し、自然科学系を学んだ経験のある人であれば理解できる著作『2018年資本主義の崩壊が始まる』（野田聖二氏著、かんき出版）が、2018年1月に発行されました。野田氏は1982年東北大学経済学部卒業後、現在エコノミストとして、景気循環学会会員として活躍されている方です。

この著作に対し、脳科学者の茂木健一郎氏が「本書は、資本主義の最良の教科書でもある。最高の知性が描く新時代の見取り図がここにある」また、哲学者の小川仁志氏が「……物質から生命へ、エントロピー増大から減少へ。大胆不敵な視点の転換。2018年、誰よりも早く本物の未来を知りたい人必読の書！」と絶賛・推奨された著作です。

■物質の時代の近代が終わり、生命の時代がやってくる

著作の「はじめに」で、「経済成長をするには技術革新によって、生産性を上げるしかないという一般化した理解に対し、技術改新では生産性は上げられないのかを『エントロピー増大の法則』から解明し、資本主義という経済システムの仕組みそのものに生産性が内包されているとし、また、労働生産性が時代の経過とともに低下していくのかを説明され、『科学技術の進歩が経済を成長させ、それによって問題はすべて解決できるはずだ』という誤った信念から解放される必要がある」と著され、

「結局、エントロピーから明らかになることは『物質の時代』であった『近代』が終わり、新たな『生命の時代』がやってくるということです。本来生命である人間が、資本主義というシステムのなかで物質的な存在となってしまい。人間が科学技術（というモノ）に使われてきた時代が終わり、人間が生命力を取り戻して生き生きと人間らしく生きることができる時代へ、人間のために科学技術を使う当たり前の時代へと歴史は当たり前の時代へと歴史は変わっていくことになるでしょう」と、著しています。

以下、主要な箇所を記載します。

■コンドラチェフ・サイクルは消滅

第２章の「歴史のサイクルから見た資本主義崩壊の兆候」のなかで、「景気循環論の大家であるヨーゼフ・シュンペーターの唱えた技術革新説による理解の技術革新との関係で説明されている50～60年周期のコンドラチェフ・サイクルは大底を打ったとも上昇に転じるタイミングにあるという理解を、資本主義の先行指標である日本経済の分析によって否定して、最早コンドラチェフ・サイクルは、消滅してしまった可能性が高い」と解析しています。

私は半導体・バイオ産業などによる電子IT産業によって第二次世界大戦以後形成された第四波のコンドラチェフ・サイクルは1990年代には完全に消滅し、金融と電子工学の結合によるグローバル資本主義が新たな金融量の増加によって生じる金融バブルが、実物経済の表層で、経済の新たな波を

図表3　コンドラチェフ・サイクル

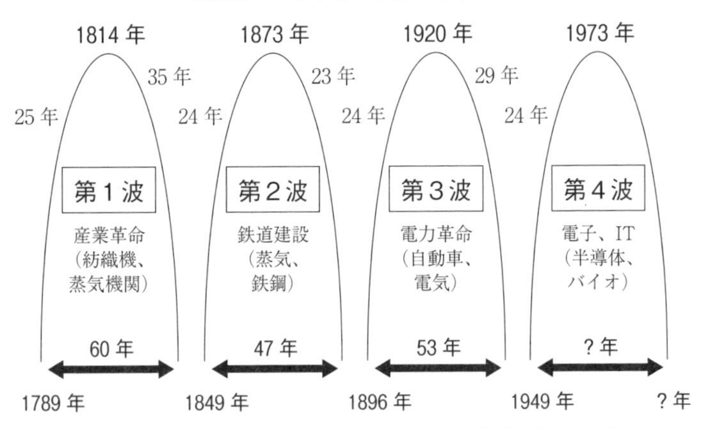

出所：田原昭四著『日本と世界の景気循環』（東洋経済新報社）をもとに作成
『2018年 資本主義の崩壊が始まる』野田聖二著（かんき出版刊）より転載

つくり出していると理解します。

これからの金融バブルの崩壊は実体経済を一層悪化させ、生活の劣化・困窮化に通ずると理解します。

多少横道にそれますが、現在心配される事態が生じています。それは全地球的規模に波及する事態です。それは予想というより予定されている中国の金融バブルの問題であり、中国の金融バブルの崩壊は脆弱な中国の実体経済を壊滅化し、中国経済を0からマイナスからの出発に導くと思われます。

人類約80億人のうち直接約18％の約14億人が争乱の渦中下となり、現在8億2千万（1998年国連総計）の飢餓に対面する人々に加え、その影響により地球上に新たな貧困層の増加となることが予想されます。この由々しき事態は近代化先進諸国のみならず、すべての人類に災禍がもたらされる事態に通ずると理解しなければなりません。日本国も例外ではありません。
第2章の未完に以下の記載があります。

■日本が世界で最も早く資本主義の危機に遭遇する

「資本主義という経済システムが経済の規模拡大に適したシステムであるとすれば、すでに人口と経済の両方において、成長の限界を世界でいち早く迎えた日本が、世界で最も早く資本主義の危機に直面することには、ある意味で歴史的必然性があると言えます。つまり、日本は世界で最初に資本主義の限界にぶつかり、資本主義に代わる『人口減少の時代』に相応しい新たな経済システムへの移行を歴史から要請されているからこそ、資本主義という古いシステムが崩壊する危機を世界で最初に抑えることになると考えられるのです」と野田氏は著しています。

私は上記と同様の理解をしています。多少異なるのは、日本国の資本主義は1990年代に論理的には終末・死を迎えるが、延命のための悪しき治療（アベノミクス的延命政策）によって、死の最終的宣言に至ってはいず延命に期待する人々の悪しき治療に期待しながら、傍観している人々が多数を占めている日本社会と理解します。

近代社会における1600年代から1700年代のイギリスの立場と似た状況に置かれているとも理解できます。イギリスは1760年頃までに、重商主義によって、産業革命の諸条件を整え産業革命を実行し強力な軍事力を背景とする富国強兵の近代国家体制を構築し、他の西欧諸国との対立・協調によって「近代化という名の発展」を実行する中核としての役割を果たし、後にアメリカにその立場を移譲し欧・米諸国中心の「物的経済の時代」を創り、欧・米諸国に富の収奪を目的とする資本主義と称する経済システムを強要し地球上の領土・空間を埋めつくし、それにも抱き足らず、金融と情報産業の結合により時間的領域まで収奪の対象を拡張し現在その経済システムは最早開拓の余地のない領域に達し、極限に至り今やその経済システムが崩壊に至ったと理解します。

物的経済の時代の延長線上には最早「発展」の余地のないことを示しています。0成長0金利0景気変動の経済社会化のなかで「ゼロ・サム」的に富を奪い合う経済社会を否定し「共生の」経済社会をする努力によって人類社会を安定化することが肝要と理解します。「ゼロ・サム」的経済化は1970年のアメリカ産業資本主義による充実した経済社会、日本に於いては1985年頃から進展しています。ゼロ・サム状況の経済は過酷なもので、勝者と敗者が二極化する経済であり、勝者は益々少数化し敗者が日増しに増加多数化する経済社会であり、日本国は1995年頃から2019年の現在に至る約25年間続けているのが実状と言えます。現在安倍自民党政権のアベノミクスと称する政策はゼロ・サムの全体規模の多少の拡大を指向する策ではあるが、実効性はなく後の日本に多大なマイナスの遺産を遺し、ゼロ・サム経済社会化をより一層進行させ、日本経済を破局に向かわせるものと言えます。その破局の時は最早そう遠くはないと理解します。

日本は深刻化したゼロ・サム経済社会からの脱却の最も可能性のある国・民族であり、その条件は人類社会のなかで最も整っています。この件は後述します。

■外部不経済の発生

野田氏は第3章「資本主義で生産性が上がらないのは自然法則が原因」のなかで「近年になって科学技術の進歩と生産性の伸びが比例しなくなった現実に……中略……科学技術の進歩そのものにあることを……エントロピー増大の法則によって」と、解説しています。

「従来の経済では『技術革新』や『生産性』を考える時に不要なエネルギー（排熱）や廃物から目をそらしこの有用性にしか目を向けてきませんでした。

そのツケが後から回ってきたのが、公害の問題であり、二酸化炭素排出による地球温暖化をはじめとした環境破壊の問題です。従来の経済学ではこのような公害や環境破壊に伴って発生する経済的不利益を『外部不経済』として事後的に対処してきたのです」と著し、（中略）

「生命活動は一方でエントロピー増大の法則が働いているので生命の体内では秩序から無秩序への変化が同時に起っています。それに伴って増えた余分なエントロピーを排泄物や汗や体熱という形で体外に放出することにより、生命活動を維持しているのです」と著し、次に、

「科学技術が進歩すればするほど……中略……人間の役に立たないエネルギーや有限物質や発生する量は多くなっていきます。その結果生じる経済的なコストは『外部不経済』として、生産性の向上を阻(はば)む要因となります。もしそこに『限界費用逓増(ていぞう)の法則』が働いていれば、経済成長の速度を上回ってコストが増加していることになり、それは確実に生産性低下の原因となります」と著しています。

図表4　エントロピー増大の法則

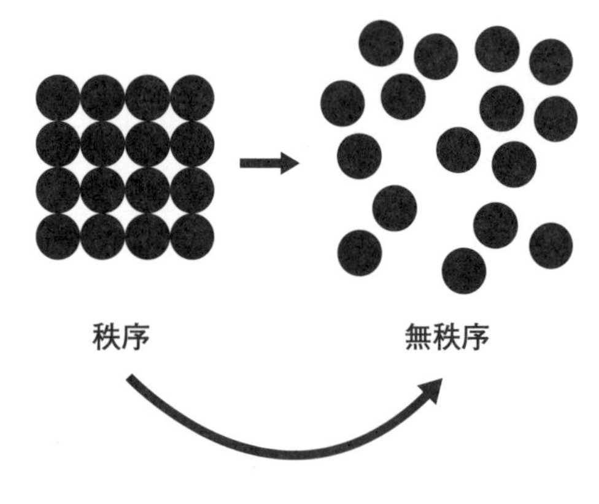

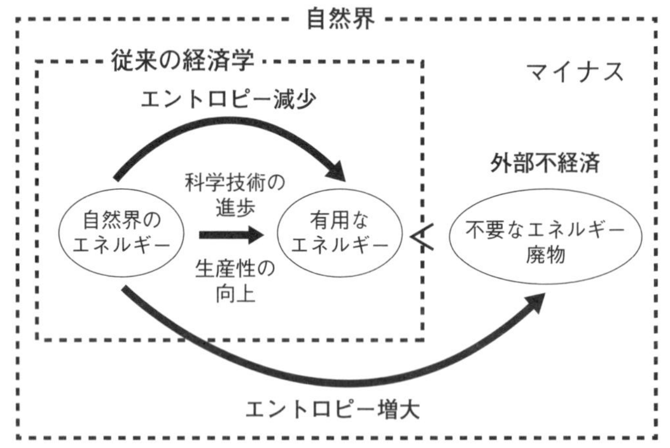

『2018年 資本主義の崩壊が始まる』野田聖二著（かんき出版刊）より転載

私は野田氏のエントロピー増大の法則による資本主義の解析は当を得ており十分に理解納得できます。私は直近の約15年間に東日本大震災による被災地や、原発事故地を何十回も訪問する機会があって、その災害の実体を自分の目と肌で感じとり実態を勘案し「外部費用」を無視したコスト計算による企業経営の実態を知り、原発事故の反省もなく、未だ科学・技術の限界を無視し既得権益の固執に留まり、日本の将来にマイナスの資産を残し続けている事実を無視し未だ新たな選択のできない企業・政府の実状はあきれる以上悲しさを感じる状況でした。

■現在の技術の進化による商品・サービスのコストは高い

また、私は退職前約５年間先端技術に係わる末端の業務である日本の最先端分野の企業や研究所の機材や商品・設備の搬入・搬出・運搬の４重５重のチェックを受ける場まで入り、業務に従事し、日本のほとんどの先端分野企業などの係わりのなかで産業の実状やそこで働く人々を垣間見て、対話を通じて観察をしながら約５年間に約70万km近くトラックで走行しました。

最近の先端技術の進展はすさまじく、日本の大企業レベルでも一企業では、技術の進展にはついてはいけず膨大な開発コストにあえぎ、日本の大企業とその関連が有機的な連係をはかり相互依存関係のなかですさまじい企業競争をしている実体を見て、そこに働く人々の意欲や苦渋を理解できました。野田氏の指摘するように、技術開発と技術の維持・保全には膨大な労力と費用を要し、独自の特許・知的財産権なくして企業の存続はない世界を知り得ました。

現在の日本の経済構造は短期間で変化しています。情報と知的財産権・技術に優位性のある先端企業が大金融企業と連係して産業の統合化を進展させ、その対象は中小企業・零細企業にまで及び、熾烈な競争によって実物経済を飲み込んだり毀損（きそん）したりしています。

現在の技術の進化による商品・サービスのコストは高く、技術の進歩による付加価値の増大による利益は全体社会には公平に配分されず、資本家と一部経営者が独占する状況に至っていると理解します。

技術の進歩によって得られた利益を働く人々はもちろんのこと、全体社会に還元する経済経営システムの構築が必要と理解します。技術や情報による利益は一部の人々に独占させてはいけない。それは長い歴史のなかで多くの人々の知恵と社会的インフラを土台にして成立していると理解すべきです。

■パラダイムの変換――天動説から地動説への転換に凝縮されている

第４章「資本主義の崩壊を歴史の枠組みから解き明かす」では、「中世から近代にかけて、パラダイム（その時代に特有な『もの』の見方・考え方）の変換があったとし、それは天動説から地動説への転換のなかに中世のパラダイムが凝縮されているとし、中世の『秩序』を喪失し『自由』を獲得した近代とし……ルネサンスで起こったことをさらに深めてみると、歴史家ブルクハルトが、『個人の発展』であり『行動と思考の自由を勝ちえた個人が、その力を思う存分発揮する時代』と定義したように、その本質は『個の自由と可能性の追求』にあったと考えられます」と記述しています。

図表5　中世から近代へのパラダイムシフト

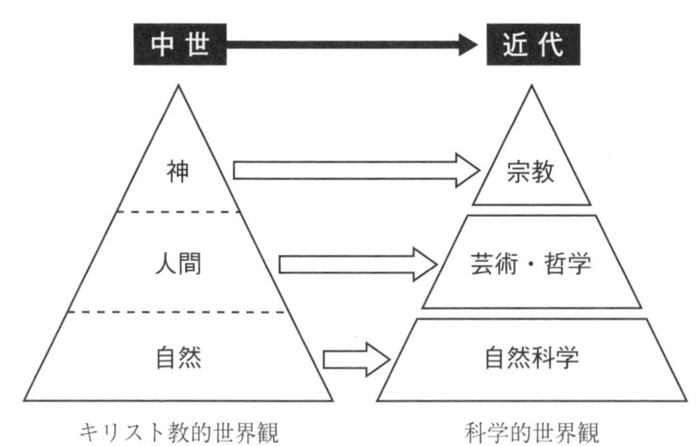

『2018年 資本主義の崩壊が始まる』野田聖二著（かんき出版刊）より転載

図表6　中世（秩序）から近代（自由）への相転移

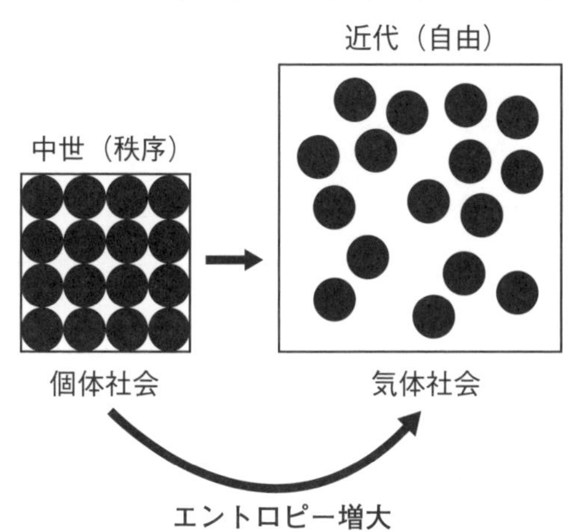

『2018年 資本主義の崩壊が始まる』野田聖二著（かんき出版刊）より転載

■近代科学の限界は生命科学を解明できていない

「資本主義は、中世封建社会の共同体が解体されて『個』となった労働者が労働力商品として拡散することによって成り立っています。一方近代科学は、すべての要素に分解し要素同士の因果関係を調べることによって全体を理解しようとする『要素還元主義』に立っています。……中略……近代科学は要素還元主義によって、生きている生命をバラバラに解体して物質に還元することにより、生命の働きを解明しようと試みてきました。

しかし、一向に生命現象を解明できないという限界にぶつかっています。……中略……それは『物質』の連動を説明することはできても『生命』の働きを捉えることができない、という限界です。……中略……エントロピーの増大の法則に反して無秩序から秩序が自発的に生じる生命現象のメカニズムがいまだに解明できていないのです。……中略……『生命の設計図』と言われる動植物のゲノム（DNAの塩基配列）が解明され、ヒトゲノムに含まれる30億個の塩基配列の解析もすでに終わりました。……中略……どんな細胞にも変わり得るiPS細胞の発見に象徴されるように生命の不思議な働きが次から次に見つかっていき、解明に近づくどころかむしろどんどん遠ざかっていくように思われます」と著しています。

私は現代科学に対する、野田氏の理解にほぼ同意できますが『エントロピー増大の法則に反して無秩序から秩序が自発的に生じる生命現象のメカニズム……』の理解に関し以下の理解をしています。

図表７　要素還元主義の限界

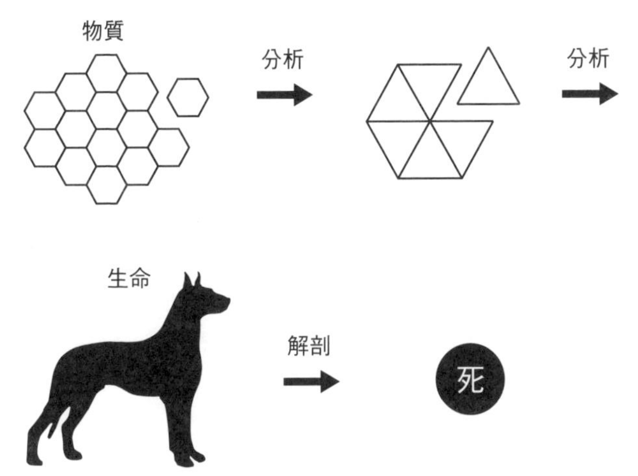

『2018年 資本主義の崩壊が始まる』野田聖二著（かんき出版刊）より転載

■近代科学は精神の働きを説明できていない

それは私の理解と言うより大学での恩師薄衣佐吉氏の30～50年前の理解です。物理学の熱力学第二法則であるエントロピー増大の法則の不可逆性は認められるが「生命体として社会的動物である人間の働きには肉体の働きと精神の働きの２種があると理解すれば肉体の働きを説明できても精神の働きまで説明できません。肉体の働きは目に見える働きであり標準作業、標準時間などとして数量的に把握することができる。しかし精神の働きは心の働きであって人の目にとらえられない働きであるがゆえに測定の方法をもつに至っていない」と主張されていました。

恩師は人の働きによるエントロピーの最小化を主張しエントロピーの可逆化を個人と社会とその関係の普遍的在り方を

人類発生以来何人も否定することのできない「家庭」を中心に探究されていました。薄衣氏の理解については後述します。

■資本主義は人間の生存欲求しか満たせない

「アメリカの心理学者マズローは、人間の欲求が下から順番に『生理的欲求』『安全欲求』『社会的欲求』『自我欲求』『自己実現欲求』の五つの階層からなっており『基本的に人間は下の階層の欲求から順次満たしていく』と考える『欲求段階説』を唱えました。……省略……

労働者にとって労働の目的である賃金が、経営者（資本家）にとっては労働力を購入する手段に過ぎないので、経営者は労働者が生命として生きていくためには、最低限必要な賃金だけしか原則として与えないことになります。このため、労働者はますます生存欲求に縛られることになります。

一方で労働者は労働の主体性を奪われ、労働の内容を自ら決めることができないことから、資本主義の下では労働者が仕事を通して自己実現欲求（『自分の能力・可能性を最大限発揮したい』）や、自己超越欲求（『他人に奉仕・献身したい』）を満足させることができず。そのため仕事にやりがいを感じることが難しくなります。……中略……このように、資本主義がもっぱら人間の生存欲しか満たせないシステムであるということは、社会的な需要をそれだけ限られたものにします。……中略……

人間の生命力を封じ込めて人間を物質化してしまう資本主義という経済システムが崩壊することには歴史的必要性があります」と著しています。

図表８　マズローの欲求段階説

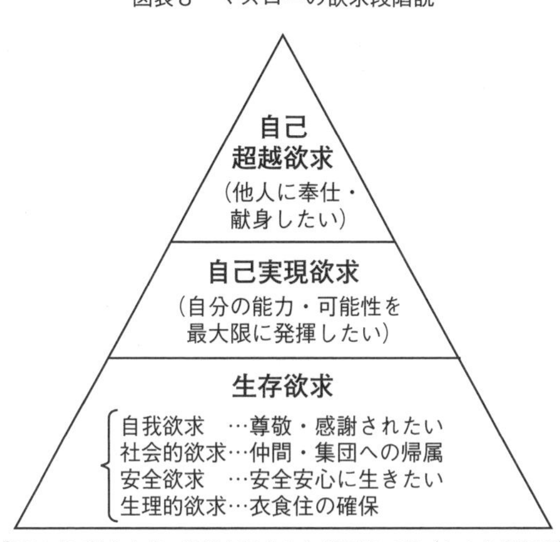

『2018年 資本主義の崩壊が始まる』野田聖二著（かんき出版刊）より転載

私は野田氏が指摘されたマズローの欲求段階説を大学の経営学の講座で学び、氏の指摘は正しいとの理解をしました。

当時1970年頃の日本経済の発展はめざましくその源泉が日本的経営にあるとの理解がありましたが、アメリカ流の能力主義実力主義による経営理論に傾斜化し、日本的経営の修正が叫（さけ）ばれ、ノルマの達成とかマニュアルといった言葉を耳にするたび、またアメリカ的経営・資本主義に対する疑念が生まれ始めました。

コペルニクスの「地動説」に始まるルネッサンスによって、神から解放され、自由・平等・博愛の人間尊重思想によって立つ個人の自立性を尊重する社会が、自発的な目標の管理による働きでなく、与えられたノルマの達成なのか、マニュアルに順って働かなければならないのかといった疑問を持つことになったり、当時の大学紛争に影響されたりしました。

マズローの欲求段階説での人間理解は、自立的な個人の能力の発揮・個人の可能性の追求による働きを説明するだけで当初上層の「自己超越欲求」については記載がなく後に追加されたものであり、その説明もない。東洋的思想の視座によれば、その説の自己実現欲求。自己超越欲求ともに浅い人間理解としか評価できません。これ以上については後述します。

■世界経済は秩序崩壊へ

「①アメリカのTPP（環太平洋経済連携協定）からの離脱は、資本家と労働者のパワーバランスの変化によってもたらされた既存の国際秩序の崩壊の一端であり、グローバル資本主義の終焉に向かって歴史が着々と進みつつあることを示しています」とし、

「②『東京の一極集中』が止まらない日本の社会は、このままではどんどん不安定化していき、もはや東京の秩序が崩壊することによってしか日本列島は安定を取り戻すことができない状態になっていくと思われます。としその引き金は国債の暴落によって起こるハイパーインフレや首都直下型地震などによる」とし、

「③また、AIの進化は一面において生産性を改善させますが、一方でAIが進化していくほど社会全体のコスト負担が増えていくことになり、AIの進化が生産性を低くださせる……省略…… AIは人間の単純労働を増やし格差を広げ続ける」と指摘しています。

私は巨大都市「東京」や地方の実態を約240万kmの運転によって長年見続けてきました。東京の都心はもとより周辺住宅でも空地が少なく、車両を待機する場所は広い幹線道路の一画にしかなく、危険極まりない都市化が進展している実態や地方の人口の減少・老齢社会化、シャッター商店街化や地方産業の活力の低下・衰退化を自身の目で見・体感してきました。

経済的大混乱が生じれば物流を含め、すべての産業活動が停止し大災害が生ずれば、都市のインフラが壊滅する事態に至るのは必至であり、一瞬にして東京は「死の街」と化すことは必至です。退職した自分はできるだけ東京に近づきたくないという気持ちにあります。

AI化の進展する社会に大きな期待はできません。AI含め多くの先端技術企業に係わり合った自身の理解は野田氏と同様であり、自身の体感とも一致します。

■資本主義以後の新たなシステム

「○『全体の秩序の回復』こそが、これらの問題を根本的に解決する共通のカギであり新たな時代のパラダイムを表すキーワードになるはずです。……中略……近代がバラバラにしたものをつなぎ合わせることによって生命の力を蘇(よみがえ)らせ、エントロピーを減少させる仕組みを構築していかなければならないのです」と著し、

「○資本主義は国家主導型経済でした。……中略……物理的に国家よりも地域のほうが秩序をやすく……中略『地域』の共同体を単位としたものになる……中略……もはや物質的な

成長が必要とされなくなる時代には、国家の役割は減少するとともに……中略……地域の共同体が経済の基本単位になっていく」と著し、

「○近代のパラダイムは、最後の共同体とも言える家族をもバラバラにしました。……中略……パラダイムのなかで失った親子の絆・家族の絆を回復することこそ、子育ての不安を解消し老後の経済的不安を解消する唯一の方法ではないでしょうか。さらに家族の絆にくわえて、地域共同体の復興により地域のなかの絆を回復することが『少子高齢化』の問題に対し解決への道を開くことになるでしょう。

○資本主義の下では、全体をバラバラにする近代のパラダイムにより、企業（生産者）と消費者、経営者（資本家）と労働者が切り離されて対立した存在でしたが、資本主義を止揚した経済システムでは、この生産者と消費者の対立、資本家の対立が解消されることになります。

　生産者と消費者の区別がなくなるということは、生産者が同時に消費者になるということです。すなわち共同体のために生産されたものが共同体のなかで消費される『自給自足』経済を基本とするシステムということになります。生産・分配・消費が共同体のなかで計画的に行われるので商品も貨幣もこの共同体のなかでは必要なくなります。消費者が買ってくれるかどうかわからないものを大量につくって、余った商品を大量に廃棄するような無駄がなくなります。消費者に買ってもらうための広告宣伝に労力と時間をかける必要もなくなります。貨幣がなくなるので、怪しい投資話にひっかかって後悔することもなくなるでしょう。そもそも儲ける必要などなくなる。そんな社会になっていくでしょう。……中略

……地域共同体のなかで働くすべての構成員は労働者として平等の立場で、協同して共同体のために働く関係となります。……中略……共同体のなかでは『個』同士は『競争』ではなくたがいに『共生』の関係を持ちます。共同体のなかでは構成員は、一個の生命体のなかの組織と組織の関係のように部分同士が有機的に結びつきます。資本主義という経済システムを支えているのが『競争原理』であるとすれば、『共同体』を支えるのは『共生原理』となるでしょう」と著しています。

■共同体を支えるのは共生原理

「伝統的な経済学においては『労働』は一般に『苦痛』と同じ意味に捉えられます。その始まりはアダム・スミスでした。スミスは人間にとって労働は『骨折りと苦しみ』であると定義しました。スミスから始まった古典派経済学者が『労働』というマイナスの効用が『賃金というプラスの効用』とバランスするところで労働の供給量は決まると説明しているのもこの『労働＝苦痛（マイナスの効用）』という考え方を前提しているからです。……中略……

新たな経済システムの下では、労働の目的が『生きる』ことから解放されます。なぜなら、生活（生存）は共同体によって保障されているからです。……中略……

働くことを本当の『喜び』とするためには科学技術への盲目的な信仰を改めて科学技術を人間の幸せのためにどのように使えばよいのかを、定見として持つことが不可欠となるでしょうとし、地域共同体の誕生の兆しの例として、

・スーパーでの地元野菜の販売（生産者の名を入れての）

・ご当地グルメ・マスコットキャラクター
・自然エネルギーの普及による地域エネルギーの自定化
・NPO法人・協同組合などの非営利企業・団体の増加
・カーシェアリングの普及
・仮想通貨や地域通貨の登場」
などを掲げています。

また、「日本があるいは日本人が新たな時代をつくっていくために必要な力を最も豊かに備えた国であり国民であると考えるからです。……中略……日本人の特徴に、礼儀正しく、集団的傾向が強いことがあげられます。裏返せば、自己主張が苦手で他人や全体の意見に左右されやすい、ということです。またきれい好きで約束をきちんと守る国民であるとも言われます。

実は、これらの特徴はすべてエントロピーが小さい（つまり秩序が高い）状態を好む国民であり……以下省略……」と著しています。

以上野田氏は、来るべき新たなシステムの（イメージ）概要を簡明に著されており、この著者の推薦の言葉にも納得します。私の理解は後述いたします。

第7章　国際金融体制の破綻

現在の経済を知るには、国家レベルでも国際世界レベルでも金融や通貨に関する理解がなければ実際状況の把握もできないし将来の予測も立てられないし政策の決定もできません。

約50年前までは実際に目で見える実体の経済状況を理解できれば適確な判断や予想もできましたが現在ではそれは困難な時代になっています。

ここでの著述は、国際金融の中枢におられた、ジェームズ・リカーズ氏が著された『ドル＄の消滅—国際通貨体制の崩壊が始まっている—』藤井清美訳（2015年朝日新聞出版）を基本とし、他の著作や情報を参考に著述したものであり、一介の一市民が正しく理解できるものではないと認識しておりますが、国際金融の分野は秘密多き世界ですので、正確性に欠ける部分も多々あると思いますので御承知おき下さい。リカーズ氏の見解と私の理解は多少異なります。

1970年頃までは、実際の物を製造する産業・企業が中心の産業資本主義の時代であり、産業・企業は「商業銀行」という銀行を介して、預金・融資が行われて預金者も一般庶民にも金融や貨幣の動向は理解が容易でありました。

しかし産業資本の成熟化によって産業・企業の経営は困難化し利益は悪化の一途をたどり、産業はサービス化・金融化に向かい利益の上がらない産業・企業と金融業との係わりも徐々に少なくなり、金融業は新たな独自の「電子・金融空間」を創り出し、そこで利益を追求し始めました。それは従来型の商業銀行とは異なり、もっぱら投資によって利益を獲得する「投資銀行」という銀行となり、実際には目に見えない電子空間に入り込んで、一般庶民には理解しにくい状態に至りました。

日本においては1980年代アメリカにおいては1970年代から徐々に進展し、1995年頃には定着し2008年のリーマン・ショックの金融バブルの崩壊に至るまで成長し続け、その時一時停滞していたものの、その後現在に至るまで膨張し続けています。

1971年にアメリカ大統領ニクソンによって米国通貨ドル（$）の金（きん）と交換を停止する（金兌換停止）の発表によって全世界の金融経済は混乱の時代へ突入しました。それまで世界の覇権国として、米国通貨ドルを基軸した金融経済に「揺らぎ」が生まれ始めたのです。

■四つの要因がからみあう国際金融

現在の世界の金融経済は、

①交易・貿易の増大化による実物・実体経済の変化

②金融の「電子・金融空間」化による多大な影響

③金への兌換の禁止によって生まれたドル基軸体制の揺らぎによる状況

④世界の主要経済大国の政治的思惑

などが複雑にからみ大きく激しく変遷しています。

以下が世界の金融経済の構図です。

金融経済は実物経済（世界のGDPの総計約80兆ドル）の10倍とも言われる規模に達しています。億・兆を超える「京」レベルまでお金が動く一般庶民では到底理解の及ばない世界となっています。

庶民に少なからず関係をもつ銀行金融の上に巨大な金融制度があり、そのなかでもIMF（国際通貨基金）とFRB（アメリカ連邦制度準備理事会）と各国の中央銀行と主要大国の政治的思惑との関係に着目し、確かな理解を通してこれからの人類社会を見定めなければならない時代となっています。

この世界は世界の頭脳明晰なエリート中のエリート、金融経済のエリートの人々の集まる世界であり情報は秘密化され、一部の情報を得ても全体像は見えない世界であり、実際にこの世界を実質的にリードできる人は全体で極めて少ない数十人規模の人々であることが推測されます。

実物経済も今や先端情報企業の極めて少数の人々に支配されリードされる時代に至っています。金融と情報の頂点に立つ「少数の人々による管理・統制による資本主義経済社会化」が21世紀初頭の人類社会の実像であると理解しなければなりません。

図表9　世界の金融経済の構図

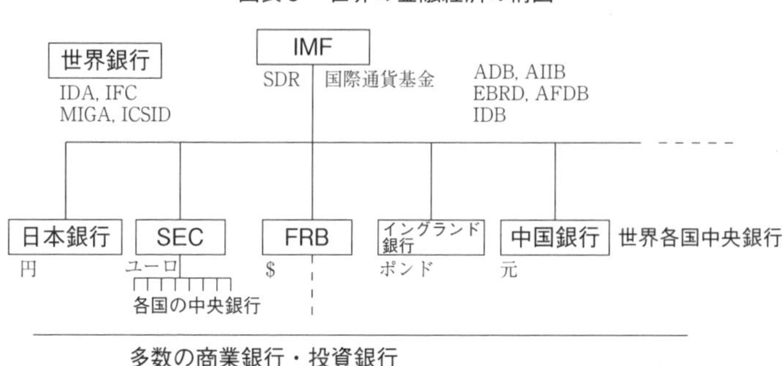

■インフレ化しなければ資本主義は成立しない

前記した①の変化は以下のように説明できます。

それは日本の1990年代から現在までの経済の実態を理解すれば見えてきます。

日本経済は1989年末の金融バブル崩壊に始まり、1990年代のバブル崩壊の後始末の時期から、長期経済停滞に突入した当時はアメリカを中心としたグローバル戦略による規制緩和政策などによって、中国をはじめ世界の経済発展途上国から安価な商品・生産財（商品を製造するのに必要な資材など）が大量に輸入され国内の製造業・流通業をはじめすべてに近い産業が利益の出ない廃業や倒産に至る状況で苦しんでいました。海外から安価な商品などが輸入され経済成長のない利潤率・利子率の低下・0化する状態のなかで物価の低下のデフレ経済下になり利益を確保する政策をとり。通貨量を増やし続けても、労働者の賃金を減らせば購買力は低下する。デフレ経済から脱却できない政策をとり続けた。一時デフレから脱却したと思える時期もあったが、1990年代より実質25年以上にわたりデフレからの脱却はできていない。歴代の自由民主党政権がもたらしたものは、経済の疲弊（つかれよわること）であり、取り返しのつかないGDP（国民総生産）の約270%の国債の発行であり日本の将来への財政上の新たな道筋を閉ざし、社会に不安感を蔓延させている状況と言えます。

経済をインフレ化しなければ資本主義は成り立たない仕組みが経済・社会を一層悪化させている。それが今も続くアベノミクスと言われる政策でありその政策を支持した国民の

「愚かさ」であり、最早取り返しのできないレベルに達しています。

デフレからの脱却が経済的・政治的な要求として掲げられ、公共工事などによる政府財出支出の増大化や金融の緩和によって国内の通貨量を増やし企業の設備投資を増やしたり、株価の上昇による購買力の増加によって景気を回復したりする政策をとり、経済のインフレ化をめざしました。

デフレ経済は商品に対してお金の価値が増す経済です。インフレ経済とはお金の量を増やすと商品に対してお金の価値が減る経済です。デフレ経済は一定の所得が確保されている公務員や一般勤労者にとっては実質的に経済的に豊かになる経済でありますが、商品を供給する立場にある人にとってはしんどく、やっかいな経済です。商品の価格が低下することはコストが一定であれば利益の少なくなる、また、損をする経済です。グローバル資本主義を信奉する日本の政治は供給者そのなかでも大企業の利益を養護・守る形で通貨供給量を増し続けました。その一方で労働の規制緩和策で正規社員を減らし、非正規社員化するなどの供給者側の論理で政策が遂行されました。実に誰でも理解できる矛盾した政策が一世代に亘り実行されているのです。

アメリカ経済は日本経済の実物経済の「後追い」をしています。アメリカの実物経済は1970年頃に実質その成長が停止し金融経済を支援するグローバル戦略によって、アメリカの実物の市場を開放し金融産業・企業を守り・支援し実物経済の育成充実化を行わず、それまでの鉄鋼とか自動車産業などの産業・企業を見放し、一部の多国籍企業と金融企業と金融に係わる富裕層の利益を養護する新自由主義政策をとった故日本の25年間以上に深刻な事態に至っている。アメリカにとっての救いは情報先端産業の台頭とその比類なき発展によって多少なり深刻化が緩和されたに過ぎません。

■４度目のドル崩壊の危機はアメリカ覇権の終焉

アメリカ経済の危機、金融面では基軸通貨ドルの崩壊の危機が過去３回ありました。

１回目は1914年に始まり1919年に終結した第一次世界大戦によって生じたドルの崩壊の危機であります。この時アメリカはヨーロッパ諸国の進んでいたアメリカ経済は対岸のヨーロッパ諸国にあらゆる物を供給する生産体制が築かれ約５年間に充実化し1919年の終戦以後供給過剰の経済状態となり、1919年から1922年にかけてハイパーインフレと不況が交互に訪れた時でありましたが、1920年には安定を取り戻しました。

２回目は1939年第二次世界大戦（1939年３月〜）開始年に金本位制を停止した時でした。

３回目は1971年金兌換停止のニクソン・ショックの時でした。金兌換停止とドル防衛策を発表し、ドルの危機が生まれました。

その後徐々に何年もかけて深刻化していきました。

３度のドルの危機は越えられたが現在危機が一層深刻化しています。

現在の危機は以前の３度の危機とは質とレベルと規模の異なるドル崩壊の危機であり、救済の手段がない状況下での危機であり、代替する金融体制への選択が遅れ、次への道が閉ざされた危機であり、危機から崩壊への確率は高く、崩壊は何時とは言えないが間近であると言えます。アメリカ通貨の危機はドル基軸通貨体制の危機であり、アメリカの覇権の終焉であり資本主義の危機であり、近代化の終焉に繋がり、西欧近代文明の終焉に繋がる危機と言えます。かつてのイギリスのポンドを中心とする通貨体制はアメリカによる覇権の継承によって避けられましたが、アメリカ以外の国がその国の通貨で地球的規模の金融を支えられる金融体制を構築できる国は存在しません。

数年前（2015年頃まで）であれば、IMFや世界銀行を頂点とする地球的規模の一元的通貨体制も考えられましたが、アメリカと中国との交易・貿易戦争が始まり金融戦争への道筋が見えてきた現在、米・中の経済和解は中国の独裁（的）政治が人類社会全体に知れ渡った今最早不可能であります。

アメリカ経済が日本経済の後追いをしていると前述しましたが多少詳しく著してみると以下の通りである。

■日本は財政の赤字に国債を発行、アメリカは連邦債の増加とドル紙幣の増刷で維持

1970年頃までのアメリカ産業資本は企業も労働者も政府も社会全体を経済的に潤してきたが、ソ連との冷戦のなかで軍事費が増大し、1965年の米空軍の北ベトナムへの空爆に始まった対ベトナム戦争（1973年終結）によって多額の財政支出の増大によって財政が悪化し続けていた。また、順調だった経済状況が労働者のみならず国民全体に消費を拡大しつづけ貯蓄率の低下と浪費（化）を生み出しグローバル戦略

によりアメリカ市場を開放したため貿易収支が赤字化した。この財政と家計と貿易の赤子「三つ子の赤字」によってアメリカ経済は疲弊化し弱体化しそれが長く続きFRBによる貨幣の増刷により耐え忍んで、ドルの危機を回避することができました。

1980年代になり、財政と家計の赤字は解消に向かったが貿易の赤字は現在に至るも解消されてはいません。

グローバル化は金融を含む大企業とそれに資本・お金を提供する富裕者の利益を重視する政策であり、当然減税の要求を認めるため、国家財政はアメリカといえども疲弊化し弱体化しそれを政治が改めることもなく一時はインフラの整備・修繕までできなくなりました。

1970年代以後、1973年には石油危機が起こり、2度の石油危機によってエネルギーコストが増大化し続け、コスト増大化の進展によって交易条件が悪化し続け利潤率の低下・利子率の低下に進展しました。

日本の経済の1990年代以後の実質経済成長率は2.0%程度であり、アメリカの1970年代以後の実質経済成長率も2.0%程度である。日本経済は基本的には財政の赤字を国債に転嫁し、アメリカ経済はアメリカ連邦債の増加とFRBによるドル貨幣の増刷によって通貨体制・金融体制を維持しています。しかしそれも限界に達しています。

■今もバブルを膨らませる金融

1970年代以後現在に至る電子・金融空間での金融では実物経済にプラスする要素はありません。その金融は金で金を生ませるシステムであり実物経済とは無縁の経済であり、あったとしてもそれに従事する人々の多額の報酬の極一部の消費・購買でしかなく、2008年のリーマン・ショックと言われる金融危機では実物経済に60兆ドル以上損をさせ、100兆ドル（1京円）の利益を生みバブルの140兆とも言われるツケを政府の税金によって解決し、ツケを国民に押しつけました。

アメリカ政府は倒産した金融企業を救済せず、大規模な金融業の分割やデリバティブ（金融派生商品）の禁止することもできず。2008年以後現在もまたそれ以前と変わらず業務を行い続けバブルをつくり続けています。

すべての銀行の2015年頃のデリバティブの持ち高の総額は650兆ドル、世界全体のGDP（約80兆円）の8倍以上と言われています。

■ドル危機への対応——金の貯蔵

これから近いうちに、ドルを基軸にした金融が危機に面することを理解している国も人々も多数おり、危機を見過ごしているわけではありません。それは金の争奪「金の蓄蔵（ちくぞう）」に顕れています。

金の争奪は2002年頃から始まっています。2002年頃から2009年頃には公的機関（政府など）の持つ金が売り越されていましたが、2010年以後買い越しに転じています。その頃から世界の富裕層は金所有を増加させています。

そのなかでも中国では金（キン）を集めまくっています。中国の政府所有は、2000年頃では400トン程度であったのですが、

2010年頃には約1000トン、2019年の現在約4000 tから5,000 tと推計されています。すべて秘密で集められたものであり、ちなみにアメリカの政府の所有する金は約8100 tであり、ユーロ圏の所有する金は約10,800 t、日本の所有する金は765 tであります。特に所有増加の著しいのは中国であり、次はロシアであり、ロシアは自国の金の採掘で増加させています。優良企業や富裕層の人々は金地金(きんじがね)のみならず貴金属の宝飾品の購入や一等商業地の建物のない土地、美術品、確実性の高いファンドまたはドルの崩壊の影響の少ない通貨、例えばユーロやIMFの準備通貨であるSDRに変え、SDRによる資産変更した企業も増加し続けています。これら金融資産の保全は一般庶民には無縁と思えるが金の所有は若い世代にも増加しています。

中国が金保有を急激に秘密裏に増加させた理由を推察すると以下のようなことが考えられる。

①アメリカのドル基軸の通貨体制に対抗し、金本位制による人民元基軸体制の準備のためか、②中国が指導力を持ち金所有大国との協調による例えばアメリカ・EU・ロシアと協調しSDRと金本位の結合による通貨体制をつくるのか、③中国バブル経済の崩壊を見越して金の保有によって崩壊を乗り越える手段とするのか定かでありませんが、私は①か③である可能性が高いと考えます。

後述しますが、現在中国はバブル経済化が進み、いつ崩壊してもふしぎではない状況に至っています。中国のバブル崩壊とアメリカのドル基軸金融体制の崩壊が競い合っているように私には思えます。現在では中国のバブル崩壊が先に来ると推測しています。中国のバブル崩壊は経済の崩壊にとどまらず共産党独裁政権の「死」であり国内の争乱に通じる。数千ｔと言われる金地金は権力争いのなかで分散化し霧と消えるか次なる権力者に一時秘蔵される、と私は思います。

■通貨ドルの供給量は限界に

崩壊を中国と競い合っていると著したが、アメリカの通貨供給量の増加も進行しています。その金額は現在４兆ドルと推察されていますが、あと１兆ドルないし２兆ドルの増加が限界ではないかと推察されています。アメリカの情報は秘密にしていてもどこかから漏れ出る。しかし中国の情報は漏れ出してはこないのです。

これから予想され予定化が進行している崩壊は資本主義の崩壊であり、中国は共産党独裁独占金融資本主義であり、アメリカは民間大企業と富裕層のための金融独占資本主義であり、その崩壊が単独となるが連鎖し同時となるのか、その点気が抜けない状態が続いています。

■崩壊の兆候

ともに崩壊が現実化した時何か兆候が出現します。

これから予想される崩壊は長時間での連鎖的な崩壊ではなく、小さな雪の塊の落下が起こす「雪崩(なだれ)式の崩壊」が予想されます。

いくつかの兆候を挙げると以下の状況ではないかと思われます。

①日本のアベノミクスの行き詰まりとその終了

②中国のバブル崩壊
③金価格の急上昇
④各国中央銀行による継続的大量の金の取得
⑤金融システムの崩壊

などが兆候として考えられます。

■金融システムへのサイバー攻撃

また、作為的な人の行為によって始まるかもしれません。

その一つは金融システムに対する「サイバー攻撃」であり、その主体は敵対国なのか個人であるか不明であり、小さな攻撃であるのか大きな攻撃となるのか、予想もしない時にサイバー攻撃によるシステム障害が起きれば、それが小さくとも致命的になり市場閉鎖となり人心の動揺を招き、拡大化する可能性も十分考えられます。

何故なら精緻な金融システムを理解する人は少数に限られているからです。

仮に現在の金融システムが破壊され崩壊し再構築したとしても、貨幣に利子がついている金融システムでは現在進行中の問題の解消化は不可能であり、一層の深刻化でしかありません。

■国立銀行の統合化された体制

現在の国際金融体制はIMFを頂点に形成されていますが、元々は主権国家体制の確立時期に西欧諸国に設立された「国立銀行」を基本に体系化・統合化された体系であります。

17世紀から19世紀から金融機関と金融制度は変遷をしながら徐々に体系化・統合化が進展し、1694年にイギリスに中央銀行として「イングランド銀行」が設立され、その後イングランド銀行を見習いながら、各国の中央銀行が設立されてきました。1800年にはフランス銀行、1851年にはベルギー国立銀行、1860年にはロシア国立銀行、各国に中央銀行が設立され、1882年には「日本銀行」が設立されました。アメリカのFRB（アメリカ連邦制度準備理事会）の設立は1913年です。

国立銀行は設立当時の各国の王侯・貴族、資本家、金融家（銀行）などによって出資され設立され、基本的に「株式会社」として設立されています。各国の出資者は明らかにされず、秘密とされ公表されていません。日本銀行は政府が55％を出資していることが明らかにされていますが、その他45％は不明で明らかにされていません。

■公定歩合のマジック

国立銀行は各国内の「民間銀行」に「公定歩合」という基準金利の「利子」をつけて民間銀行を通じて民間企業・地方自治体や個人に融資することになります。民間商業銀行は公定歩合に融資費用に加え利益を加えた「利子」を上乗せし融資を行います。

日本銀行の公定歩合は約50年前1973年当時5％から6％のレベルで推移していました。2020年1月時で0.30％から1.48％（短期プライムレート）のレベルで推移しています。

中央銀行はかつて金利のついていない資金に5％の利子を

上乗せし融資をしていましたので、そのほとんどを利益にすることができ出資者に配当をしていたのです。ですから、出資者名を明らかにすることができなかったのです。出資者が全部国家であれば配当金は国に入り国に利用されますので問題は少ないのですが、西欧諸国のように明らかにされていませんと、中央銀行から配当を受けた富裕な人々、金融家などによって社会に階層がつくられ、それがやがて階級化し階級が固定した社会・国家となるのです。それがヨーロッパ諸国の実態です。

現在の世界各国の金融状況は企業の利潤率の低下が進み、利子率が低下し続けゼロに近づいている状況になっています。各国の中央銀行の「公定歩合」FRB・EBCともに1%程度の低下によって中央銀行の採算が合わなくなり経営が破綻に向かっているのです。日本銀行は政府の金融緩和政策によって経営の悪化がひどいのです。日銀は2019年末総資産額ドル換算（1ドル＝108円）で約5兆2千億ドル、FRBが約3兆8千億ドル、ECBが約5兆1千億ドルで、日銀の所有資産569兆円のうち、長期国債残高が469兆円、FIF（上場投資信託）27兆円6千億円で「利上げ」や「株価の下落」によって経営悪化が予想されます。その原因は政府の財政政策による財政の赤字によって発行された国債を、民間から買い上げ積み増ししているからであり、これ以上の日銀の財務の悪化は、通貨「円」の信認の低下を招き政府から資本注入される事態となれば国民負担に繋がりかねないのです。

FRBも貿易収支の赤字状況、軍事費の増大化などによる米国の財政悪化となり、アメリカの国債・連邦債の増発によってアメリカの信認の低下が、アメリカドルの低下に繋がりドル安となり、ドル基軸通貨体制の破綻に繋がりかねないのです。

EUのECB（欧州中央銀行）による通貨体制もEU内の経済状況の悪化によって、世界の金融体制を修復する力はすでに失っているのです。

■利子率ゼロ化で破綻

世界の現在の金融体制は、アメリカのFRB、ユーロのECB、日本の日本銀行に支えられています。それぞれに問題を抱え地球規模の動乱に対応できず、自らが動乱を派生させる原因をつくり出しているのです。経済は通貨という血液と金融という血流によって現在は成立しているのです。それは利子率の低下をゼロ化による資本主義の終焉期の状況によってもたらされ、資本主義を延命する策をとっているからであり、そう遠くない時に利子率がゼロに近づく過程で金融体制が破綻・崩壊した時が資本主義の死に繋がるのです。

■国際金融の基本矛盾

現在の国際金融は「デフレを解消」「急激なインフレを回避する」ことを目標としています。デフレとインフレのバランスをとることは「安定と平衡の状態」をつくる作業です。すなわち「定常系（型）」を実現することですが、資本主義は成長を志向し、定常型を否定し定常型の安定と平衡を破壊し続けているのです。基本的とも言える矛盾を行わしめるのは金融資本主義の主体が強欲な人間であるからです。資本主義は現在地球という定常型に押し込まれ、利子率がゼロに限りなく近づく状況で藻掻(もが)き苦しんでいるのです。

ちなみに以下の数値を示します。

・2017年時の世界の総人口　約75～80億人
　　内　米・EU・日　人口　約10億人

・2010年時の世界のGDP　約80兆ドル（約8640兆円）
・通貨発行量　全世界で　約6,400兆円

内
・米　ドル　43.8%
・EU　ユーロ　15.6%
・日本　円　10.8%
（以上 4,500兆円（2017年3月時））
計　70.2%

第8章　トランプ現象とトランプ政治

2017年第45代アメリカ合衆国大統領にドナルド・トランプ氏が就任しました。この就任に前後し、世界の政治・経済の潮流が大きく変化しています。就任3年を経て彼の正体が透視できるようになりました。

現在の人類・国際社会の最高権力職はアメリカ合衆国大統領であることはほとんどの人に認知されています。その職に何故就任できたのか、彼の言動・政策がいかなる根拠をもって、いかなる結果をもたらすのか、世界の人々が選挙戦に関心を持ち注視していました。

氏を評論する人々は多数いましたが、その立ち位置の違いで評価はまちまちでした。

■トランプはポピュリスト⁉

選挙戦途上・就任時での評価は、ポピュリスト（一般的には大衆迎合主義者）であり、反グローバリストであると一般的には理解されていました。

日本を含む近代化先進諸国のマスメディアは、ポピュリズムに批判的ですがその評価は当たりません。何を目的とし何を実現するためのポピュリズムであるのか評価しなければなりません。マスメディアの世界は一般に背後のスポンサーを意識したエリート世界であり、一般的に「大衆」という言葉には否定的・拒否的反応を示す傾向がみえます。

彼はポピュリズムをコミュニケーションスタイルとしているのか、政治戦略としているのか、また、イデオロギーとしているのか不明であり、彼は「大衆」でないことだけは事実と言えます。

彼はポピュリストの特徴をすべて備えています。①世の中をすべて敵と味方に分ける。②勝手に目標を定めて突進する。③周囲に迷惑をかけても平気。④一般庶民ではないのに庶民のふりをする。その上、ナショナリストであり強権主義者でもあります。

まさに、モンスター顔した部厚い縫い包みの正体不明のピエロに見えます。

2016年の選挙戦では泡沫視されていたが異例ずくめの品位の欠落した泥試合に終始する戦いで、共和党の他の候補者を寄せつけず、絶対本命視されていた民主党ヒラリー・クリントンには投票数では負けても選挙人の配分の結果で勝利し選任された前代未聞の選挙状況で、大統領就任当日に就任反対デモが大規模に行われた前例をみない就任となりました。その選挙戦での状況は「トランプ現象」と言われていました。

■トランプ現象は取り巻き・支持者・共和党・メディアの合作

トランプ現象を解明した著作があります。アメリカの作家・ジャーナリスト、マット・タイービの著作による『暴君誕生』訳者はジャーナリスト、「ビデオニュース・ドットコム」代表の神保哲生氏です。

訳者まえがきに「タイービはトランプ現象というものが、

トランプ自身とその取り巻き、その支持者と共和党、そしてその動向を逐一報じる既存のメディアの合作であるとの確信を得るに至った。……本書を最後までお読みいただければ、どこか得体のしれないトランプ現象なるものの実像が、よりくっきりと見えてくるはずだ。そして残念ながら、それが決して容易に解決できるものではないことも」とあります。

■民主政治の劣化

内容は25章に及び章の紹介だけでも、トランプ現象とそのアメリカの「民主政治の劣化」アメリカ社会の解決不能な実体が見えてきます。第1章から第25章まで列記します。

①大散乱時代の予言ふたたび。
・何が事実かわからなくなってきた。他
②見世物小屋と化した共和党の指名争い。
・喜劇としての大統領選。暴言に次ぐ暴言。
・全候補者のトランプ化現象。
・ののしり合いというパフォーマンス。他
③愚か者たちが一斉に檻から出てきた。
④共和党は被害妄想白人の党になった。
・黒人票に続き、ヒスパニック票も失う共和党。
・トランプの白人支持者は頼りにされていることがうれしかった。
・トランプの登場を震え上がる共和党のパトロンたち。
・異次元に突入した妄想。
⑤サンダース現象とは何か。
・非現実的だが、極めて妥当な選択。

・従来の候補者像の枠をはみ出す存在。
・信用できなくなった民主的プロセス。
・現実が見えなくなった私たち。
⑥共和党サーカス団の暴徒は続く。
・トランプがまともに見えてくる狂気の選挙戦。
・ジェブ・ブッシュ――ブッシュ家の栄光を台なしにした男。
・マルコ・ルビオ――かつての選挙戦なら勝てたかもしれない。
・ジョン・ケーシック――トランプのおまけのような存在。
・カーリー・フィオリーナ――真赤なウソで一時気を吐く。
・ベン・カーソン――間違って大統領選に参入してしまった候補。トランプより頭のネジが外れている候補。
⑦バカなアメリカ人にはニュースがまともに理解できない。
・9.11 を祝う人を見たが、すべてメディアのせい。
・ニュースとショッピングの区別がつかなくなる。
⑧もはやトランプの爆進を止めるには手遅れだ。
・メディアがつくり出した怪物。
・テレビを盲信する者同士。
・トランプはテレビ教の信者だ。
⑨アメリカ富裕層の愚民感情。
・サンダースは危険だ。
・ビル・クリントンの教え。他
⑩アメリカはいかにしてトランプの暴走を助けたのか。
・詐欺師が大統領に。
・トランプを勝たせたくないメディア。
・ほかの候補者たちの墓穴がトランプを助ける。
・メディアを嫌悪するトランプ支持者たち。

・トランプはバカだがウソはつかない？
・サンダースと一致するトランプの主張。
・大統領選はサーカス。他
⑪バカの逆襲。
・兄ブッシュはただの前菜、メインディッシュはトランプ。役回りとしてのバカ、兄ブッシュ。
・ワシントンが恐れるトランプの能なし。
・兄ブッシュが開けたパンドラの箱。
⑫ヒラリーを見捨てた若者たちの判断は正しかった。
・ビル・クリントンの取引政治。
・政治ゲームのなかで正しい感覚がマヒしている。他
⑬共和党よ、安らかに眠れ。
・共和党が乗っとられた瞬間。
・二つの共和党。
・自分たちがつくったシステムで破滅したエリート。
・最低の裏切り者。
・トランプ一人に振り回される共和党。民主党も同じ穴のムジナ。他
⑭サンダースの躍進から学ばない民主党。
・サンダースの惜敗の意味
・政治が有権者と正面から向き合わなくなっていた。
・サンダースの躍進は民主党にとって悲劇の予兆だった。
⑮民主主義の行き過ぎを主張する人々。
・透明な政治は害悪なのか？
・党の方針に反して立候補する候補はウイルスだ。
・「民主主義の行き過ぎ論」が火に油を注いだ。
⑯トランプの指名受諾

・気味の悪い登壇者たち。
・共和党を世界の笑いものにした大会。
・メディアの関心はもっぱら下世話なネタに集中。
・デモ参加者1人につき記者10人。
・なぜ「本物の政治家」は来なかったのか。
・トランプも共和党公認の単なる間抜け候補になった。他
⑰トランプがメディアを崩壊の縁に追いやった。
・信頼できる報道機関など存在しない。
・トランプ大統領阻止のためなら、偏向報道もやむを得ない。
他
⑱トランプが魔力を失った瞬間。
・珍妙すぎたトランプの「まともな」演説「まともすぎて」
支持率が急落。
・黒人の支持率は0%
・政治家でないから支持された。
⑲不敗神話ふたたび。
・人種差別主義発言で支持率アップ。他
⑳トランプの失敗と怒り。
・共和党員を代弁できる政治家がいなくなった。
・本当にトランプ大統領でいいのですか。他
㉑あってはならないことが起きてしまった。
・陰謀論を本気で信じる大統領の誕生。
・メディアの使う言葉が理解できない有権者。
・市民の怒りが理解できなかったエリートたち。他
㉒オバマの最後の抵抗。
・敗因はヒラリーの努力不足。
・自制の人。オバマ。他

㉓新政権は真実などどうでもよくなった。
㉔トランプ・ザ・デストロイヤー。
・現職大統領の敗れた候補者への中傷。
・メディアとトランプの皮肉な持ちつ持たれつ関係。
・おぞましい化け物のような閣僚たち。
・陰謀論者の閣僚指名を次々と支持した民主党。
・「学校には、グリズリーに備えて銃がいる」という教育長官候補。
・科学的な議論はまったくできない。
・職務をリアリティーショウに変貌させる。
・周囲を「トランプ化」させる不思議な力。
㉕それでもトランプはオルタナ右翼を切れない。
・白人至上主義者たちは最後の支持基盤。
・問題を起こし続けることでメディアを出し抜く。
・犯罪を黙認し、議論し煽り、怒りを硬化させる暴君。他

マット・タイービは、トランプが大統領職に就く状況を実に正当に著述しています。

選挙戦は極右のスティーブン・バノンが選対責任者となり始められた。バカげた選挙戦略と理解せざるを得ないが、結果としてはトランプを職に就けたものの即時に放逐されてしまいました。

■人種ファクターに火をつけた

神保哲生氏は、あとがきで以下のように著述しています。

「トランプはアメリカに長らく眠っていた巨大な票田の掘

り起こしに成功していた。それこそが白人不満層という大票田だった。……

2011年時点でのアメリカの全人口に占める白人の割合は63.7%だった。……予想では2040年代半ばには白人の人口は全体の5割を切ると見られている。……白人人口が過半数を割ることで、アメリカがアメリカでなくなってしまうことへの恐怖感を口にしていた。……彼らは1965年の移民法こそがアメリカ社会に混乱を招いた諸悪の根限だと主張……1965年の公民権法の制定以後、アメリカでは『人種差別はその発言を含めて絶対的タブーになっていた』とし、トランプは、人種ファクターに火をつけた」としている。

■メディア不信とSNS

神保氏は、トランプ現象での究極の問題は「メディア不信」と「SNS」であると指摘している。

「白人の政治不信の根底にあるのは、メディアに対する不信感の存在であるとし、日本のメディアも例外ではないが、既得権益産業化し、権力の乱用や暴走に目を光らせていなければならないはずのマスメディアが、気がつけば最大の既得権益者になっていた。マスメディアは自分が最大の受益者になっておきながら、巨額のスポンサー料を払ってくれる巨大な既得権益産業に切り込むことは、まったくできなくなっていた」としている。

「また、メディアの政治報道に違和感を持ち始めている時、インターネット上のSNS（ソーシャルメディア）が登場し、

SNSマスメディアの偽善性が見破られてしまうと、メディア報道は説得力をまったく失ってしまったとしている。
また、トランプ大統領がいなくなっても、トランプを生んだアメリカの政治やメディアの機能不全が解決するわけではない」としている。

私は、マスメディアの機能不全の原因は、スポンサーとしての資本の圧力に加え、アマゾンの代表者である、ジェフ・ベゾスがポケットマネー約250億で、ワシントンポストを買収したことなど、直接的な資本への恐怖感が存在しているからだと思います。

トランプ現象は、資本主義社会・アメリカの、民主主義の混迷を映し出している。民主党の社会主義的な主張をもつ、バーニー・サンダースが、ヒラリー・クリントンに選挙戦で肉薄している事実を受け止めることができずサンダースの指示者の一部がトランプに投票してしまった政治状況となり、共和党は、ドナルド・レーガン以来のグローバリズムの推進主体であったが、トランプ色が濃厚となり、他国に保護主義や排外主義を醸成し、民主主義の機能不全が露呈し、政治的リーダーシップに陰(かげ)りが出、経済的要因も悪化の一途を辿っている。民主党は完全に基本的なところから政策の見直しを図らなければならない状況に至っている。

■アメリカの民主政治は壊れた

アメリカの民主主義は壊れてしまった。トランプが大統領に就いたことが壊したのではなく、壊れた民主主義が、トランプ大統領を誕生させたと言える。アメリカ社会の昏迷は深く、その昏迷が民主主義を破綻させ、その昏迷はグローバル資本主義の崩壊の過程で生み出されたと理解できます。

■グローバリズムは変わっていない

実は、大統領選のトランプ現象はアメリカ国民を惑わしましたが、彼の主張とその約３年間の実績を総合的に冷静に分析しますと、ほとんどトランプの就任以前と変わっていないのです。

トランプは、アメリカン・ファーストによって全世界に波紋を生み出し、世界に排外主義・保護主義の気運をつくりましたが、トランプ以前の延長線上で推移しています。変わったことは、アメリカ政治とアメリカ社会の深い闇が露呈したことです。

親イスラエル政策は、以前より強化され、中東地域に新たな対立の種をつくりましたが実体はまだ変わっていません。

就任時即座に、PPT（環太平洋パートナーシップ協定）を離脱しましたが、日本中心にそれをとりまとめた後、アメリカは対外交渉に利用していますが、協定への回帰をほのめかしている状態にあり、メキシコ国境の壁も自然消滅に向かっています。

そして、現在の世界経済をリードしている金融資本や先端情報産業には一切不利益をもたらしていない事実に着目しなければなりません。

トランプは、アメリカ一国利益主義を貫き、アメリカの世界覇権の再構築をめざし、ビジネススタイルの強引な外交を行うも、自由主義経済圏国に対しては結果を出せず、こだわりも徹底しているのでもなく、次期大統領選での再選に向けた行動をしています。

■対中国政策は周到に実行・真正のグローバリスト

ただ一つだけ、徹底して精緻なプログラムを遂行しています。それは対中国政策です。不法移民排斥政策によって、中国人研究者・留学生を国外に追放し、中国先端情報企業ファーウェイを排斥しています。ファーウェイは世界170ヶ国にまたがるサプライチェーン（供給網）を持ち、欧米諸国の「ハイテク覇権」を脅かす存在であり、中国の共産党政権と一体の先端企業であり「5 G」の開発で欧米企業に先行しています。中国は「2025年中国製造」政策をとり「技術覇権」でアメリカに挑戦状をつきつけている状況であり、欧米資本主義諸国にとって最大の課題がそこに在ります。

アメリカは「知的財産権・特許」の問題と「先端技術の移転」の問題をとり上げ、これを踏み絵にし、中国に対し「貿易戦争」を仕掛け徹底して実行しています。欧米日の先端情報産業の一時的不利益もかまわず経済戦争を仕掛けています。この戦略は緻密でしかも周到に行われており、この点では共和党・民主党を超え、自由主義経済諸国の総意としてしまいました。対中国政策のしめくくりは対中強硬派、極右と称されるホルトン氏でしたが対策終了後即刻、更迭（こうてつ）してしまいました。

貿易戦争は直接的には「血をみない戦争」ですが、やがて、金融戦争・為替戦争に向かうことは必至と言えます。それは当事国のみならず周辺諸国に多大な影響を生み出し、特に経済的弱者・社会的弱者に多大な犠牲を強いることになります。

こうした対中国政策は反グローバル主義の体質ではできません。トランプは「真正のグローバリスト」として評価せざるを得ません。

■トランプ現象とトランプ政治の矛盾がアメリカを一層深刻化

トランプ現象は、アメリカ社会の第四の権力と言われるマスメディアを含めた昏迷と闇を映し出し、ロナルド・レーガン以来のグローバル資本主義のアメリカ政治の破綻・崩壊を示しています。

トランプ政治は、レーガン以来の金融資本と情報資本の利益を何ら毀損せず、産業資本の再生に挑戦し、アメリカの覇権の維持に邁進しています。1970年代に終焉期に入った、多国籍企業による産業資本を擁護し、アメリカ一国の利益を追求し、アメリカの富裕層を一層富ませる政治を行っています。

これによって、グローバル資本主義の推進主体であるEU・日本を含めた自由主義経済国に亀裂を入れ、地球的規模での反グローバリズムの台頭をより増大化し、アメリカ政治を反グローバリズム化し、アメリカ主導の資本主義の「死」を早めているのです。

選挙戦での、トランプ現象とトランプ政治・政策の基本的矛盾が、アメリカ政治・社会の問題を一層深刻化し、アメリカの威信を低下させ、アメリカの覇権を失墜させ、資本主義の死を早めるのです。

第9章　ホセ・ムヒカの反グローバリズムと生き方

これからの未来社会を考える上で、ドナルド・トランプ大統領とは対照的な生き方・政策を主張する、元ウルグアイ大統領を紹介します。

ホセ・アルベルト・ムヒカ・コルダーノ（ホセ・ムヒカ）は、2009年11月の大統領選に当選し、2010年3月より2015年2月まで南米ウルグアイの第40代大統領を務めた、バスク系ウルグアイ人、愛称エル・ペペです。

報酬の大部分を財団に寄付し、月1000ドル強で生活していて「世界一貧しい大統領」と呼ばれています。

ウルグアイの人口は2017年時約340万人です。

2012年、「国連持続可能な国際会議」でスピーチし、米国とキューバの国交の橋渡し役を行い、2018年、東京外国語大学で講演をした著名な元政治家です。

■国連でのスピーチ

国連での彼のスピーチの骨子は以下の通りです。

「現代の文明とは、何もかもがバラ色でなく明暗がはっきりした、矛盾に満ちた市場経済、競争社会から生まれた代物であり、西洋社会が最も豊かな人々が享受している消費と浪費にまみれたスタイルと世界の70億・80億の人々にもたらされるだけの資源はなく、人がこの世に生まれ落ちた理由はひたすら発展を求めるためではなく、等しく幸福になるために生きてきたのです」とし、行き過ぎた市場主義に警鐘をならしている。

また、次のようにも述べています。

「アマゾン地域の先住民族であるアイマラ族も『貧しい人とは、少ししか持っていない人のことではなく、際限なく欲しがる人、いくらあっても満足しない人のことだ』と言い『欲望』のままにつくり出した文明の危機に原因があるので自身の生活様式を見直さなければならないと、ベーシックな意味での幸福とは、人間の幸福・地上の愛・人間関係・子孫の養護・友人をもつことであり、基本的必需品を持つことに寄与するものでなければならない」としています。

■南米でのグローバリズム

「南米諸国連合（UNASUR）は、2007年に結成された『同一通貨・同一パスポート・一つの会議』を目指す南アメリカ諸国の政府間機構で、チリ・ベネズエラを除く民主主義国12ヶ国の構成で、事務局はエクアドルのキト、南米議会はボリビアのコンチャバ、南米銀行はベネズエラのカラカラに所在します。

ムヒカ氏は、2014年12月から2015年3月までこの組織の会長でした。

ムヒカ氏は、現在、社会の指導的立場にある人は、お金・資産を持っている資産家であり、世の方向性は資産家の世界観・生活観に基づいて決定されがちだとし、絶対多数の絶対幸福を追求するのであれば世界は多数派によって統治されなければならないとし、指導者は多数派のような生活をすべし」としています。

■ムヒカの名言

ムヒカ氏は多くの名言を発しています。それをきっちりと受け止められれば、人生観も世界観も生活も変わります。

ムヒカ氏の名言を、国際情勢研究会・編でゴマブックスの発行による『まんがでわかる　世界で一番貧しいと呼ばれた大統領ホセ・ムヒカ』からそのまま列記します。理解しやすく語られています。

「ホセ・ムヒカ氏の幸せの鉄則　その1

一、自分らしい『スタイル』を持つ
　いつも自分が自分らしくいられる服を身につける
一、自分にとって本当に価値のあるものが何かを知る
　世界からみたらちっぽけなものでも、価値基準は人それぞれ
一、『もの』は本当に必要な分だけを持つ
　自分の人生を変えたものや、生きる上で欠かせないものなど思いを巡らせてみよう

ホセ・ムヒカ氏の幸せの鉄則　その2

一、ぜい沢な暮らしをするために、働いてはならない
　無限に満たされないことこそが貧しいということ
一、『ともに生きる』ということが『幸せ』
　人は誰しもが独りでは生きていけない
一、幸福が最も大切なもの

人類一人ひとりが幸せでいる環境が重要

ホセ・ムヒカ氏の幸せの鉄則　その３
一、政治とは、すべての人の幸福を求める闘いである
富ばかり求めるビジネスと切り離して初めて政治ができる
一、グローバル化による世界競争を続けていてはならない
格差などの社会問題を解決するために政治は必要
一、本当に日本人は幸せになれたのか
かつての日本人らしい生き方について振り返ってみよう

ホセ・ムヒカ氏の幸せの鉄則　その４
一、自分のために、時間を使おう
世の中に惑わされずに、自分をコントロールすることが重要
一、知性を使って現状を変える工夫をしよう
不可能なことを可能にするためには、たゆまぬ努力と時間がかかる
一、本当に負けてしまうときとは、自分から諦めてしまうときだ
希望を持つことが、人生を切り拓く力になる」

■日本人への期待――知性で世界を変える

この、ホセ・ムヒカ氏の著作には、人間味溢れるムヒカ氏の、人生観・世界観・政治観が語られています。特に若い世代には購読されることを希望します。

ムヒカ氏は、欧米諸国を中心とする市場原理主義・新自由主義による弱肉強食の資本主義を全面的に否定し・反対し、富の偏在と所得・教育などの格差を是正することを欧米文明に求め、これからの時代の人の生き方・社会の在り方・政治の在り方・社会と自然との関係をわかりやすい表現で教示され、行動で示してくれています。欧米の近代文明の影響の強い南米諸国でも、新しい未来社会への歩みが始まっているのです。

ムヒカ氏は、日本が、欧米型文明を吸収・咀嚼し社会を地道な努力で変えてきたこと、また、日本人のかつての生き方を評価する一方、現在の日本は欧米に盲従し過ぎているとの疑問を呈し、西洋の悪いところをマネして、日本は日本文化の根源を忘れてしまったことを憂慮しつつ、日本の現在を直視すれば、人類・社会の未来への手がかりがあるとも言い、現在、世界中には、「市場主義に流される人生を嫌う」若い人々が多く存在し、貧乏人の意地ではなく、「知性」で世界を変える人々に期待を寄せています。

■政治への参画――清貧な生き方

変革の一歩として政治への参画を求めています。「民主主義には限界はあるが、社会を良くするためには君たち若者は闘わなければならない」と語っています。

ムヒカ氏の生き方は、貧しい生き方ではありません。「清貧」な生き方です。

「人は心の豊かさを大切にし、物や消費にとらわれない生き方」をこころがけ、行い、人間社会を、知性と豊かな心をもつ個々人の力によって、安定化し、最大多数の最大幸福を追求する社会をめざそうとするものです。なぜなら、資源は有限、人間は地球の外では生活できないのですから。

第10章　もう一つの発展理論としての内発的発展理論

■第三世界の台頭と新たな発展の模索

1945年第二次世界大戦以後、1949年に中華人民共和国が成立の後、米国・西欧・日本などの自由主義（西側）国とソ連邦・中国などの社会主義国（東側）との冷戦時代になると、東西に属さない東南アジア諸国、インドシナ諸国、インド、アフリカ諸国、南アメリカ・ラテンアメリカ諸国の独立国家化が進展するなかで、第三世界国の連携が始まり第三世界が形成されていった。

1954年コロンボ会議では、平和五原則①領土・主権の尊重②内政不干渉③平和共存④相互不可侵⑤平等互恵、が採択され、

1955年には平和十原則（バンドン精神）①基本的人権と国連憲章の尊重②主権と領土の保全③人種と国家間の平等④内政不干渉⑤自衛権の尊重⑥集団防衛の排除⑦武力侵略の否定⑧国際紛争の平和的解決⑨相互協力の増進⑩正義と義務の尊重、が採択され、

独立国家化と独自の国家建設が行われていた。米・ソの対立は激しかったが、1962年キューバ危機の後、平和共存への転換も進んだ。米国は産業資本主義の成熟期で1965年にはベトナム戦争に突入していた。

■国連特別総会での提案に始まる

社会主義圏内にも動揺がおこり、中ソの対立も進行し、1970年代には中国に文化大革命も起こるといった東西両陣営ともに内部が動揺する時期1970年代中頃、スウェーデンのダグ・ハマーショルド財団が1975年の国連特別総会に報告書を提出した。それは西洋諸国米国による資本主義による経済・社会発展（＝近代化）によらない“もう一つの発展”“内発的発展＝endogenous development”と称する提案の端緒となり、1977年にダグ・ハマーショルド財団はユネスコに研究プログラム“もう一つの発展”を提案した。

その内容は、地球的規模の大問題を解く手がかりをそれぞれの地域という小さな単位の場から考え出すという内発的発展方式というものであり、それぞれの①生態系に適合し②住民の生活に応じ③地域の文化に根ざし④住民の創意工夫によって⑤住民が協力して発展のあり方や道筋を模索し創造してくべし、としている。

「近代化論」はイギリス、アメリカ、フランス、ドイツなど固有の文化を有する社会の経験に基づいてはいるが、これら欧米諸国がキリスト教文明を共有しているという意味で近代化論は共通の価値観に依拠している。

これに対し、非西欧諸社会は、キリスト教のほかの仏教・儒教・道教・ヒンズー教・イスラム教・アニミズム等々、多様な宗教（民俗信仰を含む）を包摂している。その意味で単一の価値観またはコスモロジーで締め括ることはできない。

それ故にこそ、内発的発展論は、それが展開されてゆく過程で異なる宗教、異なる文明の間の対話と交流と協力についても新しい展望を開くことになるだろうとしている。

『内発的発展論』 鶴見和子／川田侃（ただし）編 東京大学出版会 1989年3月初版

この書を私は1991年頃、都内の書店で見かけ購入した。

編者の鶴見・川田両氏は当時上智大学の名誉教授・教授をされておられ、当時の世界事情を知る研究者達によって著されている。

ダグ・ハマーショルド財団による1975年からの国連に於ける提案に触発され上智大学の国際社会学関係の研究者を中心とする人々が、国連大学の研究計画の一部としての上智大学国際関係研究所を中心として行われた。国連大学の委託を受けて研究の成果を著したのが、この『内発的発展論』である。

■川田侃上智大学教授（国際政治経済学）の論

編者の一人川田氏によると、内発的発展は、

「①経済学のパラダイム転換を必要とし『経済人』に代え『人間の全人的』発展を究極の目的とする。

②他律的・支配的発展を否定し、分かち合い、人間解放など共生の社会づくりを指向する。

③組織形態は参加、協同主義、自由管理などと関連。

④地域分権と生態系重視に基づき、自立性と定常性を特徴とする。

①に関連し、人間解放とは人間の物化を拒否し豊かな人間性を追求することから始める。人間の幸福や満足は物質的富の増大にあるのではなく、自律性が高まり、他者への奉仕に

ある。

②に関連し、他律性の否定・個性の原因は新しい共生への展望を開く。

③に関連し、自力更生（Self-reliance）に基づく地域発展を指向し『地域おこし』地球主義による地域発展をめざす。従来の地域開発理論は中央集権によって『成長の極』を大都市・特定地域につくり出し、その波及・均霑（せん）（うるおう、という意味）効果を周辺地域に及ぼしていく。第三世界の発展も『近代化論』が主流となっている。成長の担い手としての巨大企業・多国籍企業による企業内分業の展開が地域経済の循環性を破壊し地域間不均衡を生み出す。

④に関連し、発展とは内面から変化を導く能力にほかならず、内発的発展とは変化を統御し、創出する主体的条件の整備といってもよい。地域における住民の空間的・時間的に最適のコミュニティー、生活形成と関連している以上、生態系・環境の保全は重要である。とする。

内発的発展論は1970年代ユネスコ、国連大学の研究機関研究者によってスタートした。

それは、西欧へゲモニー文化の衰退・支配的欧米の発展段階的歴史観・イギリス起源の自由主義・普遍主義に対抗する。
①全人的発展の人間像を定立し、人権や人間の基本的『必要』の充足である。
②一元的・普遍的発展像を否定し、共生の社会をつくる。
③資本主義・中央集権計画、経済の伝統的生産関係を否定し参加・協同主義・自主管理による。
④地域自立は、住民と生態系間のバランスに支えなければならない。生態系や環境の破壊は住民を貧困化させ自立更生の

基盤をこわす」としている。

■鶴見和子上智大学名誉教授（比較社会学）の論

もう一人の編者・鶴見氏は内発論の系譜のなかで、イギリスの開発経済学者ダレトーシアスの言を紹介している。

「発展とは、すべての人間のパーソナリティの可能性を実現することを目標とし、貧困と失業をなくし所得の配分と教育機会とを均等にすること、を紹介し

自助（または自力更生）とは、経済面では自給力を高め、文化面でも外国への依存をできるだけ少なくすること、としている。

また、タイの自助運動の理論的指導者、仏法社会主義者スタック・ヲワラクの言を紹介している。

西欧の資本主義もソ連・東欧の社会主義も国民総生産の増大と人間の欲望の無限の増殖とを目標とする限りにおいて同一の方向をめざしている。

仏教徒の立場からすると、

発展は欲望を少なくし、暴力を避け、物質よりも精神を発展させることである。

人間を破壊にみちびく悪の根源を癒（いや）す三つの方法を勧める。

①道徳とは、他者との正しい関係

②瞑想は自己の内面と自然の内面との真理に到達すること

③知恵は悟り、覚醒、世界に対する完全な意識。とし、

発展とは個人の内面から精神を育て覚醒した個人が村を発展させ、いくつかの村が発展することによって国民へ、そして世界へと、発展を波及させることであるとし、発展の要件

を以下の４点としている。
①食糧、健康、住居、教育など人間が生きるための基本的要求が充たされること。
②地域の共同体の人々の共働によって実現されること。
③地域の自然環境との調和を保つこと。
④それぞれの社会内部の構造変革のために行動を起こすことである」と紹介している。

そして内発的発展を鶴見氏は以下のようにまとめている。

「目標において人類共通であり、目標達成への経路と、その目標を実現するであろう社会のモデルについては、多様性に富む社会変化の過程である。共通目標とは地球上のすべての人々及び集団が、衣・食・住・医療の基本的必要を充足し、それぞれの個人の人間としての可能性を十分に発現できる条件を創り出すことである。それは現在の国内及び国際間の格差を生み出す構造を、人々が協力して変革することを意味する。そこへ至る経路と目標を実現する社会の姿と、人々の暮らしの流儀とは、それぞれの地域の人々及び集団が、固有の自然生態系に適合し、文化遺産（伝統）に基づいて、外来の知識・技術・制度などを照合しつつ自律的に創出する」としている。

■柳瀬睦男上智大学教授（科学基礎論）の論

編書の第４章「非西欧的方法論の試み」と題する論文で、「当時の上智大学柳瀬睦男教授（科学基礎論）によって、内発的発展論の学問上・研究の方法論に関し、『非西欧的』むしろ『人間的』と表現することが相応しい方法論を提案している。それは西欧的方法論、東洋的方法論共に同じ知的な活動の場にあって、共通の役割を担うことによって、学問上の転換期の議論に新しいものをつけ加えることができるだろう」とし「メタ哲学」(meta-philosophy) を主張している。

「人類の思弁的な営みは、実に多様な哲学の体系を産み出してきたのであるが、今ひとたび、これらの体系から距離を置き、あらためて、人間存在 (human existence) の根源に根ざした、哲学よりも一層基本的位置に立って、それらの諸体系をみつめ直してみると、この立脚点は、いわゆる『実在論』(realism) とよばれている立場に極めて類似していることが理解される。とし、実在に根拠を置いた新たな知的体系の確立が、現在から将来に向かって学問の新しい歴史を拓いていく上で、非常に重要性を増してくるように思われる。としメタ哲学の存在を主張し、この作業には二つの要素、一つは論理であり、他の一つは時間・空間の枠組みである」としている。

メタ哲学、実在に根拠を置いた知的体系の模索は、

「① 1950 年代から 1970 年代にかけて論理実証主義や科学哲学が支配的であったが、その発展が限界を見せ、実在論理的な哲学が再興してきた。

② 20 世紀における物理学は、相対性理論と量子力学という二つの理論体系である物理学の理論の枠組みが狭すぎる点と枠組みの明確の方法に問題がある。

③キリスト神学の方法論の限界、方法論的歴史において決定的役割を果たしたデカルトとその哲学に対決的状況・アンチテーゼが生まれその影響が広まっている、例えば常識哲学ファジー論理がそれである」

私はこの分野は思考的としている宗教的理解が乏しいのでこれに留める。

■室田武一橋大学教授（理論経済学）、槌田敦理化学研究所研究員（資源物理学）の論

著作の第二部では、内発的発展の条件とその実際的展開を著している。

その第一章では、開放定常系と生命系―江戸時代の水土思想からみた現代エントロピー論―室田武（一橋大学教授　理論経済学）、槌田敦（つちだあつし）（理化学研究所研究員　資源物理学）。

「地球は物理的には閉じた系である。一方地球は、主として太陽から一定のエネルギーを受け、同時に宇宙空間に同量のエネルギーを放出しているエネルギー的には開いた系であり、それに加え定常性もある、開放定常系であるとし、物理法則と社会法則の関係性では物理法則から、積極的に社会や経済の法則が導き出されることはない、物理法則は消極的に、しかし絶対的には社会や経済の法則を制限する。

発展は活動の増大を意味するから、必ずエントロピーという汚れを発生しているが『生命体の余分のエネルギーを捨てている』とし、生命は排泄物と廃熱を捨てることにより、汚れ・エントロピーを捨てている。これによりエントロピー水準をほぼ一定に保ち、健康に生きる。汚れを捨てることが困難になった状態は病気である。そして汚れを捨てることに失敗すれば死となる。とし、無限の発展は論理上不可能である。しかし現在の状況が生態系の限界ではないとの理解により、

物理法則に反しない内発的発展を考えたい、とし、以下を提言している。

・土に還らない物質の生産停止と遠隔地輸送の禁止
・PCBポリ塩化ビフェニールの禁止
・ダイオキシンの禁止
・核廃棄物（人工放射性物質）の禁止

水土を保全しつつ、活用する方向での物質の循環の回復を図る、砂漠化を防ぐ、緑化＝雑木林の推奨、多様な生態系を育むことを提唱している」

著作には、1989年当時の経歴であるが、武者小路公秀（むしゃのこうじきんひで）氏（明治学院大学教授、国際関係論）が「新国際秩序と第三世界知識人」と題し、また、今井圭子氏（上智大学教授、ラテンアメリカ経済論）が「ラテンアメリカの歴史的特質と内発的発展」と題し、また、村井吉敬（よしのり）氏（上智大学教授、東南アジア社会経済論）が「内発的発展の模索　東南アジアのNGOs・研究者の役割との関連で」と題し、中村尚司（ひさし）氏（龍谷大学教授、地域経済論）が「地縁技術と地域自立運動　東アジアからの事例」と題し、執筆されている。

私が、内発的発展論という著作を入手したのは約30年前であり、類似した著作を探したが、他に見つけることがなかった。グローバリズムの大きな流れに飲み込まれてしまったが、重要で貴重な著作であり、これからの未来社会を考える上で重要と考え紹介しました。

第11章　エンデとゲゼルの貨幣論・金融論
「利子」のつかない「お金」への模索

■「お金」の理解を変更

現在のほとんどの人間は生活のなかで「お金」を使い生活しています。お金は生活・経済活動で、人体の「血液」の役割をしています。経済で血液の役割を果たしている「お金」対する理解を変えなければ、人類社会が成立しない、危機に対面する事態になるとの理解をした大思想家達の理解を紹介し、その人達の導きによって生まれた現在の「利子」のつかない「お金」による金融制度への挑戦をしている状況をお示しします。

現在の資本主義は終焉の時を迎え、「死」を待つばかりの状況にありますが、死は現在のアメリカのドルを基準とした金融体制の崩壊をもって、死の宣告となります。

しかし、今後も、人間は生活する上で、「お金」を切り離した生活はできないのです。

「お金」に関する理解を変更し、その理解による「新たな貨幣」を創出し、それによって経済活動・経営活動を基本的に変革し、資本主義によってもたらされた「富の偏在や格差の拡大」に終止符を打ち、解消化をはかり、幸福の実現と福祉の充実が図られるのです。

新たな時代へのパラダイムの転換ができても「利子のつくお金」を基本に置く経済社会システムでは、時代を後戻りさせるだけで、新たな社会への進展はできないのです。

■エンデの遺言「モモ」

このような理解を総合的に示した名著があります。『エンデの遺言』お金を根源から問うこと。著作は、河邑厚徳（かわむらあつのり）＋グループ現代による、2000年・NHK出版の著作です。また、講談社＋α文庫223―1でも購読できます。

河邑厚徳氏は元NHKのプロデューサーで数々のドキュメンタリー番組を手がけ、現在女子美術大学の教授です。

この著作では、経済評論家の内橋克人氏がプロローグを著述しています。

ミヒャエル・エンデ（独1929～1995）はファンタジー作家であり、経済を語る童話作家として知られ、経済観・貨幣論を内包・示唆したお金への思索・問題意識が込められていた、ファンタジー童話「モモ」を代表する多くの著作を残され、モモは1973年に発表され30以上の言葉に翻訳され2011年頃に全世界で1500万部以上売れ、日本では岩波書店によって翻訳・出版されています。すばらしい、ふしぎな作品です。

ミヒャエル・エンデは、ドイツの思想家であり教育者であった、ルドルフ・シュタイナー（1861～1925）の影響を強く受けています。

「モモ」を読んだ、ドイツの経済学者、ヴェルナー・オンケンが当時の経済学者シルビオ・ゲゼルとの共通性を理解したオンケンがゲゼルの「自由貨幣論」とシュタイナーが提唱した「老化するお金」というアイデアが描き込まれていると感じ、その考えを「経済学者のための『モモ』」という論文にまとめ発表した後、多くの世界の貨幣制度改革者がヨーロッパ諸国・米国に「独自の地域通貨」をつくり、それを実践している状況が『エンデの遺言』に著述されています。

■シュタイナーの「老化するお金」

シュタイナーは、「老化するお金」減価する貨幣システムを提唱しています。「現代のお金」がもつ本来の問題は、お金自体が商品として売買されていることです、本来等価代償であるお金が、それ自体が商品になったこと、これが決定的な問題としています。これはシュタイナーの「社会三層論」の理解で、社会を、精神・法・経済の三層と理解し、精神は自由、法は平等・経済は助けあいの力・友愛、を理念としそれはフランス革命の自由・平等・博愛（友愛）に通じます。

■問題の根源は「お金」

著者河邑氏はエンデの言を以下のように著しています。

・問題の根源は「お金」にある。

・「すでに第三次世界大戦は始まっている」と警告し「それは領土や宗教をめぐるものではなく、われわれの子孫を破壊に導く時間の戦争です」と。

・人に見える危機には対処できるが、目に見えない危機には無力な存在である……目に見えないというよりは、解決の糸口がないような根源的な問題に対しては、気づいていても目をそむける、と。
・「お金」の問題では、どう考えるべきかの規範が過去には何もない。したがって、未来を想定し、何が起きてくるかを予言的に直視しなければならない……それは、人間に与えられたイマジネーションの能力に依らなければならない……問題解決を過去からではなく未来から考える。
・エンデは日本を愛していました。ヨーロッパと同じように伝統的文化をもち先進国であるという共通点から、日本人は未来の課題を話し合えるパートナーであると……エンデは日本への提案をもっていました。日本は経済大国であるからには、世界に貢献すべき義務があると唱え、……経済学者や企業家の英知を集めるべく「東京会議」を組織し、金融システムを根本から問い直すべきだ、と。

■紙幣は一人歩きしている価値のシンボル

・紙幣には物的価値はなく、価値のシンボルなのです。紙幣の発明で問題が生じるのは、紙幣が好きなだけつくれるからで金塊ならば好きなだけ増やすというわけにはいきません。……つまり好きなだけ増やすことができる紙幣がいまだに仕事や物的価値の等価代償だとみなされている錯誤にあります。これはとうの昔にそうでなくなっています。貨幣は一人歩きしているのです。
・エンデは、金融システムは人間がつくりだしたものだから、変革もできるはずであり、同時に過去のさまざまな試みのなかには未来へのヒントがあると主張し、……エンデは一人の思想家、シルビオ・ゲゼルの名前をあげています。

■マルクスの誤りは資本主義を変えようとしなかったこと

・マルクスの根本的な考え方は正義です。この理念は人類が存続するかぎり、なくなることはありません。マルクスの時代には10歳にも満たない年少者が労働にかりだされることが日常茶飯事でした。……そのような社会状況でした。それを批判したのは正しいことです。マルクスの功績として歴史に残ることです。しかし、それと、なぜ彼の思想がうまくいかなかったのか、ということとは別問題です。簡単にいいますと、マルクスは個々の資本家を、国家という唯一の資本家でとって代えれば、資本主義が克服できると考えたのです。それはマルクスがもっていたヘーゲル的世界観によるものでしょう。ヘーゲルは国家を神のように敬っていましたから、マルクスの資本論を読むと、そこでマルクスが一種奇妙な幻想的姿勢で書いているのに気づきます。まず世界革命が起きる。これは起こすのではなく、自然と起きるとマルクスは書くのです。世界革命からプロレタリア独裁が起こりそこから新しい人間が生まれるとマルクスは書くのです。この新しい人間が無階級社会を築きます。これをマルクスは根拠づけようとせず、あたかも地平線の日の出を幻視するように書くのです。これはやはり幻視で実際には新しい人間は生まれず、生まれたのはそれまでとまるで変わらない官僚主義でした。マルクスの最大の誤りは資本主義を変えようとしなかったことです。マルクスがしようとしたのは資本主義を国家に委託することでした。

ちなみに、エンデの妻は、真理子夫人、日本人です。
また、一冊の本は作者と読者の関係のなかで完成するとも語っています。

■時間とともに価値が減るというゲゼルの貨幣論

シルビオ・ゲゼル（1862～1930）ライン地方、アルメディ近くで生まれ、ドイツ系アルゼンチン人、24～28歳まで多様な事業をし、スイスで6年間農民生活、1906年「自然的経済秩序」発刊、1919年バイエルンへ転居。

ゲゼルはエンデの「モモ」の影響を受けた多くの著作を残しています。ドイツの経済学者、ヴェルナー・オカケンは「モモ」の寓話の裏側に現代の経済システムに対するエンデの問題提起が描き込まれているのではないかと考え、それをエンデに書き送った最初の人で、シルビオ・ゲゼルの埋もれていた著作を1987年から10年の歳月をかけてゲゼル全集18巻を編纂・刊行しました。
それには、時間とともに価値が減るというゲゼルの「自由貨幣」理論と、ルドルフ・シュタイナーが提唱した「老化するお金」というアイデアが描き込まれていると感じ、その考えを「経済学者のための『モモ』」という論文にまとめました。
ゲゼルの影響は、1980年代、エコロジー運動の高まりのなかで生まれた政党「緑の党」はゲゼル理論を研究・実践している人たちによって創設されました。

また、1990年代、ドイツでは、ゲゼル理論が受けつがれ「交換リング」という地域通貨が生まれました。

エンデの蔵書の中に、建築家マルグリッド・ケネディ著『利子ともインフレとも無縁な貨幣』という著作に次のようなことが示されています。

著作に当たり、シルビオ・ゲゼルの自由貨幣理論を受け継ぐ経済学者ヘルムート・クロイツらの専門家に協力しデータを得ました。

その例を示します。

・「利子が利子を含む複利」の計算です。

キリスト生誕から、年5%の利子で1プラフェ＝上（1マルクの100分の1）を投資したとすると1990年には地球と同じ重さの黄金の玉を13億4000万個になる。

・すべての物価に利子部分が含まれている。その割合は30%。

・機能を交換だけに限ったお金のシステムを提案。

・現在、世界には2000近く、ローカルな通貨システムがあります……ドイツだけでも200程存在します。

ゲゼルの自由貨幣は、1ヶ月につき額面の1%に当たる費用を負担しなければ使用できなるという仕組みによって、流通を促進しようというお金です。

シュタイナーの老化する貨幣は、お金に25年程度の期限を設け、お金に価値の高低をつけることで決済・融資・贈与という領域の間で自動的な調整が行われて経済がバランスを保つというものです。

■地域通貨と新たな金融制度の取り組み

20世紀後半頃から、世界では、地域通貨と金融制度の取り組みが紹介されています。

・ドイツのGLS銀行、ボックスに本店があり、贈ることと貸すための共同体、という名前をもつこの銀行の特徴は、預金者が自分で投資するプロジェクトを選び同時に自分で預金の利率を決めるという方式。

・社会福祉やエコロジーに関するプロジェクトに特化して融資するエコバンク。

・ソーシャル・バンク。

エンデの遺言の著作者の一人、ゲゼルの研究会を開き「自由経済研究」という小冊子を発行している方がいらっしゃいます。森野栄一氏です。第三章と第五章を著述されています。また、共著者のお一人、村山純子氏も第二章と第四章を著述しています。そこでの事例を示します。

自由貨幣（済滅貨幣・スタンプ貨幣）

シリアル自由貨幣

補充自由貨幣

■米国の地域通貨・イサカアワー

ニューヨーク州トンプキンス郡イサカという地方学園都市に、1991年「グリーンスター」という名の生協組合の地域通貨で、ポール・クローバーが提案したもので、自分で自分を雇用すること、そしてそれは自分たち自身の通貨を使うことで可能になるというもので、定着し社会福祉にも、環境も守るコミュニティー通貨です。アメリカドルとの関係では、アメリカドルに似ていない紙幣で1単位が10ドル以上の価値があれば合法とのことです。また、FRBにも認知されています。

以上著述してきました。詳しくは著作をお読みください。

現在の資本主義経済社会は「お金」に問題の根限があり「お金」対する理解を深めた上で、シュタイナー、エンデ、ゲゼルといった思想家・経済学者の理解を受け、地域通貨の創設や金融・銀行制度の改革の人々がヨーロッパ社会・アメリカでも輩出し実行されています。ゲゼルの親友であったアルバート・アインシュタインも理解を示し、近代経済学の祖であるジョン・メイナード・ケインズもゲゼルの理解による提案を、第二次世界大戦後の世界について討議された、1944年のブレトン＝ウッズ会議で「マイナス利子の観念に基づく国際清算同盟案」を提起しましたが、アメリカのホワイト案が採用されました。その背景には、アメリカが、全世界の金保有の70%を所有していたことで押し切られたのです。

しかし、アメリカのドル基準体制も1971年のニクソン・ショックによって「金への兌換が停止」された後、貨幣を自由に印刷し使用することが可能となり、その後多くの国の通貨が国際通貨とし通用しましたが、変遷の後、現在、アメリカのドル、EUのユーロ、そして日本の円という通貨を中心とする国際金融体制となっています。

■利子のつかない貨幣・金融制度は地域レベルから国家レベルにレベルアップ可能

スタイナー・エンデ・ゲゼルなどの「お金」に関する基本的な理解も踏まえ、多くの人達の努力によって築かれた「地域通貨」の制度を拡張できる時代が訪れていると、私は考えます。

それは、日本に於いて、1995年以後、デフレ経済化の進展、また世界経済の交易条件の変化（悪化）によって利潤率の低下・利子率の低下、ゼロ化という状況です。この状況は、日本が先行し、アメリカ・ヨーロッパが追随しています。アメリカ・EUは今後多少の期間「利上げ」を行う余地が残されていると思われますが、日本は「利上げ」をできる状況にありません。日本の利上げは日本経済の破綻に繋がります。アメリカもEUも日本の後追いをすると理解できます。それは、資本主義が「死」に至る「終焉期」の事態と解することができます。日本では「巨額の国債」アメリカでは「電子金融空間、に巨額の民間資金」が滞留し、実体経済の血液となるべき「お金」が使用されていないからです。その点日・米に比較し多少なりともEUは健全です。

日本の商業銀行にはほとんど新たな健全な融資先はありません。また、日本の預金者の利息はほとんどゼロの状態で、企業は潤沢な資金もあり、海外の金融資産も世界一で、アベノミクスという資本主義延命政策はこれから瓦解し始め、デフレ経済化し、世界の大動乱によって、日本資本主義は「死」に至ります。

ですから、日本の現在の「利子のつく円」から、「利子のつかない新たな円」に改造することが可能となります。
　それについては後述します。

第 12 章　喜んで働く創造的社会へ

今、人類社会は、人の「営み」を基本的なところから見直し・修復し、普遍的な営みを追求しなければいけない時代に至っています。ここで表す営みとは、人間の「生活の総体」として理解していただきたい。

人類の長い歴史は、生まれ生きること、食うこと、働くことの人間の営みの歴史であり、人間の働きの在り方が営みを左右し、規定してきた。人類の始まりでは、生きる＝食う＝働き、であったが、経済活動の高まりのなかで「人間の営み」と「社会関係」が変容してきた。

原始収穫経済から母子系協同社会から大家族生活（原始共産経済）から武力による権力統治し（父権社会）そして現在の「資本による権益と利益の収奪（資本経済社会）」へと変容してきた。

父権時代に、生きること、食うこと、働くことが分裂し、近代社会において、封建社会の貴族・武士に代わり、機械の提供者である資本家の支配に進展し、資本力による支配、権益の収奪となり、産業社会化によって、資本権と経営権が分離したことによって、また、民主主義の成長によって「民衆政治と福祉社会」への実現に一時向かったが、1970 年代以後は資本主義が金融化・情報化したことによって「資本市場」を介して資本権が再強化され、時代が後戻りしています。

現在の、大多数の民衆が働く産業・企業においては、資本市場の先にある目に見えない存在としての資本家・投資家の利益追求の目的のために、かつてのチャップリンの演じたモダンタイムズの「歯車」以下の存在に貶められ、生活の犠牲を強いられながら、生命体として社会的動物としての人間を否定されながらの働きを余儀なくされています。

これから、次なる社会を迎えるに至ったとしても「一つの地球人類定常型社会」においての、人間の営みの基本にある働き方がいかにあるべきかが、ここでのテーマです。

資本主義によるグローバル化は、人間と社会の活動を領土的空間領域の限界まで到達させました。最早、開拓空間は地球外に求める以外にありませんが、それは大多数の民衆には望めません。新たな生活と働きの在り方が求められます。

広辞苑によれば、「労働」とは①骨折り働くこと。体を使用してはたらくこと。②〔経〕(labour) 人間が自然に働きかけて生活手段をつくり出す活動。労働力の具体的発現。「労働価値説」とは、生産に要した労働量によって商品の価値が規定されるとする学説。イギリス古典学派のペティ(Petty、1623～1487) に始まり、A・スミス、リカード、マルクスなどが唱えた。とされています。

■喜働とは

一般社会では、働きを、骨折り・苦痛なもの、として理解し、社会科学では、労働価値説による理解で使用しています。共に労働を「苦痛」なものと解釈しています。

生命体として社会的動物としての人間の働きには「肉体の働き」と「精神の働き」があると理解すれば、肉体の働きを説明できても精神の働きまで説明できません。

肉体の働きは、目に見える働きであり、標準作業・標準時間などとして数量的に把握することができます。しかし、精神の働きは「心の働き」であって人の目にはとらえられない働きであるが故に、測定の方法を持つに至っていないと理解されます。

暗いイメージのある労働を超え、人間の精神・心の働きに着目し、人間性を高めることによる創造的な働きを「喜働」と名づけ、喜働の発揚によって、価値の創造や生産性の向上をはかり、経済社会の発展・人間の真の幸福をめざす「喜働」を基調とする「創造経営経済学」を提唱し、その普及・実践に尽力されていた、大学の恩師・薄衣佐吉先生の理解を紹介します。著書は多数在りますが以下２冊をお示しします。
『喜働経営学入門　日本的経営と人間革新』薄衣佐吉著、白桃書房、昭和42年（1967年）
『創造経営経済学』薄衣佐吉著、白桃書房、1982年

「労働者とは、食うためにやむをえず、労働力を切り売りして働く人々である。

喜働者とは、高い目的意識に導かれ、喜んで進んで働く人々であり、働く目的意識は本人自身の自主的・自律的判断力と、その『心の形成過程』によって定まる。

喜働者とは、人と他を幸せにしようとする心意と行為であり、人の社会の基本であり、帰属意識の温床は『家庭』であり、家庭への帰属意識の高い人は企業、社会いずれに対しても高い。

神については絶対存在であり、神の意志は純粋な絶対救済にあるとするならば、これに近い人間としての純粋感情、絶対的愛は親の子を思う心に原型を見出しうる。

愛については相手の長所を見、責めることなく、自己感情を交えることなく教え、筋道を正しては妥協することのない厳しさをあわせもつものである。

捧げつくして己(おのれ)がなくなり、自他一如の姿が『愛』であり、親子の間ほど純粋なものはない。

反面、親子間で対立し争いあうこともあるのは愛の一断面、反感、憎悪のゆえである。まさに愛憎こそ、愛の表裏である。

理解し、信頼し、感謝に至る愛の高まり。無理解、不信、反感、憎悪に至るのは愛の裏面である。これを『自性』と定義する。

性については、生命力、性行動は人間生命の発現現象である。副腎の働きは性行動に発現するだけでなく、心身の働きを左右する。これを『本性』ととらえる。

使命感について『何をなすべきか、いかに働くべきか』ということは、万人にとって生まれ生きることの意味そのものである。これを、『個性の自覚・個性の発揚』としてとらえ、人間の高度の働き方に喜働という定義を与えて体系化した。そして、使命感とは、自性、本性の自覚の上にしか得られない。

罪について、不遇、貧困と心身の病んでいる現象＝病気という人類の三大不幸に悩んでいる人の働き方を分析し、自他にマイナスを与えるものを『性癖』と分類するに至った。これは自他をマイナスする先天的、後天的心意行動の集積として顕在化するものだからである。

生と死について、このむずかしい問題も、全と個、家と個人という観点から解明のいとぐちが得られよう。刻々と変わりゆく生命個体は親から生まれ、子、孫へと伝承していくがまさに親子とは生命の連続体であり、祖先と子孫とは生命の連続として、たとえ死によって目にみえぬ幽なる存在となった相手でも、過去、現在、未来生命として感得しうる。

個人として有限の生命も、家系の流れにおける自己生命の認識によって、家系を高め、親、祖先の名を高め、子・孫の絶対幸福を念ずる心意行動によって自我を没却しうる。自他生命連続全体としての家系と、おのれ個人の認識の連関によって生死一如を体現することは困難なことではない。

人の心、行動の把握とその予測について、個人個人のそれは、遺伝、環境、教育の３点から認識されることが必要。

遺伝の認識、親を大事にする・粗末にする、夫婦円満・不仲、目上を敬う・馬鹿にする、人に奉仕する・きずつける、謙虚である・尊大である、物を大切にする・粗末にする、金銭を生かして使う・浪費する、早起きをする・寝坊する、挨拶を重んじる・軽んじる、積極的・消極的、誠実・不実、といった人間性・劣性の遺伝は、親から子へ、祖先から子孫へ伝承する。

環境の認識、妊娠、誕生、成長、社会人生活の過程において、親、親類きょうだい（肉親血縁関係）師、配偶者、子、友人、職場、地域社会（地縁における人間関係）の８種の人間関係に囲まれながら、物的・文化的環境は成立する。

人間とその心理の定義およびその規範は個人をいくら追及しても明らかでなく、以上の“個人をとりまく全体社会”としての関係で解明しなければならない。

教育の認識、人は教育によってのみ人となる。すなわち親を通して与えられた『個性』が開発され、発揚されることは、本人個人にとって、生きる喜び＝歓喜の人生たりうるし、また本人を囲む全体社会の高まりも得られるから、人にとって教育は不可欠なものである。

まさに教育こそ、人が人となる根本であるから、教育の本義は豊かな人間性の形成にあると言える。教育基本法にいう『人格の完成』など、そう簡単に望むべきではない。人間死ぬまでかかっても人格は完成できるものではない。どんな人でも長所と短所は死ぬまであわせもつ。不完全な人間同士が不完全性を自覚するがゆえに、謙虚に他人の長所を認め、短所を責めず、ともにささえ合って生きていく。ここに『人』の字義もあるわけである。

教育にあたって、『教』は知識、経験さえあればだれにでもできるが、問題は『育』である。『育』の場合には、愛情、たとえば相手に欠点があれば欠点そのものまでがかわいくなるというほどの、大きな愛情を前提としない限り人は育たない。されば教育とは、『知育』に加え、『愛育』が同時に存えなければならない。

家庭教育の根幹は両親による愛和の生活にある。

学校教育の根本は、個性の引き出し、その発揚にあることを第一義とすること。いたずらに知育教育に走り、学業に一喜一憂せぬこと。

社会教育の根幹は、成人（人となる）にある。成人教育とは、自律的人間としての生活行動の確立にある。

自他による客観化法則＝心理解析法

存在認識法と絶対法則を前提とした「人間とその心理」を具体的にみるためには、次の５段階からみることが必要である。

⑴ 胎児　これは先天性としての父母（そして父母の父母。祖父母）などから与えられるものとしてⓐ自性、ⓑ本性、ⓒ個性、ⓓ性癖をあわせもつ。

⑵ 乳幼児

⑶ 学童、学生

⑷ 職業人

⑸ 社会人

個人を生み今日あらしめている背景全体のなかにおける個人という全と個の関連でみるならば、最低３代前の親・祖先から先天的に与えられた性（自性）、男女の本来的な性の属性（本性）を個人としてよく分析したうえでの自分個人の特性（個性）を把握すること、そのマイナス因子（性癖）を区分、分類したうえで、人間性の類型化、心理・行動の規範化を図ることが必要なのに、こうした研究はおろそかにされていた。

人はすべて本来の、その個人に与えられたすばらしい天性＝個性をもつ、それを顕す働き方によって一生がきまる。その顕し方は『生まれ方と育ち方』を正すことからもたらされる。大脳生理学でいう、①旧皮質と②新皮質の顕し方のプラス化である。

しかし、それは生命の根源＝親の心意・行動を解析し、これを正すことからしかもたらされない。なぜなら、およそ人は人から生まれ、すなわち父と母を通し、心と肉体を与えられるからである。だから人の考えと行動の良否、善悪は、父母を見る目の良否、善悪によりきまる。すなわち関心、無関心の程度で決まる。心のすなおさと強情、肉体の健康・不健康はこれから始まり、本人の行動を通した働きはいっさいこれによって決まってくる」

「企業は人なり」といいます。経営者と従業員が「一つの心」になって計画を果たし企業と産業社会を高めていく道であり、「人の心の自由」を「自己中心」なそれから「真の自由境」にまで高めていくことを基底とする、また、全従業員が「必要性を感じ、本人の心からなる自己管理による」経営が、師の理解する「喜働」による創造経営と言えます。

■（日本的）創造経営の追求

師は、55年前から資本主義経済・近代社会の問題を指摘され、問題解決を訴求・実践されていた方でした。1970年頃私の在籍していた都内某大学の経済学部に講師として招かれ、私は大学紛争の渦中で講義を受け、ゼミナール活動で教えを受けました。

師は、全体経済社会を含め日本企業の経営の在り方を当時の日本経済発展の中心的存在であった、松下幸之助氏、本田宗一郎氏、井深大（まさる）氏らの人々との親交のなかで、当時の欧・米的経営の問題を指摘し新たな普遍的な日本的創造経営を追求・指導されていました。

師の理論は、資本主義・近代化を超えた、次なる未来社会での、人間理解に活用され、新たな社会における人の働き観に多大な貢献をするとの確信をもって、以下を著述します。

■エントロピー最小の法則で再構築

師は、資本主義経済社会の問題の提起とその解決に尽力される一方で、その崩壊を理解され、次なる人類社会の在り方を追究し、示されていました。師の基本的理解の一つとして、ジェレミー・リフキン（Jeremy Rifkin）のエントロピーの法則に対する見解が示されています。

「リフキンが問題提起している物理学の法則としてのそれは、ほとんどの人から受け入れられるであろう。文明批評も万人の共感を得よう。しかし、最終章、新時代の社会制度とその価値観での内容がない。と指摘し、それまでみるような地球的規模での行き詰まりを招いた根因である価値観を明らかにし、それに変るべき人類永続のための価値観についての具体的な提言がない」とし、

「行き詰まりを招いた近代諸科学、それによってたつ社会諸科学の一切を包摂した『エントロピー最小の法則』で再構築しない限り矛盾はいよいよ拡大する一方だろう」とし、

「リフキンは生命反応においては、エントロピーでなく、自由なエネルギーの流れが最も重要となると述べているが著書のどこを調べても『人間の生命反応としてのエントロピー法則』はないと指摘し、私は『家のエネルギーの質量不変の法則』を体系化の上、エントロピー最少の法則によりシステム化しえた」と著しています。

私は、師のこうした基本的理解は当時私の知る限り他にありませんでした。

近代科学の限界的状況は「iPS細胞」の発見や原発事故などによって知られるようになりましたが、現在でも尚その認識は少ないと思われますが、師は50年以上前から理解され警鐘を鳴らされていました。

■近代科学は個別生命観に立つ

「ルネサンス以来の近代科学によって立つところの諸法則は『個別生命観』に立ってみている。個々の人格によって一切の権利義務が定められ『個人の仮説・経済人の仮説』によって価値観が多元化する限り、個人にとっても家庭・職場においても、国の政治・世界経済もエントロピーは最大化する一方であり、正しくリフキンの指摘する通りである」として

います。

■動態連続生命と生活律

「エネルギーは生命の基盤であると共に人間文化の基盤である。私はエントロピーの法則からみるとこれを動態連続生命として体系化する。個別生命観にたてば永劫に解決しえないそれを、個別生命と文化の継承発展を動態的に連続するものとし、さながらそれはリレーレースにおけるバトンタッチの家のエネルギー、『生活の律し方』（生活律）としてとらえる」と著しています。

■転機に立つ経済学

師は1960年代から1982年頃の約35年以前に経済学に関し、以下のような忠言・提言をされていました。以下の提言などは経済学の分野で見落とされ続け、現在の経済学は、師の指摘とは無縁の方向に進展してしまいました。

①経済人（ホモ・エコノミックス）の仮説

「人間は経済的動機だけで行動するという仮説であるが、貨幣価値に換算できない生活価値、文化的価値、倫理的価値を見落としている」と著し、私は現在の経済学は、新自由主義理論に代表されますが、その仮説は「全知に近い経済人」であり、あるべき経済学とはまったく逆流しておりその理論は利潤追求に純化した理論であり、全体経済の在り方、また、生活者としての人間を無視した理であり容認できません。

②市場組織のみの経済学

「アダム・スミス以後の経済学は、商品経済・市場機構を対象とする理論であるが、市場メカニズムの前提が狭義であり、非市場組織が欠落している。(公害問題・公共財など)」

私は福島原子力発電所の事故が象徴していると理解します。廃棄される放射物質は数万年経ても解決されませんし、その廃棄物の貯蔵場所の問題は解決されることはありません。想定する費用を「外部費用」化しコストのうちに入れず、利潤を追求しています。公害問題では徐々に内部コスト化が進展していますが、大勢としては未だ解決に至っていません。

③経済的福祉の尺度

「ケインズは国民所得GNPをその尺度としたが、フローでなく、ストック・社会的富が見落とされている」

日本経済の約25年に亘るデフレ経済化の下で、GDPが2%以下の成長をしてきましたが、資本主義の延命策を指向する現在の政治は、フローの部分を強調し、対外純資産・外貨準備金の増額化・また、国民の貯蓄などのストックを無視し、実質的な生活の向上による指標を明確化せず、GNP以前のGDPを基本に経済運営を行っています。時代錯誤の経済運営と理解します。

④農業と分断された工業化

「市場経済の特殊性から農業と分断された工業化が進んだが経済関係を社会システムに『再び埋める』必要がある」

私は、アダム・スミス以来のテーマである農業の位置づけが、産業の高度化のなかで欠落し明確な位置づけがなされていないと理解します。人間の生活に最も密着する食料を供給する農業を重要視し、食料の自給化を進展するなかで、安心安全で品質の高い食料を潤沢に供給する農業化がこれからの社会では必要不可欠と理解します。

⑤自然・生態システムの無視

「力学的・化学的工業の非生物的論理中心の技術的指向だけで、生物・生命の論理が無視または軽視されている」

私は、産業資本主義の成熟化の過程で師が示された状況が進展し、その後のグローバリズムの進展でより一層深刻化していると理解せざるを得ません。グローバル化の進展で、近代化先進諸国での取り組みは多少なり行われていますが、発展途上国では現在進行中のレベルにあります。結果として地球レベルの、自然改造による生態系と自然系の破壊によって、気候現象の大きな変化・温暖化が派生し、最早取り返（かえ）しのできないレベルに至っていると理解します。また、資本主義の延命が続く限りこの問題は保全も困難化し、修復は不可能に近いと理解せざるを得ません。

師は50年以前から、経済学の基本的在り方に警鐘を鳴らされていましたが、現在の経済学は、師の警鐘に何ら答えていません。近代社会の末期的状況の下で、近代の合理主義、また、個人主義と離反する、非合理・反合理と利己主義の論を展開しています。

■新たな経済の在り方

師は著述で、これからの経済の在り方を下記のように示されています。

①経済と道徳

「経済という言葉は、もともと『経世済民（けいせいさいみん）』からきており、国を治め民を救済するという意味があった。……中略……アダム・スミスの学説においても経済と道徳の一致を前提に経済の自立性を説いている。しかしその後の経済学は人間を手段とみていた。これからの経済学は体制のいかんを問わず、人間の幸福・国民の福祉の向上をはかるという道徳的目的を再確認するものでなければならない。経済学だけでなく道徳・倫理・文化と言った精神的領域にかかわっていくことが求められよう」と著しています。

この理解については「私と経済学・経営学」に著述しています。

ここで恩師の論を離れ、道徳についての理解を示されていただきます。

最近著述に協力をいただいている大学の学友に『道徳とモラルは完全に違ふ』出光佐三著、昭和47年著作の小冊子を勧められました。

出光佐三氏は日本のエネルギー産業に多大な貢献をされた方であり、出光興産の創業者であり、日本の経営史に残る偉大な経営者の一人です。

モラルと道徳は一般社会的には同様に理解されているが、

まったく異質なものであると著しています。

「モラル」は、欧米の皇帝・国王・権力者などの下での法律・規則を大衆が守ることであり、基本は「我欲」にあり、「道徳」は、人間の真心から自然に湧き出るものであり、基本は「無欲」にあり、互譲互助の精神で恩を知ることであり、道徳の根本は、ありがとうございますという恩を知っていること。と著しています。

今の世界の行き詰まりは、モラルの行き詰まりであり、救済は道徳にあると説かれています。また、人間は①黄金②学問③組織機構④権力⑤主義⑥数や理論そして⑦モラルの「奴隷」になるなと説かれています。正に当を得た理解と言えます。

モラルと道徳の違いについては、モラルの理解はキリスト教の十戒の規制に起因し、道徳は、良心から自然に発露するものであり、祖先が無欲で平和で仲良く暮らす哲学を実行してきたからであり、日本の道徳は皇室の無我無私の姿の反映であり、道徳のある人がモラルを活用すれば平和と福祉になるが、道徳のない人がモラル中心でいけば対立・闘争で混乱する、また、日本は無欲の皇室を中心として国民が仲良く一致団結していけばよい。と説かれています。

②資源有限性の認識と自然生態への適合

「これまでの経済は『カウボーイ経済』であり、牧草を食い尽くしてはつぎつぎに移動していく浪費経済であった。今後は『唯一つの地球』というグローバルな視野に立ち、自然の循環・再生産（リサイクル）をはからねばならない。使い捨てでなく物を活かし節約すること、設備の耐用年数を延ばし長もちする耐久消費財をつくるように生産・消費のあり方を改めることも必要である」と著しています。

私は以上の理解は、日本はもとより欧米諸国も含め全世界中で深められ徐々に改善されていると思いますが、製造業の一部では浸透されていません。人類社会全体が「一つの地球人類定常型社会」への認識に進展していくと思われます。

③脅迫と交換の経済から贈与の経済へ

「今後の経済は贈与の経済すなわち社会の連帯、有情愛情による相互扶助、親和の社会に進む。このような共同体は奪うことに反対、人が人と協働しお互い譲ることに転換することにより実現される。

譲の思想を説いたのは二宮尊徳である。自然の働きを天道、それを活かす人の働きを人道とした。徳とはもののもつ働きであり、自然、物、人それぞれに徳がある。これを開発するのが報徳である。報徳の実践を『勤労・分度・推譲』として説いた。推譲は、未来開発費（自譲）と社会開発費（他譲）から成り、そのためには収入の25%をあてることを勧める」とあります。

師が示された贈与の経済という理解が社会的に認知された国は日本国にしかありません。欧米の経済に経営理解にはまったくというくらいありません。資本主義経済は、重商主義の始まりから、殺戮と強奪にあけくれ、それが基盤になった脅迫と収奪と搾取の経済であると理解せざるを得ません。その体質から脱却できず約400年間、極大の利潤の追求を行い対立・戦争にあけくれてきました。

しかし、西欧諸国の重商主義の時代、17世紀頃には、徳川幕府の体制が確立し、1680年には5代綱吉の治世の時代となり、所謂天下泰平の時代を迎えていました。徳川治世は、平和を尊び、安定した社会づくりが行われ、学問も奨励され、多くの思想家が輩出されました。なかでも二宮尊徳は、第二次世界大戦後まで、経済界はもとより教育界に多大な影響を及ぼし、全国の小中校のほとんどに「像」が建てられていましたが、戦後のアメリカによる近代化教育によって、影響は希薄となりました。

日本の明治維新以後の近代化は「和魂洋才」という形をとり、近代科学の発展と技術進歩を、特に江戸期に育まれた精神や理念による経済思想・経営哲学によって受け入れ、近代化が推進されてきました。その代表的な人物が、渋沢栄一氏です。

江戸期に育まれた経済思想・経営哲学は戦後の日本的経営の礎となり、今もその系譜にある人々によって、新たな展開をしています。日本的経営は日本人以外には容易に完全理解できませんが、私は時間を要しますが、これからの社会での、経済思想と経営哲学の基軸となると理解します。

■生活者経済の途

師は、経済の主体は「生活者」としての人間として理解されています。非人間的・経済中心の人間観ではなく、生活者として総合的にとらえています。そして人の生命活動の原理・原則を「創造生活」と定義し説明しています。

①健康と心身の開発（生きる法則）

「WHO（世界保健機構）の定義によれば健康とは、『身体的、精神的、社会的』に完全に良好な状態をいう」

私は、健康な身体に健全な精神が宿るという理解はできますし、その努力はしていますが、自身が社会的に完全に良好な健康状態にあるのか疑問を持たざるを得ませんので反省し努力目標とします。

②家庭生活を基盤とする共同体社会（共同法則）

「共同社会の原型は家庭である。家庭に立脚しない資本の論理・利潤論理に立った金銭・物質中心の人間生活は欲望の論理と産業社会の病理を招いた。生活者としての生きがい、働きがいは健全な家庭生活からもたらされる。企業も社会もその生命の原点である家庭を基盤に置かなければならない」

私はこの法則の理解の欠落・無視が現在の経済社会での、問題の根因であると同時に社会に多くの病理を産み出し、人々の人生を狂わしていると理解します。

資本主義は、消費経済化・商品経済化・貨幣経済化によって、社会関係を毀損・破壊し続けている。1990年代以後の日本では家庭の存立基盤にまで影響を及ぼし、家庭を否定するまでに及び、供給者としての巨大組織と需要者としての孤立した個人とが直接対面する経済関係の社会にしてしまいました。

人が安心して安定的な生活をするためにはより多くの金銭を求め、多くの物に囲まれた生活を求める傾向となり、社会保障の劣化や格差社会化などの社会の加速度的変化に対応するために、自己防衛的に、また、個人主義から利己主義的な心意・行動となり、社会関係の劣化と人間の心意・行動の劣化との関係が悪循環化し社会全体の疲弊化が進展するなかで、金銭至上主義から守銭奴と化した人間まで産み出しています。

資本主義は、終焉から死の過程で、経済社会の疲弊化にとどまらず、全体社会、人間生活全体を疲弊化・劣化させている。それは限られた一部の人々の「強欲」に起因する。

現在の社会は、資本主義の利潤追求のための合目的な心意行動が肯定され、それ以外は否定化される傾向の社会となってしまった。その傾向は日本では未だ弱いが欧米諸国では強い。

そのため人は経済経営活動のなかに働きがいを見つけにくくなり、その他の世界に働きがいを見つけ、生きがいを求める傾向が日々強くなっている。

資本主義社会は、人の働きがい、生きがいの「場を限定化・縮小化」する社会としてしまった。人の働きがいは、身近な生活の場から社会空間領域を拡張するなかで、充実・向上されるものであるが、資本主義は社会を冷たい・空疎なものにしてしまったために、人間の働きがい・生きがいの場を喪失化させている。結果として、生きがいのない社会化となり、多くの自殺者を生み出す社会となっていると理解する。

働きがい・生きがいの少ない社会からいかにして脱却したらよいのか、それには、人間の存在の基盤であり、何人も否定することのない、生命の原点としての「家庭」を本来的にあるべき形・内容に修復し、家庭の充実化によって、生きがいと働きがいを開拓することが大切であり第一歩であると理解する。

③過去生命の継承と未来への永続（永続原則）

「家庭は、人間生命の生と死の場であり、人生の基盤である。家庭・コミュニティーの役割は、美しい生活原理と文化を、父母・祖父母・祖先から継承し、みずから育み未来に伝承していく。そうした生き方・働き方に立って人生価値、経済価値の創造を果たすことである。かくて、地域社会、企業、家庭に共通するコミュニティーは、3代同居と人間価値実現の生活原理である」と著している。

私自身高齢となり、師の示された上記の内容を心から受け止められるようになった。

生活の在り方・原理はもとより生活文化は家庭を通して受け継がれる。食生活においては、おふくろの味・家の味があり、その味が継承されている。歌舞伎に代表される伝統芸能や職人の技も、また、企業の経営も、家庭・家を通して継承されている。食文化伝統文化・伝統技術のみならず、教育や家訓を通して、精神性・心にまで及んでいる。

明治維新以来の近代化とりわけ第二次世界大戦以後のアメリカの占領化によって、また、最近のグローバリズムの展開によって、日本の「家」を基盤とするシステムが破壊し続けられてきた。日本の近代化の過程で海外から訪れた欧米の知識人によって、日本の伝統文化や生活様式を評価されてはいたものの、日本人自身が、家の制度を否定化し、欧米の文化や生活スタイルに染まっていった。しかし現在その潮流は変わった。

世界の人々の、近代社会の資本主義への疑念を持つ人々が日本を訪れて、日本に興味・関心を持つ人々が多くなり、日本社会の表層の理解から深層の理解にまで至り、日本人自身がそれに気づくに至った。

日本社会の本質は「家の制度」であり、それは近代以前の封建社会全体を通し変わっていない。その本源は「皇室制度」と言える。

日本は近代化によって破砕された社会関係をその社会の基盤である「家庭・家」の再生から修復していかなければならない。

④社会的貢献と健全な働き（働く法則）

「自己中心的な生き方から、身近な人の期待・願いを感得し、世の中の困った問題にとりくみ、悪いものをよくしていく社会貢献の働き」

私は、生まれた子は、本来自己中心的な存在であり、両親の愛情の下で養育され、両親と身近な祖父母や近親者のなかで優しく厳しく育まれ、学校教育によって成長し、身近な人々の期待や願いを受け止めるなかで自己を研鑽し、自律化し、自己中心的な存在としての人間から脱却し、人間性の向上を実現するなかで、主体的な存在としての社会人への道を歩み、働きがいを模索しながら生きがいを求めるのが人間の人生の歩み。と思っています。

しかし近代社会は、人間の存在の基盤であり、社会関係の基盤である「家庭」を毀損し続けています。最早修復の不可能なレベルに日々近づいていると思わざるを得ません。

⑤８種の人間関係

「以上を要約すると、人は８種の人間の中心にある。タテの均衡は生命の原点としての親・祖先、生命の延長としての子・孫との『信』によってなる。

ヨコの均衡は夫婦のむすび肉親きょうだいとの信、斜めのそれは文化を体系として伝える師と友の共生によってなるそうした人々で構成される。職場の人間関係は隣人地域社会への貢献でより高まる。かくて８種の人間関係のなかにある自己の使命を自覚した人の働きが福祉社会を実現するものとなる」

私は、以上著述した内容はいずれの社会・体制でも普遍的であると理解し、次なる社会での在るべき人と社会の関係の中核的・基本的理解になると確信しています。

■人間は生命体として活動する者＝生活者である

「不確実性の学問領域と学際領域」の章に以下の理解が著されています。

「現在の社会事情が生起する上で『因果律』（原因があって生起し、原因がなくては何ものも生じないこと）、『必然性』（結果について、偶然に起きたということが客観的に存在しないということ）が高次の確率で起こることを論証することに努力している。しかし因果律と不連続性、確率論と不確実性、必然性と偶然性がおのおの反対語であるとすれば、今日、経済学、経営学、会計学の進歩をもってしても、現代の社会事情が生起する上での因果律、必然性を確率論的に論証することができないことが増える一方だ。そこには、常に偶然性、

図表10　８種の人間関係と心理行動

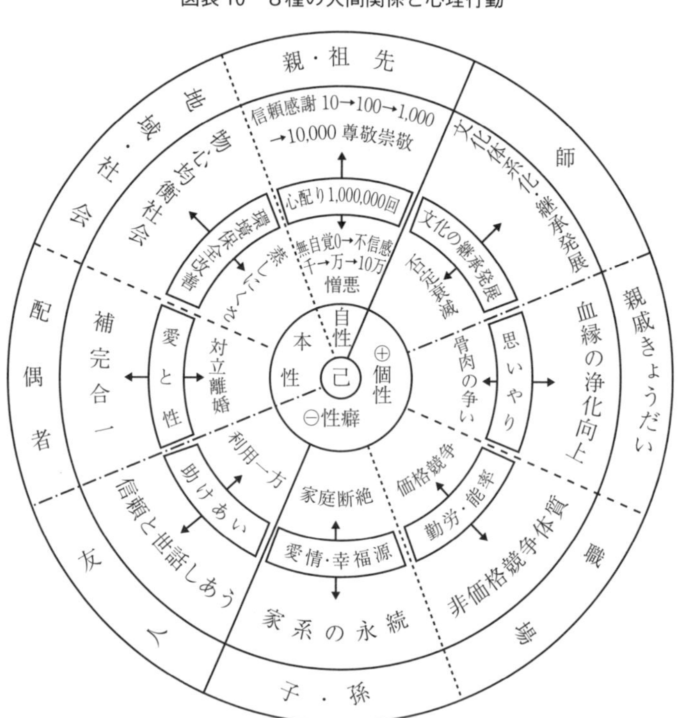

『創造経営経済学』薄衣佐吉著（白桃書房刊）より転載

不連続性、不確実性がつきまとう。

アダム・スミスがいった“神の見えざる手”、バーナード（経営学の人間関係論の大家）をしてそれが“信念”の問題であり、哲学と宗教の問題であり、科学では語りえないとした“人間の道徳的創造性”を、神の問題でも哲学や宗教の問題でもなく、科学で解明しなければならない問題として法則化しない限り偶然性、不連続性、不確実性は永久に解決しえない。そのためには、あらゆる行為の主体である人間そのものを見直す必要がある。経済人でもなく、社会人でもなく、経営人でもない、新しい人間観を見いださねばならない。それは、われわれ人間が経済人や経営人である前に、“生命体として活動する者＝生活者”であることに立脚したものでなくてはならない」としている。

■精神文化の確執と決定的な異質文化

「軍事・政治と経済の課題は、それを支える精神文化との関係で考える必要がある」としている。

人類文化の現在までの発展の主役は、物質中心の近代合理主義であり、キリスト教文化である。しかし人類の歴史を遡（さかのぼ）る時、それは遊牧系の民族の文化であり宗教である。

精神文化の中心である宗教についてみる時、①父権的・遊牧的・上天神信仰圏と②母権的・農耕的・大地母神圏、が対照的に浮き上がってくる。

第一の類型は、ユダヤ教・キリスト教・イスラム教のグループである。文化史的には父権的・遊牧的・上天神信仰圏である。特徴は①唯一超越神、②創造された宇宙、③不寛容と非妥協、④男性原理、⑤天の思想、⑥宇宙の有限性、⑦宇宙の合理性、であり、これに対し、第二の類型は、母権的・農耕的・大地母神的信仰圏にある、ヒンドゥー教・仏教・道教であり、第一のカテゴリーとは対照的である。①所与の存在としての宇宙、②宇宙のなかの神々、③寛容と融和性、④女性原理、⑤大地の思想、⑥限定されない宇宙、⑦宇宙の超合理性。

第一のユダヤ教・キリスト教・イスラム教のグループが血なまぐさい対立抗争をくり返し、いま現在においても異教の存在を許容しない不寛容と異教に対する激しい憎しみの正当化のもとに紛争を起こしている。このような人類の危機に果たして仏教やヒンドゥー教が救えるのであろうか、逆に世界は再び激烈な宗教戦争に突入している。むしろ宗教戦争・イデオロギー戦争に勝ち残れないものは国家や民族として独自性や文化さえも失うという危機に直面していると見るべきである。

闘争は武力や政治力よりもその根底にある精神文化、宗教上の確執にある。それぞれの民族の文化的歴史に根ざすものである。

以上人類の直面する課題は、軍事、政治、経済さらに精神文化まで及ぶ対立・紛争の危機であり、これを解決していく人類が共存共栄していく具体的方策とそれを担う人間のあり方が問われている」と著しています。

師は50年以前に、人類社会の危機的状況を示され、人類社会全体の、決定的な異質文化の下での確執（自分の意見を固くして譲らないこと）による対立と抗争の現実社会を憂い、人類の救済のための研究とその途を示され、その普及と実践に尽力されていました。多くの人材を養成し、平成16年（2004年）10月に永眠されましたが、逝去される前は、人類の救済を祈る日々が続いたと聞き及びます。

師は人類の確執を超えた、人類の精神文化を超えた、人類の異質文化を超えた、次なる社会への指針を示されています。

■共通の課題の発見――人のよりよき生活法とその生活学

「人類の歴史は、闘争の歴史でありしかも物質文明の歴史である」という、アーノルド・トインビーの指摘は欧米文明の歴史観としては正鵠を射ている。

「さらに人間の進歩は、外面的なものでもなく内面的であり、物質的なものでもなく、精神的なものである。しかも社会と個人、各個人の関係について社会は単なる個人の集合体としてではなく、個人間の諸種の相互関係の統一した組織体とみるべきであり、人間は人間相互に作用することなくしては人間たりえないものである。そして行動の『源泉』は社会の構成員の1分子たる個人にあり、すべての成長・発展は創造的な個人あるいは家庭（個人の少数の集団）から生起する」というトインビーの指摘を受け、師は以下に答えている。

「人類の直面する問題解決の鍵をまず個人の属する家庭に求める必要があろう。人類の200万年にわたる歴史を創造し発展せしめた原動力は『家族』である。しかも家族を構成する“人間”は自然生態系の一環として存在するとともに、同時に家族とともに生きるという人間性により生命活動の主体者となりえた。

人間は個としてではなく、人間相互の関係（『二』の相互関係）として存在しえたし、そのような人間理解こそ問題の前提となろう。

人類の発生初期における採取狩猟民、それに続く定着農耕民も交換や収奪でなく、『贈与』によって厳しい経済環境を生き延び文化を形成してきた。家族が生きていくためには、力による収奪や交換だけではとても生きてはいけない。子孫や弱者に対する一方的な贈与、未来や他に対する『譲』が人類の永続と文化を創造してきたのである。
生活者による生活のための文化、とくに精神文化の創造にわれわれ人類は迫られているのである」

■人間性に立つ人類の永続法——自然律・生活律・自律

「人類の真の幸福、福祉を実現する社会とは、
①自然生態にそった自然創造力を生かすもの＝自然律
②生命活動の高まりとしての生活を創造するもの＝生活律
③自他ともに高め合う創造力・人間性にたつもの＝自律

自然律とは、大自然の秩序と自然の本能的能力の調和したものが自然律。自然律には、集団本能、種族保存本能、個体維持本能がある。
生活律とは、人類の文化を継承し発展させる原動力は民族や氏族を構成する家族であり代々の親子、夫婦による家庭の人間関係にある。親子、夫婦を貫いて過去・現在・未来へとダイナミックに連続する生命力とは愛と性である。
自律とは、責めあい、闘争を否定し、個人と家、全体社会が補完・融合しあい、信頼と敬愛に包まれて、自然に調和・均衡する人間性のあり方が自律である。

人類が直面する困難を克服し、未来を切り開く土台は、家庭永続繁栄にあり、自然生態にそった生き方、相互の補完・

合一を通じて創造していく生活と、主体的な人間性に立った働き方の形成にかかっていると言えよう」と著し、偶然性・不連続性・不確実が多く生じている不確実性の時代にあっては、企業経営を律する学として、経済学・経営学・会計学など一次元的なものを、複数の人を組織する学から学際的に統合すれば二次元経営の学が成立しよう。さらに社会学、心理学・文化人類学を統合すれば３次元経営ができよう。

「経済学・経営学や会計学は、貨幣的価値を土台に成立している。これに経営社会学や行動科学が哲学的価値体系としても、さらに４次元の学として、①自然生態学、②生命生態学、③人間性科学が明らかにされ、これにもとづいた哲学的価値体系が、次のようにシステム化されなければならない。

すなわち、ものごとを“関係”的にとらえる『システム的全体観と価値観』と『祭祀法』（形而上学的存在を形而下的人間行動として統合させる法）」としている。

師は、人類社会という視座で、異質文化を超え、確執のない社会への在り方を示されましたが、第一のカテゴリーに属する方からは明確な指針は出されていませんし、第二のカテゴリーに属する方からもそれはありません。師は40～50年前にそれを示されていました。私の理解は、師の理解にはるかに及びませんが、それに挑戦を試みました。

師の理解は、会計学的理解が基本にありますので、一般の方々には理解しにくい点もありますが、極めて深い・人間と社会の関係の根源の理解、また、人類社会全体の普遍的理解が示されていますので、御購読をお勧めします。

以下にお示しします図表は師の著作内の一部ですが、それぞれの図表に、人間と社会、また、企業のそれぞれの在り方が書き込まれており、現在の世でも未来の世にも通じる普遍性・普遍的価値観が書き込まれています。これからの次なる社会は、一つの地球人類定常型社会へ進展しますので、物理的拡大・成長が全体として望めない時代となります。そのなかで創造的に・躍動的に、前向きに生きていくことが運命づけられています。

人は生まれ、育ちも、生きる環境・条件も異なり、個々人の能力も生き方も異なりますが、この図表を参考にしながら、働き・人生の充実を実現してください。人類永遠のテーマへの道を示してくれています。

図表11　人の営みと働き方

3大区分	不合理	合理的	超合理的
生まれ生きること	1 生むことは嫌だ 2 育てることは嫌だ 3 生きていることが辛い	1 計画的に生む 2 計画的に育てる 3 計画どおりに生きていく	1 自然のとおりに生む 2 愛情に満ちて育てる 3 歓喜の人生
食うこと	1 食うにもこと欠く 2 食事の好き嫌いが激しい 3 食事の団欒がない	1 食うにはこと欠かない 2 偏食しない 3 家族団欒の食事	1 喜びと経済に恵まれる 2 いっさい好き嫌いしない 3 感謝と団欒の食事
働くこと	1 怠けたい。身体が悪い 2 働きたいが、働かされない 3 働いても喜ばれない	1 キチンと働く 2 考えどおりに働く 3 働いた成果はえられる	1 喜んで進んで働く 2 信頼、尊敬に満ちて働く 3 地位と名誉に恵まれる

『創造経営経済学』薄衣佐吉著（白桃書房刊）より転載

図表12　親子・夫婦の対立

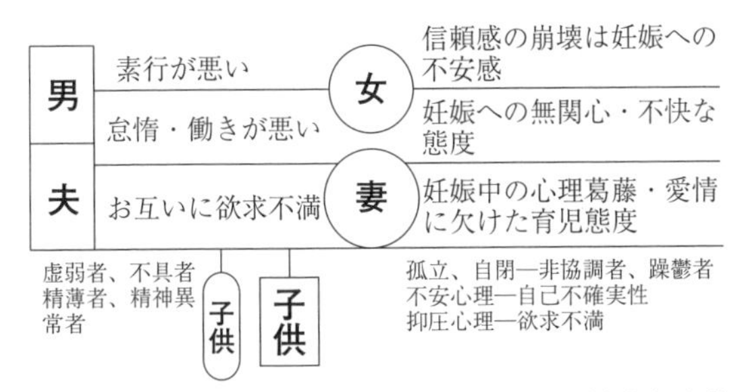

『創造経営経済学』薄衣佐吉著（白桃書房刊）より転載

図表13　職場と家庭の人格・能力

	不信・反発・憎悪	無理解	信頼・尊敬
㊤職場	1．①の人格能力の低い人は②の知識技能力が高くても個人としての自己実現に止まり、組織を通じて職場の向上に役立てていない。①を高めることが組織効率を高める。	2．人格能力の低い人は②の肉体的能力にも故障が起きがちであり、①と②は表裏の関係にある。	3．人格能力の原点は、父と母の愛と性の歴史にふれることであり、これを継承発展させるところに企業の（個人）成長向上がある。
㊦家庭	不信、反発、憎悪の夫婦仲に生まれ育った人は、思いやりに乏しく自己中心になりやすい。 持っている能力が十分発揮されず孤立しやすい。	父親不信を母からうえつけられて育った人は、上役に反抗し職場規律を乱す。 また母親不信の念の強い人は他人と協調しない。	理解し合い、信頼、尊敬の念を深めあっている夫婦仲に生まれ育った人は、秩序を守り全体を向上させる力を持っている。

『創造経営経済学』薄衣佐吉著（白桃書房刊）より転載

図表 14　遊働分岐点

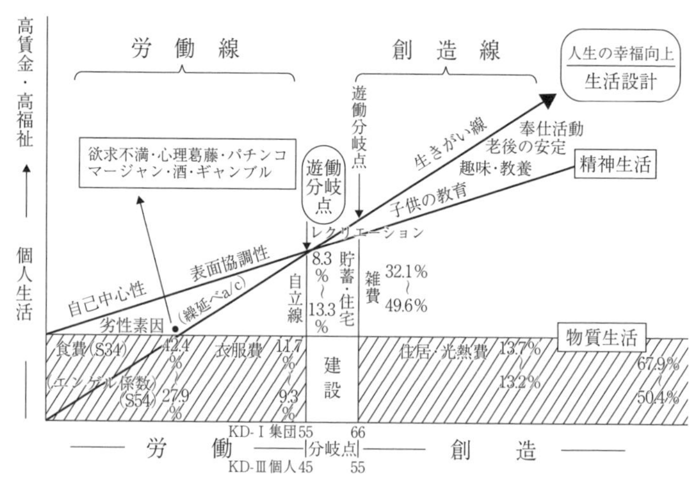

『創造経営経済学』薄衣佐吉著（白桃書房刊）より転載

図表 15

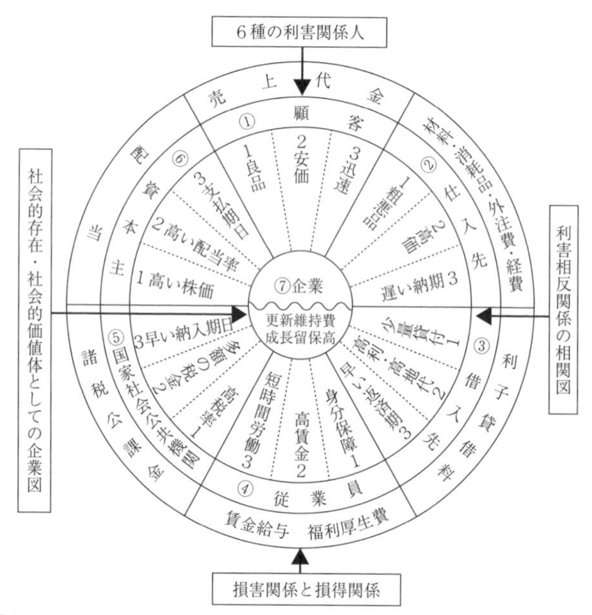

『喜働経営学入門　日本的経営と人間革新』薄衣佐吉著（白桃書房刊）より転載

図表16　個我から大我への人間性完成の７段階

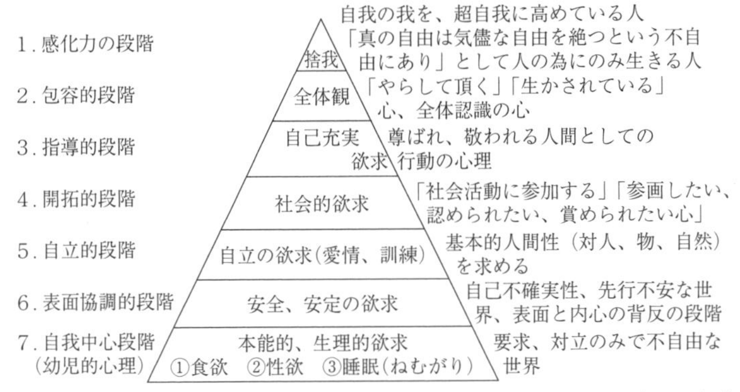

『喜働経営学入門　日本的経営と人間革新』薄衣佐吉著（白桃書房刊）より転載

図表17　人間性＝自律性の段階

個性	人格能力		家庭・家系	
超自律	感化力		積徳・積善＋数代に及ぶ　＋ 宗教的環境、祖先を尊ぶ家風	積徳 ↑
超自律	包容力		自己利益より全体社会の利益 善根を積んだ積徳の家系の人	
自律	指導力		長所をみ、讃える敬愛の家風 集団を目標通りに行動させる力	
自律	開拓力		相手との関係重視、夫婦愛和 悪いものを良くする心意行為	
自立	自立性 ルネッサンス以降 近代文明の基礎		自然な本能・生理　１．集団本能 ２．個体維持本能①睡眠②飲食 ③闘争本能 ３．種族保存本能 ⑴性と愛 ⑵保育①父性愛②母性愛	
非自律	表面協調性		厳しすぎ抑えつけ、愛の本質に欠ける 相手より自分の立場重視	
非自律	自己中心性	個別対立	幼児的心理の持主 依存欲求、責め合い	
非自律	自己中心性	非協調	愛の段階が自己愛に止まる 孤立・分裂の歴史	
非自律	自己中心性	対立闘争	難病・変死・自殺 離婚・破産・絶家	↓ 積悪

『創造経営経済学』薄衣佐吉著（白桃書房刊）より転載

第 13 章　未来社会の原型としての江戸（天下泰平）の時代

何故、封建社会の江戸時代が未来社会の原型であるのか、ほとんどの人が疑問を持たれると思われますので、その疑問にお答えします。

私は数年前までは江戸時代のことについては、ほとんど理解していませんでした。幕末・明治維新の頃からの時代、つまり近代化については関心がありましたが、江戸時代については表面的に理解しているだけでした。

しかし、5 代将軍徳川綱吉が公布した「生類憐れみの令」が一般的理解と違うのではないかと疑問をもち、江戸時代に関心を持つようになりました。また、同時に海外からの観光客が増えるなかで京都以上に関心が持たれ、江戸の文化・芸術が高く評価されていることを知り、江戸時代に強く引かれるようになり、これからのあるべき未来社会に相似・共通する側面があると理解するようになり、徳川時代そのものが未来社会を構想化・構築化するうえで大きなヒントを与えているとの理解で以下を著述します。

■江戸初期の世界の状況

西暦 1500 年代（16 世紀）まで世界は封建社会の様相にありました。日本に於いては室町・安土桃山時代、中国においては明の時代、インドにおいてはムガール帝国の時代、中東においてはオスマントルコ帝国、中北アメリカではアステカ王国、南米ではインカ帝国の時代でした。

当時ヨーロッパ大陸ではポルトガル王国、スペイン王国、フランス王国、イングランド王国といった多数の皇帝・国王を頂点とする封建社会レベルにあり領土面積の拡・狭の差こそあれ、その社会・経済の体制・体質は変わりませんでした。

当時西欧の王国は荘園をめぐり権力の体制が、イタリア戦争を契機に国王の権力を中心とする主権国家体制化し、地中海経由の東方交易によって富を得て貯えていた状況にありましたが、欧州の東方にオスマン帝国が台頭し東方貿易が断たれる状況に至って大西洋に目を向け、新交易航路の開拓、新大陸の発見により西欧諸国に重商主義が生まれた頃でした。

日本国は1500年代には石見銀山などで産出された銀によって銀不足に悩む中国と、生糸・絹織物・鉄砲・火薬・陶磁器などを中心として鹿児島・島津氏、府内（大分）・大友氏、平戸・松浦氏による九州諸港での南蛮貿易や倭寇（わこう）という密貿易によって富を得、経済力が充実していました。

また、1543年ポルトガル人の種子島漂着によって鉄砲が伝来した後、優れた鉄の加工技術を持つ刀鍛冶が鉄砲鍛冶化し鉄砲の大量生産を実現し織田信長に代表される西欧列強に比しても劣らない軍事力の強化がされていました。

1549年ポルトガル王から派遣されたフランシスコ・ザビエルが日本に上陸し日本の植民地化を狙っていましたが、宣教師達の情報報告により軍事的に支配することは困難としあきらめるに至ったと推察できます。

■戦乱のない平和な安定した社会づくり
——徳川一族の思い・祈願

徳川家康は1593年に豊臣秀吉によって関東に移封され、1603年に江戸に徳川幕府を成立させました。

徳川家康は1467年の応仁の乱に端を発した戦乱の時代に終止符を打たせ、家康の苦労から得た思い・祈願である「戦乱のない平和で安定した社会づくり」を引き継ぐ徳川一族によって新たな社会づくりが始められました。

西暦1600年頃の権力者の「思い・祈願」が、西欧諸国による資本主義を基調とする近代化に進み「物質そしてお金」中心の経済中心の社会をつくり、一方徳川幕府は他国の侵入を防ぎやすい地形や当時の国際情勢に恵まれていたことや、他国に依存しない条件をもち多国に対峙できる軍事力があるという条件が備わっていたため、1639年に国を閉鎖化する3代家光が「出国禁止令」を発し、今で言えば恒常的な状況の定常型社会をつくり、家康の思いを実現する方向で安定的で継続性のある社会づくりをスタートさせ、倫理性・道徳性、また、精神性の高い人間・社会をつくり世界に通じ、超える独特の文化と自然に抵抗しない協調・調和する社会・経済システムをつくり、江戸の町人達に「宵越しの金はもたねぇー金は天下の回りものよー」と粋がらせた安定した安心の社会づくりが始められたと私は理解します。

■強権によるパラダイムシフトの始まり

西欧諸国と日本とでは同じ封建社会の末期にまさに正反対

の対照的な社会づくりを始めたと思います。日本はその後明治維新までの約260年間実質的には170年間争乱のない社会を実現し江戸時代に培った「人間力」で明治維新以後、西欧諸国を追随し経済発展し実質的には西暦2000年には西欧諸国を追い越しました。

しかし資本主義による近代化による社会発展は約400年後に至り欧・米諸国に日本を含め全世界・人類全体が混乱と昏迷の暗闇の、閉ざされた社会に立たされています。江戸天下泰平の時代は未来社会の実現に多大な知恵を与えてくれます。これから求められるパラダイムの転換は時の徳川幕府の強権によって行われましたが、これからは民主主義の再構築のなかで実行することの違いはあるものの、基本的に通ずることが多いと思われ、これからの社会制度づくりにも多くのヒントを与えてくれます。

■鎖国ではなく出国禁止令・4ヶ所で貿易管理

徳川幕府は1603年江戸に開幕した後、1614年の大阪冬の陣1615年夏の陣を経て、1637年「島原の乱」によって170年間の争乱の時代を3代家光が終止符を打たせ、その後安定した社会つくりが始まり、国内的には1837年の「大塩平八郎の乱」対外的には1853年の米の「ペリーの浦賀来航」まで約200年間「天下泰平の時代」が続き歴史的にも世界に類例のみない安定した時代が続きました。

一般的な理解では江戸幕府は「鎖国」をしたとされていますが、実際的には「出国を禁じた御禁制」でしかありません。

幕府は全国に4ヶ所の対外交易窓口を設け、それぞれに役割・任務を与えて「貿易管理」を実行しました。国を完全に閉ざしたわけではありません。4ヶ所の対外交易窓口は以下の通りです。

①松前口——北海道の渡島（おしま）半島に勢力を持っていた松前氏（前は蠣崎（かきざき）氏）に当時、本州北端から北海道樺太千島・カムチャッカ半島南端の広域に集団居住していたアイヌ社会との交易独占権を与えました。松前氏はアイヌ側から得た産物を松前・江差・箱館の三港に運び本州（和人）の商人に売り収入を得る他、和人から三港の入港税をとり藩の財源としました。

②対馬口——家康は中国が明から清への交代期で朝鮮半島の混乱を心配し、朝鮮半島との関係を修復し通商の再開をするため、対馬の宗氏にその任に当たらせました。宗氏は1万2000石に満たない知行であったため朝鮮半島との交易を行い、交易による利益を得、藩政に充てました。それは韓国の釜山近くに約1万坪とも言われる規模の大きな倭館（草梁倭館）などを拠点として行われました。

ちなみに江戸期に於ける朝鮮半島との交流では朝鮮使節は12回にも及ぶなど日韓関係を良好化し安定化させました。

③薩摩・琉球口——当時中国大陸での明・清交代の戦乱は琉球王国に強く影響していました。薩摩は1609年に島津家久の軍によって琉球王国を征服し、幕府は中山王府の尚氏に8万9千石の石高を与え、琉球を幕府と薩摩の二元支配によって中国本土との朝貢（ちょうこう）外交を行い、朝貢貿易で得た商品、琉球産の黒砂糖などを鹿児島にあった琉球館に運ばせ、幕府・薩摩の三元的外交を、琉球を通じ行っていました。

④長崎・出島口——当時の西欧の列強国は重商主義による日

本支配・征服を目論(もくろ)んでキリスト教宣教師を送り込み布教活動する他通商を要求していたが、豊臣秀吉の「伴天連(ばてれん)追放令」を幕府は継承し西欧列強国の活動を出島に封じ込めました。キリスト教の布教活動は広まり特に九州地方では影響が拡大し、1637年の島原の乱にも至る状況の下キリスト教を厳禁化しました。キリスト教の布教による影響を恐れる他、主に当時の九州地方の戦場における掠奪した人の売買、すなわち人身売買にイエズス会や南蛮船が深く関わっていたことに危惧し社会安定化のためキリスト教を禁止し出島を通し、スペイン・ポルトガル（スペインに併合される）の拠点である大陸のマカオを中心に間接的に交易を行い、世界の情報を得ていました。

4ヶ所の対外交易の窓口は、日本の安定には必要不可欠であり当時の地球はエントロピーが最大化していなかったと理解をすれば、サブシステムとしての日本を開放系にしなければ存立できないので、定常型の自給自足的社会の実現のための政策としては賢明であり、それを成立させた徳川政治は超一流でないかと理解できます。

以上は家康・秀忠・家光三代によって行われた他、国内の政治権力体制を強化した。

それは、徳川家を頂点に置く「幕藩体制という大名連合体制」です。

■徳川家を頂点に置く幕藩体制という大名連合体制

幕藩体制は大名連合体制であって中央集権体制ではなく、主従関係のない「大名」という権力を頂点とする「藩」が徳川中央政権とは別の連邦的組織体を構成しネットワーク的に中央と連繫していました。徳川家は絶対的立場を維持するために、多様な権力統治システムを構築しなければ優位性を保てなかったのです。そのため、藩を厳格に格付けし敵対的実力を持つ大藩を直接幕政に参加させず、石高（こくだか）は小さいが家格の上位にある藩に徳川中央政権の舵取りをさせ、敵対的力量のある大藩の軍事力を削る策を行いました。それは以下の政策です。

①参勤交代、②日光社参、③江戸における将軍宣下

幕藩体制という大名連合体制は中央の権力を集中することなく各藩に地域を分割統治化させるシステムであり、藩の統治の基本的在り方を示すことに限定し、地域分権化によるシステムに限りなく近い統治体制であり、国内を統一的に軍事的に統制するシステムではありません。3代家光の時代までは軍事的威圧の統制を行いましたが、その後長期にわたり直接的に軍事・武力行動はしていません。日光社参では日光東照宮への参拝を20万人以上で行い多数の藩に多額の費用を使わせ、儀礼的な軍事演習を行い、幕府は藩を儀式によって威圧し体制維持を図りました。

■4代家綱の治世

1637年島原の乱の後、3代家光は生前に「末後養子の令」（生前に養子を迎えることを認める）を発布しています。

3代家光が1651年に病死した後、4代に11歳の家綱（いえつな）が就きました。当初幼将軍のため集団指導体制をとり、家光の葬儀の後従来の慣例を排し、天皇の勅使を下向（京都から江

図表18　徳川幕藩体制

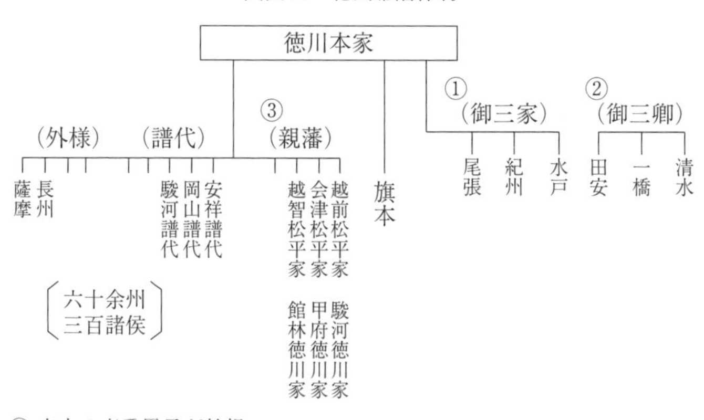

① 家康の直系男子が始祖
② 八代吉宗の家系が始祖
③ 一門のみ　それぞれ十万石　知行地が飛び地

戸）させて江戸城において将軍宣下（征夷大将軍としての任命のみことのり）を受けました。つまり天皇家に対し優位である立場を示しました。（これは実際には家綱が諸大名を率いて上洛する軍事指揮権を確立していなかったのだが）家光が1634年30万7千人の大軍勢を率いて入京して以来、1863年14代家茂が上洛するまで230年間将軍の上洛は行われなかったのです。つまり軍事力による権威づくりを止めたと言えます。そして後に「末期養子の禁止」（死去すると、お家断絶となり家の継承ができなくなる）を緩和し50歳未満の場合末期（死に際）に養子を入れることを認め大名家の存続を図ることを許した。これにより大名に安心感を与え幕藩体制の安定化が図られた。

4代家綱は「明暦の大火」の際には御三家と甲府・館林の屋敷を堀外に出し「広小路」と言われる道路を拡幅し延焼を

防止する対策や定火消（現在の消防署）制度をもうけ、本所回向院の建立などにより被災者の救済をするなどして人心の安定化を行いました。

家綱は23歳時から1663年日光社参を行い、統制を強めた後幕府による統制・管理の強化とそれによる人心の安定化のための諸施策を講じました。

①殉死の禁止——当時3代家光、伊達政宗、細川忠利など藩主の死去に伴い多くの殉死者が出ていました。殉死は封建武家社会の伝統的な事態でありましたが、これは不義（道に外れる）無益なことであると否定しました。

②寛文印知を行いました。——1664年家綱は領地判物・朱印状及び目録を一斉に、大名諸氏の約9割に対し公布しました。これにより徳川家と諸藩との主従関係をつくり、将軍による知行体系化を明示し権力体制を確立しました。つまり武力によらず主従関係を確立し幕藩体制を確立しました。また、天皇家・朝廷に対しても公家に対しても仏教諸寺院・神社神職・修験道・陰陽道などに対しても「印知」や「法度」によって、それぞれの役割を規定し、集団として組織化・序列化をし幕府の統制化とともにそれぞれの存在を否定せず、存立を保障する政策を行いました。

③官僚機構の整備——幕藩体制は現代では「立法・議会」にあたるが家綱は家光による老中を中心とした留守居・寺社奉行・町奉行・勘定奉行などによる官僚組織を中枢に置いてはいたが、それに加え老中の役割と若年寄の役割を規定し幕府職制が確立しました。つまり多様な価値観をもつ集団を統制化によってその存続を保障し社会を安定化した政策は、次代綱吉のパラダイムの転換政策の前提を整備したと考えられ

ます。

■5代綱吉の治世

4代家綱は1680年急死に際し弟の舘林藩主徳川綱吉(つなよし)を「末子養子」とし5代綱吉の世となりました。

5代綱吉は家綱死去後早々に政権を稼働させました。

①鳴物禁止令・普請停止令の発布――貴人の死去に際して一定期間、歌舞音曲や建物の普請を停止させて静かに全体が慎むことであり、停止期間が長いほど死者の権威は高いものと社会的には認識される。この時の鳴物停止は49日間、普請停止は21日間でありました。

②権力機構の再編――4代綱吉の治世までの官僚機構を綱吉は家臣団化し官僚組織の大刷新を行い、幕府の財政の担い手である幕領支配の代官たちの刷新も行いました。代官の服務規定七ケ条を発布し年貢米の出納(すいとう)状況を調査し不正代官の処分を厳正に実施しました。

■文武弓馬から文武忠孝の道へ――学問の奨励

以上は5代綱吉の初期の政策でしたが、これから価値観の転換・創出の施策となります。

①1683年代始めに「武家諸法度」の発布をしました。第一条「文武忠孝を励まし、礼儀を正すべきこと」としました。前代までは「文武弓馬の道、もっぱら相嗜むべきこと」であったものを改めました。

武士にとって第一に重要なことが「弓馬の道」にとってかわって「忠義と礼儀」となったのです。つまり武力の強化から主人に対して真心をもって仕える忠義、父祖（先）によく仕える「孝」合わせて「礼儀を正す」を命じています。過去戦乱の時代では軍事力の強化、軍事の備えが武士の第一義的な務めでしたがこれに加え、学問を学び礼儀を正せと命じていることは画期的なことであり、当時としては驚きであり当時武家・武士の在り方のみならず一般庶民の価値観をも変える施策でした。

この武家諸法度の一条は「学問や文化の重視」の社会への転換となり、武道とは対照的な儒学・仏教・神道や歌学、絵画などの学問と文化を重視する社会となり江戸時代の日本と他の世界との質的「差異・違い」の一つの発生要因となっています。

綱吉は儒学者である林信篤を初代大学頭（だいがくのかみ）に任命し幕府機構に制度化し湯島の聖堂の建立・昌平黌（こう）も生まれ、これを契機に「藩校」「郷校」や民間の「寺子屋」「私塾」も生まれ、教育レベルの向上にむかい、世界の当時としては類例をみない識字率で江戸住民は80%、地方を入れても男子45%というレベルに達していたと言われています。

②「かぶき者」の廃除・終焉の施策です。

1680年からかぶき者を検挙し町人の帯刀を禁止しました。「かぶき者」とは平和な社会秩序に抵抗していたずらに乱暴狼藉（ろうぜき）を行い、満たされぬ心情を社会にぶつけて解消した人達であり殺りくや残虐行為も時に行う人を指します。武家諸法度の変更つまり綱吉による価値観の転換の施策に対し抵抗する勢力が生まれ、それに対して力の弾圧を加え排除する政策であり旗本・御家人・牢人など多数おり幕府の中・外を問わず検挙し帯刀は一切禁止しました。

■生類憐れみの令と服忌令
——戦闘の時代に終止符・新たな価値観を創出

③ 1685年頃から「生類憐れみの令」を50回以上発布しました。犬に限らず獣・鳥類・魚類に至るまで、生き物全般の殺生を禁ずる令の総称であり、後世最も歪曲(わいきょく)され誤解された政策ですが、令の対象が「生き物」に限られていたのではなく、捨て子・捨て病人・行き倒れ人・道中旅行者の保護や社会的弱者も対象となっていました。これは慈悲の心をもって憐れみを持ち、情けの心を抱いて殺生を禁じ、生あるものを放つという仏教の放生(ほうじょう)の思想に基づくものであり“野犬”が捨て子を襲うような殺伐とした時代からの脱却でした。

綱吉の「生類憐れみの令」は人類発生より続いた生存のための自己保存の欲求の闘争社会を終止させた日本の歴史上画期的な施策と言えます。人間を含めた生き物の、社会の在り方をわかりやすく示し日本人・日本社会の人道主義の理解、倫理観、道徳観に強い影響を与え、その後の日本人の心底に最も影響し日本の生活文化にも定着し、日本人・日本社会の魅力に通じています。また、今後の社会展望をする上でも、最も需要な指摘をしています。

④ 1684年「服忌(ぶっき)令」が発布されています。一般的には知られていない政策ですが、生類憐れみの令と表裏一体となる

政策です。

「服忌」とは一般的には服（喪服を着る）と忌（けがれを忌む）、親族が死去した際、一定期間自宅に謹慎することです。これは、神祇道の死や血を排除する思想に基づいています。服忌令は近親者に死者が生じた場合、神事・慶事を行わず喪に服する服喪期間と近親者の死によって発生した自己の穢(けが)れがなくなるまで、自宅謹慎している忌引(きびき)の期間を細かく規定したものです。現在の喪中葉書や忌中札の張り出しなどもその習慣です。

父母が死去した際には忌が50日間、服が13ヶ月間と規定され、50日間の職務停止と13ヶ月間の慶び事を遠慮すべしとの規定です。この服忌の考え方は武家社会にはありませんでした。戦乱の時代には武士はこの価値観はありませんでした。つまり人命を大切にすることを習慣化することを命じたものです。

■天皇家との協調

⑤江戸期幕府と朝廷との関係は重要でした。綱吉の治世時に霊元(れいげん)天皇を中心として朝廷復古の動きがあり、綱吉（朝廷の封じ込め政策をあえてやめて）は朝廷復古を認め霊元天皇に至る約22年間行われていなかった天皇の即位の儀式である大嘗祭の再興を認め、幕府と朝廷の協調の体制を築き社会・政治の安定化を図った。この協調体制の構築によって明治維新時の大動乱化を防いだと理解できますし、明治維新時の西欧・米列強国の日本支配を防ぎ、明治の立憲君主制による政治体制を導いたとも理解できます。

■多くの改革

⑥1688年全国に「鉄砲改め」を命じ殺傷に使用することを禁じました。

⑦1697年国絵図（くにえず）・郷帳（こうちょう）の作成を命じました。

これにより国と国との境界を明確化し幕府に持ち込まれる国境争い、また、村の間の山林境界や入会権に係わる裁定基準としました。

⑧「宿駅（しゅくえき）」制の充実＝助郷制の廃止

全国の交通制度である宿駅における大量物資の扱いにおいて近くの村々から労働力を集め対応していた。それを廃止させ宿駅制を国家管理化しました。

以上綱吉の治世は順調に推移できたのですが、東大寺大仏殿の再建の他、日光東照宮・熱田神宮の修復などによる多額（70万両とも推計されている）の出費が幕政の財政を圧迫し貨幣改鋳を行い対応（柳沢吉保の下にいた萩原重秀による）したが、元禄地震・富士山噴火の自然災害の復興のため、幕府は全国に「諸国高役金（たかやくきん）」という多額の税を課し、綱吉政権後半には、政権の不当な行為も手伝って弱体化していきました。

5代綱吉は1709年に死去し6代家宣（いえのぶ）が継承しましたが、家宣は綱吉の葬儀前に生類憐れみの令の停止を命じ、新井白石を採用したが幕政は弱体化へ進度しました。6代家宣の治世は3年間、7代家継（いえつぐ）は三歳で将軍職に就き3年間の治世で幕政は一層弱体化しました。

■８代将軍吉宗による修復

1716年紀州藩の藩政改革で実績を上げていた徳川吉宗が第８代将軍に就き藩政改革を行いました。15代の徳川治世のなかで藩政改革を行ったのは吉宗だけです。

①紀州の大名家臣団を幕臣化し「御用取次」の役職を新設し、御用取次が紀州藩から移った「伊賀者」16名を用いて治世の実態調査を行い、御用取次と三奉行を中心とする官僚体制で改革にのぞみました。

②７代家継時に発せられた新井白石による儒教色の強い武家諸法度をやめ、５代綱吉の武家諸法度をそのまま復活し代始めの発布とした。

③新井白石の金・銀流出を抑止するための「正徳新令」と言われる貿易制限政策については継承し唐船（からぶね）の追放を行いました。

④当時（元禄時）の国絵図・郷帳の徴収を命じ、全国の戸口調査・面接調査を行い幕府の立場を示しました。

⑤国役普請令を発した。工事を町人請負に変更し、町人が工事人夫を集め工事を行い費用は国役金で周辺農民に負担させる方式に変更しました。

⑥新田開発令を発布し開発した新田は幕府領としました。

⑦財政再構築の支出削減案として「相対済し令（あいたいすまし）」（賃貸訴訟を評定所では受け付けず当事者で解決する）や「足立（あしだか）の制」（役人が職を辞した以後、禄高を除いて役職手当は払わない）。

収入増策としては「上米の制」（石高の一定割合を米で納めさせる）を行いました。また、飯沼武蔵野見沼代用水紫雲（しうん）

寺潟といった「新田開発」を行い要領地とし約50万石以上の増収を得た。また、年貢の増加徴集策も行いました。

⑧日光社参、1728年幕府の財政再建の見通しが立ったとの判断で65年ぶりの日光社参を行いました。

⑨1737年には尾張藩主徳川宗春をその行状を知り譴貢（きびしくとがめること）処分を行うなどして吉宗は幕府の権威をとり戻す策を講じました。

他に諸策を講じ5代綱吉の治世への回帰などを中心として改革を実行したが、9代以後には特段の幕政の改革は行われていません。

徳川治世は4代・5代、特に5代綱吉によって確立し、8代吉宗の改革によって幕政の箍が締め固められた。これによって家康の平和で安定した社会への思い・祈願が実現化しました。

家康の戦乱の世を終わらせ新たな平和で安定化した社会というコンセプト（全体を貫く統一的視点や考え方）を貫く努力が代々実行されてはきたが、6代家宣が生類憐れみの令を停止し、7代家継治世で新井白石らによって武家諸法度が儒教色の強い表現に書き換えることなどにより一時後退ぎみ推移しましたが、8代吉宗の治世で修復され明治維新の前の1853年ペリーの浦賀来航に至るまで所謂天下泰平の時代が続いたのです。この4代・5代によるパラダイムシフトによる新たな社会つくり、また、8代の修復に学ぶことは非常に多いと思われます。

新たな時代新たな社会を創る主要な価値観は堅持しなければならないこと、そのためにも普遍的価値観の探究とその合意形成を十分に行い、堅固たる普遍性に通ずる制度設計を行うことであり、江戸時代は徳川幕府の強力な政治権力の下で「パラダイムの転換と新たな制度設計」が行われました。しかしこれらの時代では「民主主義の成長のプロセスのなか」でそれを実現しなければなりません。強権でのそれは短期間で実現可能だが強権の弱体化がそれを拒む。しかしこれからの時代では大多数の民衆の民主的な力によってそれを実現することであり長い期間をかけて丁寧に進展させれば後戻りする確率も少なくできます。

■徳川の治世は武力から知性への転換

徳川の治世は「武力から知性」への転換であり、これからの時代は「資本・お金の力から知恵」への転換である。

近代化は「武力から資本・お金」への転換であり、日本の歴史は「武力から知性そして資本・お金」への転換であって、多少遠回りの感は否めないが、過去の歴史は否定できないが、これからの日本・また人類全体が江戸の時代を原型とする社会化に進展する可能性は大きいと理解できます。日本人には江戸時代に培われた体質が、しかも江戸の遺産を継承している。その意味でも日本人は近未来社会の入口の先頭にいると理解できます。

■徳川の遺した未来への遺産

以下徳川幕藩体制によって実現された「未来への遺産」の一部を著します。

まずインフラ整備からです。参勤交代の制度は幕府による藩の統制の手段でしたが、これによって陸上においては「五街道」の整備・「往還」の整備によって全国に交通ネットワークを再構築しており、それは現在の交通ネットワークの原形であり、江戸期以後バイパスや高速道路が追加され、現在の鉄道網もそれに準じて建設されています。

家康は街道に宿場を定め「伝馬定書（でんまさだめがき）」を各宿場に交付し36頭の馬を常備させ人足も100人用意することを義務づけました。

また、宿場には継飛脚・大名飛脚・町飛脚などを置き、流通と通信のネットワークを構築し宿場町には現在に言う旅館や多くのサービス業者が存在し、旅人などへサービスを提供し要所には関所が設けられていましたが「入り鉄砲に出女」と言われるチェック体制は近江から越後の範囲の57ヶ所に限られ、実質自由に往来できたと言われています。「出女」は人口減少を防ぐためチェックし、「入女」は人口増加になるのでチェックなしの各藩の人口管理のためと言われています。

大量の積荷輸送は海上の舟輸送であり、全国と江戸・大阪とをむすぶ二つの海路によって行われていました。太平洋沿岸を通り大阪と江戸を結ぶ「東廻り航路」、瀬戸内海を通り日本海側の北陸、酒田から松前に至る「西廻り航路」です。海上航路輸送は菱垣（ひがき）廻船・樽廻船、また、北前船などによって行われ、商人達は多額の利益を得られ商業の発展に寄与し、日本の物流ネットワークの主流であり、米・酒・塩などあらゆる物産を輸送していましたが、海路に難所があったため、大阪は「天下の台所」と言われるように、日本経済の中心でした。また、「川」での舟輸送もあり、内陸と海岸域とがネットワークで結ばれていました。
平和の持続や庶民生活の向上もあって、旅を楽しむことが多くなり、旅の障害をなくすることもなされ、街道・宿場は整備されガイドブックも出回り、著名な観光地に専業ガイドもあり、女の一人旅もできる状況で、伊勢神宮、金刀毘羅大権参詣の旅といった形での観光旅行をしていました。当初は商人から一般庶民・農民に至るまで旅を楽しんでいた模様です。今より300年前に女一人で長旅のできる国は世界中どこにもなかったのではないかと思われます。幕府は生類憐れみの令によって「旅の行き倒れを許さない」制度をつくり、旅の安全を保障していたからです。
家康は1593年関東に入封し江戸に都市づくりを始めました。江戸は関東の洪積扇状地の末端の海岸に位置する場所です。このため良質の飲料水を得るには、江戸の西方から水を引き込むしかなかったのです。当初、東京武蔵野井之頭池近くから水路をつくり飲料水を得たのが「神田上水」であり、玉川上水、青山上水、三田上水、千川上水を開削し、江戸場内と百万都市江戸市街に飲料水を供給しています。上水の水質を守るため厳格な取締りをし水の汚染を防止していました。
また、下水については、汲み取り式便所の糞尿を肥桶に入れ、それを担いだ男たちが近郊農村に運び、それを百姓（農民）が肥料として買い取り、百姓の収穫した農産物を江戸で売るという（今までにない）循環システムをつくり糞尿を処理していました。江戸市中を肥桶をかつぎ走り回っていたのです。それを商売にしている業者が多数いました。都市と近郊農村との間で回収・利用する産業による循環システムが成立し清潔な都市づくりが行われていました。当時のヨーロッパでは馬の糞を肥料にし人糞をゴミ捨場に捨てて処理し、時には窓から外に投げすてるという行為で処理していました。ですからヨーロッパの都市は非衛生で不潔な状況でした。

江戸の糞尿処理は町の住人と農民とが互いに消費者であり生産者であるという、極めて合理的補完関係で成立していました。

これはあまり知られていないことですが、自給自足的で省資源のリサイクルシステムが人力をもとに実現していました。

また、幕府が「諸国山川掟（さんせんおきて）」を1666年に発布し、樹木の抜根を禁止し、苗木の植林を命じる。自然保護・環境保全策を実行していました。当時は人口の増加や経済の発展よりエネルギー需要が拡大していましたが、森林伐採などにより自然破壊が進展している時期に先進的な施策を講じ、その領域を畿内から新田開発地・河川改修地へと広げていた時代ですので全国にその意識は拡張し浸透していきます。

1600年代に幕政は現在の近代社会の環境問題を先取りした政策を実行しています。

しかし日本は戦後の経済成長の途上で近代化によって環境破壊を行い、未だ環境意識は低レベルです。

これからの未来社会は地球という領土的空間が拡張しない定常系社会にならざるを得ません。徳川幕政は350年前に時代の先取りをし、自然環境対策を実行していました。幕政は民間の請負制度を充実しています。

河川などの土木工事については町人の労働によって行い、かかった費用は幕府大名などが負担する請負制度を多方面に展開し充実させています。

大名火消・定火消、加え町火消、飛脚仲間・上水組合・ご

み取り請負等々と充実化し現代的には工事など請負企業・産業を育成し、経済の拡大・成長と都市住民へのサービス化に適合する体制づくりを行っています。

さまざまな民衆文化・芸能が江戸期に生まれ現在に続いています。代表的には、浄瑠璃興行・歌舞伎興行・相撲興行があげられます。それらは江戸・京都・大阪など都市の商人達によって支えられ、文学者が絵師なども多く、地方の有力者達に支えられ成長し花開いた時代であり、浮世絵は海外の絵画にも強い影響を与えています。

当時の西欧諸国などの華麗・壮大さを求める文化と異なる日本独自の文化が生まれ充実化した民衆文化の時代でした。

■江戸時代が生んだ思想家たち

この江戸時代には多様な思想家が輩出されています。

代表的な思想家を列記します。

- ・中江藤樹……自己中心性の克服
- ・山崎闇斎……「敬」による心の覚醒
- ・熊沢蕃山……経世論の創始者
- ・伊藤仁斎……「論語」「孟子」に帰る
- ・荻生徂徠……激訓読批判・古文字学
- ・貝原益軒……養生訓
- ・宮崎安貞……農業全書
- ・新井白石……歴史に対して人間の責任を求める
- ・石田梅岩……上層農民の思想
- ・安藤昌益……聖人批判、自然の五倫
- ・二宮尊徳……天道と推譲の道

・本居宣長……国学の大成、理知を超えるもの
・平田篤胤（あつたね）……神学、やまと魂、もののあわれ、皇国の優越
・佐藤一斉と門人たち、渡辺崋山、佐久間象山、西郷隆盛、横井小楠、吉田松陰

科学的理解者として、
・杉田玄白……解体新書
・富永仲基……加上（こうご）説
・三浦梅園……方法論
・司馬江漢……平等
・平賀源内……蘭学者、科学者、戯作者等
・山片蟠桃……霊魂の存在
等々。
国益の追求論者として、
・海保青陵……売買は天理
・本田利明……カムチャッカ国家建設
・佐藤信淵（のぶひろ）……中国・朝鮮の支配構想

また、多くの「民衆宗教」も生まれています。
・おかげまいり……四国八十八ヶ所　秩父三十三ヶ所　伊勢神宮
・如来教
・天理教
・金光教
・富士講　など

江戸時代はさまざまな思想家達を輩出し、世俗的な民衆宗

教も生まれ、明治期・大正期・昭和期・平成期そして現在に至るも多大な影響を与え続け、日本人の心意行動を規定し日本の文化・伝統を育み、日本人独特の価値観が醸成され、それが日本人に一体感を持たせ、日本人意識を生み出しているのです。

実に江戸時代は歴史上、特異で不思議な時代であったと理解できます。

■江戸が投影されている日本

4代家綱（いえつな）の政策は、先代の家光までは武方（軍事方）の行使と、その威嚇（いかく）による政治でしたが、それを大きく転換しました。

武威によらずキリスト教以外の宗教・社団や天皇・朝廷にまでも、その役割・機能の強化を求め「融和・協調」の下で幕府の統制を強化しました。現在的には法律・制度を整備して対立的社会状況を解消化する政策を行ったと理解できます。

第5代綱吉はパラダイムシフトを図る政策を行い、国内のネットワークを整備し「持続可能で安定的な社会」づくりを行いました。

日本の人口は1603年開幕時1200万人から1800万人ぐらいと推測されています。8代吉宗の時代1700年代初期で人口3000万人と言われています。この数値は吉宗による人口調査によるものであり、ほぼ正確と思われます。この1700年頃に人口調査が行われていた国が他国にあったでしょうか。同時代のどの国にもありません。幕末期で約3200万人と言われ元禄の世から150年間に200万人増の安定的な状態にありました。日本は災害の多い国で江戸期には全国で20回以上の大地震災害と多くの大火にみまわれています。こうした状況で安定した社会を築いていたのです。

これからの未来社会の原型として理解されてもよいと思われます。

日本社会を評価し日本人に期待し奪気を促す外国の人が多数います。海外の人々は現在の日本の姿を見て評価しているだけでなく過去の天下泰平の江戸時代が投影されている日本を見ているのです。日本のみならず、世界中が昏迷し暗闇のなかから日本人と日本社会を鮮明に透視しているので日本人に期待を寄せているのです。

第14章　パラダイムの転換へ

■300年間以上、収奪と戦争の時代

資本主義は、1770年頃のイギリスの「産業革命」によって確立し、約200年後、1970年代に、アメリカの産業資本主義の成熟化し日本においても1980年代に於いて成熟化し共に資本主義は終焉期に到達してしまった。産業資本主義は、物財・商品の供給によって、広く人類に、経済的豊かさを与えてくれたが、一方、資本の増殖という目的を持ち、商品・物財の供給によって、富の移転を行う民間の企業経営体が主導する経済経営システムであるが故、富の偏在や格差の拡大をもたらし、産業資本主義の前段である重商主義を含めると約300年間、人類社会を戦争の時代にしてしまいました。

産業資本主義は、人間の基本的欲求の充実の実現をもたらしてくれたが一方多くの飢餓に対面する人々を多数生み出し、置き去りにしてしまった。それは、産業革命の、アメリカ独立宣言やフランス革命の理念、自由・平等・博愛（友愛）という民主主義の精神に離反した状況をもたらしてしまいました。

資本主義は、ルネサンス・宗教改革によって生まれた、近代合理主義・個人主義それによって育まれた、科学の発展・技術の進歩を原動力にして、成長・発展した経済システムでありそれが1970年代の産業資本主義の終焉をもって終止符を打ち、基本的に修正すれば新たな人類社会への模索もできたが、産業資本主義で育まれた金融と技術が暴走をし始ま

した。

産業資本主義は地球上の領土的空間を拡張しながら成長し、拡張限界に達し終焉期を迎えた。

金融は産業と一体で成長してきたが産業を見放し、情報技術を利用した電子金融空間をつくり、時間空間から、個人はもとより全体産業から、金融サービスを通じて、富を収奪し続けている。

つづいて、科学の発展・技術の進歩による情報産業が台頭し、サイバー空間から、富の収奪を行い、産業資本期の自動化から発展したロボット化、AI 化によって、人間の働きの場を喪失させ、雇用の喪失をもたらしています。

近代の合理主義・個人主義による資本主義は、その成長の過程で人間社会を分断し家庭を崩壊させ、人間と資本・国家が対峙する単純な社会関係をつくり出し、個人を弱体化し商品のサービスの提供を通じ、便益の観念を植えつけ、商品とお金の社会をつくり、かつては協調関係にあった国家を従属化し、強い資本と弱い個人の直接対面する社会とし国家は個人の保護・救済も行わず、資本の増殖を許容し続けている。

これが 1970 年代以後の、新自由主義・グローバル化という美名の下に行われた市場原理主義による弱肉強食の資本主義である。

資本主義は人間社会を分断しただけにとどまらない。資源を枯渇化し、自然や生態系を破壊し、温暖化をもたらし大災害を生み出し人間生活のあらゆる面から収奪を行い、人間生活を窮地に追い込んでいる。

産業資本の充実期は問題も多かったが、人間生活まで破壊されてはいなかった。少なくともそのレベルまで引き戻さなければならない。

■価値観の対立と利害の対立は表裏一体

近代の合理主義・個人主義は、1970年代以後劣化し続けている。合理主義・個人主義は、資本主義の暴走を許容し、制御できない価値観になってしまった。長年不安視されていた価値観を否定しなければ、人類の生存・人間の生活が成立しなくなったと言える。

人の価値観と利害の対立は表裏一体の関係コインの裏表の関係にあると言える。

近代の価値観は利害の対立をつくり資本主義を許容し続け、資本の暴力に正当性を与えてしまったのである。

これを許容した、合理主義・個人主義が見落としたものが、一つだけあった、それは多くの近代の大思想家達が気づかなかったことである。最近になって理解されてきた事実である。

■お金に利子がついていることが資本主義を成立させる

それは、封建社会の初めに生まれた「お金」に「利子」がついていることを見落とし理解しなかったことにある。

「お金」に「利子」がついていることが資本主義を成立させ、利害の対立を生み、富の収奪や偏在、格差社会を生み、自然破壊までも生み出したのである。

「お金」に「利子」がついていることに疑念を持ち、問題の原因は「お金」につく「利子」であることを指摘したのは、ヨーロッパの大思想家、シュタイナー、エンデ、ゲゼルといった人々です。

人類は「お金」につく「利子」について当然のものとして受け止め、当初は物々交換の媒体として「道具」として人が使用していた「物」が、人間を支配・従属化し、人間生活を窮地に追い込み、地球社会を破壊しているのです。

■新たな社会へのパラダイムシフトのシステムづくり

資本主義を基調とする近代化という名の発展理論から脱却し、新たな社会を模索し、構築しなければならない時代に至っていると理解し、現在、資本主義のもたらした難局をどうにか乗り越えていかなければなりません。

そのためには、利害の対立の解消化の努力をしながら、新しい時代へのものの見方・考え方へ変えなければなりません。「パラダイムシフト」が必要とされます。

人の物の見方、考え方、価値観は一朝一夕に変わるものではありません。時間がかかります。そのためには新たな社会への価値観への転換のシステムをつくり上げることです。

第二次世界大戦後のアメリカ統治下の日本は、学校での近代化教育や新憲法によって急速に行われました。それは明治維新以後の近代化が背景にありましたので、短期間で行われました。しかし、これから人類は未知の世界への挑戦ですので、あるべき価値観を提示し、それを強制せず、自主的・自律的に判断する状況づくりが必要とされます。

■安心感の醸成から和合と融和の価値観へ

近代化は、結果として、将来に対する「不安感」を生み出しました。それは経済的に豊かな人でも貧しい人でも不安感があります。将来に対する不安感を少しでも薄めることが必要となります。豊かな人は新たな人生に挑戦し、貧しい人も従属的・支配的な関係を断ち切り、心豊かな家庭を築き希望も生まれ結婚を望むようになることができます。若い世代は子供の将来への不安感によって家庭が築けず、高齢者も中年世代も老後の不安を持っているのです。ですから、遍く(あまねく)(すべてにわたって、広く)安心感を醸成する社会システムを構築し、自然に、パラダイムの転換を図らねばなりません。それによって不安感の解消化を図り、定常型地球社会での「和合」と「融和」の価値観を生み出すのです。

それには、経済的・金銭的に社会が支援・保障し、社会生活面を社会的に支援・保障する社会システムを構築し、所謂、二重のセーフティネットを張ることで、価値観の対立・利害の対立のない社会への基盤をつくるべきと考えます。人間は一人では生きられないのです。支えあってこそ「人」なのです。

■お金の価値観を変える

パラダイムシフトに関し、最も重要な課題があります。それは資本主義がもたらし「お金」の意識を変えなければなりません。

現代人の多くは「お金」を持てば、多くのお金を持てば、自由であり人生の選択ができる。お金があれば何でも買えるし豊かな生活ができる。人生はお金だ。という観念を植えつけました。このお金に対する観念・価値観を変えなければなりません。お金に対する、観念を変えなければ再びいつの日にか資本主義に後戻りし、対立が生まれ、融合・融和の社会になりません。お金の価値観を転換することによって、企業経営・経済システムが新たな転換をするのです。

資本主義によって生まれ醸成された「お金」に対する強力な意識を短期間で変えることは容易にできません。それは資本主義以前の数千年前から徐々に植えつけられたものですから、これは「利子のつかないお金」に交代するシステムをつくり、自然にでき得る限り早く誘導していかなければなりません。

つまり、近代合理主義・合理主義からの、価値観を超える価値観を生み出し、また、資本主義のもたらした問題を生み出した「お金にとりつく利子」をお金から剝(は)ぎ取ることによって、お金に対する理解を変え、新しい未来社会は入口に立てるのです。

第15章　パラダイムシフトは身近な生活から

新たな未来社会への展開は、他の人や社会に強要されて、進展するものではありません。

自己の身近な生活の改善や購買行動の修正から出発します。それによって供給も行政も社会全体に新たな価値観に依る社会に転換していきます。基本的なことに限定して示します。

■衣について——品質を高め浪費をなくす

衣について、現在の日本社会は実に多様な衣服文化の国です。伝統的な高級和服から海外の高級ファッションから粗製乱造の海外衣料品まで実に多様であり選択は比較的自由ですが、衣の世界も「二極化」しています。共通していることは「浪費」に繋がっていることです。

粗製乱造の品は、価格は安いがすぐ飽きられてしまう。それが浪費に繋がり、資源多消費やがて環境破壊に繋がる。極力努力して長寿命の購入を心がけ、使用し品質が劣化していなければ、極力リサイクルに回す。

また、高級衣料品の分野は、高度技能の職人の造る世界である。この高度技能による製品化を一般的消費レベルの高品質化にまで進展して欲しい。こうした努力は行われているが、一層進展させることによって、物を大切にすることに繋がる。

今後の社会は購買力が一定で消費は急速に拡大化しない。しかし高いレベルの高品質の衣を纏いたいという欲求は今後も変わることはないと思われるので、身近な国内・地域製造によって、徐々に品質を高め浪費をなくし安定した供給による社会をめざす。

■食について——食余しを止め自給自足化へ

食について、日本の食文化、特に日本料理の国際評価は高い。しかし一方で「食余し」の実体はひどくこれは世界一と言える。高級料理は洋の東西を問わず、食材の品質と料理人の腕・心の問題であるが、現状の欧米、特にアメリカの食文化の影響が強くあり、これを弱め食余しの状況を改善しなければならない。これは食品の生産者から製造業者・流通業者に至る業者と消費者全体の工夫・努力によらなければならない。日本はその傾向が進展しているが、地産地消の経済を徹底化することによって一層の改善が見込める。やがて食の自給自足経済への実現に繋がる。

■耐久消費財について——耐要年数を長く

耐久消費財について、冷蔵庫・洗濯機といった家電製品から自動車といった高額な物までさまざまな耐久消費財があります。

耐久消費財の供給はほとんど大企業によって行われています。私の経験ですが、約50年前から自家用車は約20万kmから25万km走行し新車に乗り換えていました。また、10年前に運送業で運転する時には走行距離200万km以上の大型トラックに乗務し全国を走行していました。10年15年前には現在では考えられない程、耐用年数を延ばす努力をしながら経営努力をしていたのです。それはあらゆる産業・企業の大・小を問わず行われ、常識的なことでした。

一般消費者は約40年前より、技術進歩による製品の改良・新製品の開発によるメーカーの販売戦略に乗せられて、使用もしない機能をつけた高価格品を買わされているなかで、耐用年数とランニングコストの関係を見失ってしまいました。家電製品のような比較的安価な製品でも製品一体で廃棄するのではなく、部品の供給や修理体制の要望をメーカーに今以上に要求し耐用年数を延ばして使用しなければなりません。ましてや高額な乗用車となれば、耐用年数と走行距離・燃費の関係だけで考えれば、常にタクシー利用をした方が得になる時代となっています。見栄やツッパリで買う風潮が過度に消費を煽り続け、多少の技術改良でも敏感に対応し購買行動に結びつく状況となっています。

現在、カーシェアなどの方向で新たな模索が始まり一部定着化していますが。

政府は、供給者側に立った政策をとっていますがこれを需要者側に立つ政策に変更すべき時代となりました。耐用年数の長期化を促進し、部品の供給の長期化を義務化すべきです。業界は現在中古品を海外に輸出することで短期的な対応をしていますが、いつまでこれが続くかわかりません。資源問題の解決のため商品の長寿命化と高品質化をすべきです。

■住について——広い敷地に平家でつくる

住について、現在大都市では高層住宅化・タワーマンションが多数建築されている。これは軟弱地盤の上に築かれ大地震で倒壊することはないであろうが、大災害での被害は甚大であり人命への影響は避けられない。建築費も高く・管理費・修繕費も高く、現在の建築技術水準では、耐用年数は約50年から70年が限度であり設備は20年での更新であり、建築の更新は現在の状況では見通しがたてられない。総じて住コストが高過ぎる。

一方大都市周辺では、狭い面積に密集した住宅が建てられ、窓も限られ、冷暖房の廃熱によって温暖化の一要因となり清浄な住宅環境にはなく、プライバシーは保てず、車両の置き場もない。

幼児を安心して育てる環境でもなく、改築・増築は容易ではなく、自然環境との接触もほとんどない。

高層建築化・密集住居は、近代化とそれによる土地価格の高騰によってもたらされた状況であり、大災害に弱く、資産の次代への継承も繋がりにくい。

これからの住宅の基本的方向は、地価の低落下による宅地の拡張が可能となり、家庭の再構築をはじめとする社会関係の充実をはかれる。また、自然との接触も増やせ、エネルギーコストの安い、多様な職業の選択も行える住宅を考え、しかも大きな投資であるので資産の継承のためには長寿命で、改築・増築が可能となり、保守点検がしやすく、コストの安い住宅が望まれる。できれば、多数の家族も同居のできる住宅が好ましい。

それは現況では容易ではないが、地価の低落下・住宅の余剰化に加え地方分権化が進展すれば十分に可能となる。その住宅の充実化がこれからの経済社会の最大の牽引力であり、国内需要を中心とした経済であり、それは国民の社会保障や社会福祉の充実に繋がる。

例えば、150坪（500㎡）の敷地に、平家の住宅を建築すれば増改築が可能となり、家族人数の増減・社会生活の変化に適応できる。敷地に余裕があり居住面積に余裕があればプライバシーも保たれ、隣近所に迷惑をかけることも少なくできるし、子や孫も庭で遊ばせ、家庭菜園も可能となる。家族の誰かにその住宅の継承の意思があれば、地域社会との関係も濃密となり、コミュニティーの充実化も可能となる。

こうした住宅の在り方が、１人当たりの住宅コストを下げ、生活コストを下げ、生活の改善の幅を広げ、家庭の再構築を可能とし、親密な社会関係の土台となり、地域の安全化をもたらし、絆を育み、郷土・ふるさと意識を育み、社会的な犯罪を減少化させ、安全で安心の社会、安定した継続的な社会を創り、そのなかで、自由で自律的で創造的な活動をすることが可能となり、定常型社会のなかで躍動的な社会が可能となります。

現在、地方都市や大都市外周地域でも進行の途上にあり実現はそう遠くはありません。

地道な生活の見直し・改善努力・消費行動の変容が、徐々に経済や社会を変えていくのです。

現在の資本主義によってつくられた経済や社会の悪しき常識や呪縛から逃れることなくしては先に一歩も進まないのです。

第16章　自身の描く　未来社会への原則と基本理解

私は資本主義を基調とする近代社会の、資本の支配から脱却し、その呪縛から逃れる近代社会を超える人類の未来社会を模索し、その実現への道程を始めなければ人類の明るい未来はない、現況の資本主義を基調とする近代社会の延長線上では、人類社会の深刻な問題解決は不可能であり、時の経過とともにより深刻化する事態に至るとする理解をする一人であり、既得権益化し、岩盤化した近代社会を、大多数の民衆が納得できる未来社会に変革するには、何世代もの長い時間と人類全体の高貴な知恵の集積と多大な労力が必要であると理解するが1年でも1日でも早く、パラダイムの転換と政治の刷新により新たな道程を歩み始め、新しい未来社会の一端を垣間みることができることを願って、パラダイムの転換に僅かでも寄与できると信じ以下を記述します。

■自身の未来への原則

(1) 科学的知見・理解を妄信せず、多様な宗教・哲学の価値観の理解と融合により、生命体として社会的動物としての人間とその共生の社会を実現する。

つまり、絶対の科学的真理は既に否定されている。科学的知見を絶対化・過信することなく、宗教と己の生き方を否定しないが他に強要することは否定し、人の哲学的生き方を配慮・容認し、多様な価値観を理解し、対立せず、融合と融和の人間関係・社会関係を築き、生命体、また、社会的動物としての人間の理解によって、倫理性・道徳性、また、精神性を高め、人間性の向上と職務能力の開発によって、自律的・内発的に社会関係を築き、心豊かな生活が営める充実した共生社会を実現する。

(2) 基本的人権の擁護と社会福祉を重視する公正で平等で自由な政治システムによる法治社会化を徹底し、地域化・地方化を中心に、社会・経済を民主的に漸(ざん)次的に変革し富の偏在や格差の解消に努める。あらゆる力による支配・被支配の社会・経済関係を否定・排除し、非暴力・非軍事の社会の実現をめざす。

(3) 公正で自由な共生原理による、創造的に抑制された競争を実現し、収奪的・過当的経済行為を禁止し、人が喜んで働き、民主的に協同して働く、経済・経営システムを実現し、そこでの成果は貢献度に応じ配分し、結果の平等と経済力の平準化を許容する経済社会を実現する。資本は会員券化し、保険は共済化する。交易に依存しない、自給自足の経済をめざす。

(4) 自然系・生態系（動物・植物・土壌）を保全し、その豊かな環境との調和のなかで生きる人類社会をめざす。そのため環境に負荷をかけない経済・経営システムを構築する。

つまり、Reduce（材料の削減）、Replace（代替材料の開発）、Reuse（材料の再利用）、Recycle（資源回収システムの構築）所謂4Reを推進し、有機的エネルギー・物質に進展させる。

(5) 情報は、民主的に、適正に管理し、何人も権力統制的に、利用してはならない。情報による、他に対する誹謗・中傷は禁止とする。

人類の歴史は、農耕・牧畜の時代では「土地」をめぐり、商業・産業・金融の時代では「お金・資本」をめぐり、対立・抗争・戦争を繰り返してきた歴史なのであり、支配と被支配の社会関係のなかで「最大多数の幸福」は実現することはできなかったと言えます。

今後「情報」による権力統制の時代となる危険性もあるので情報を民主的に管理することができれば、抑圧と阻害の人間・社会関係を遠くない時に脱することができるかもしれません。資本からの脱却は未来社会への第一歩であり入口であると理解します。

日本社会は、1980年代頃までに、産業資本主義は絶頂期を越え、その後金融資本主義化への道を辿りましたが、1990年代の金融バブルの崩壊を経験し、ゼロ経済成長・ゼロ金利・ゼロ景気変動のデフレ経済化の状態となり金融産業では、メガバンク以外の海外進出はほとんどなく、安定的に経済は推移し、高付加価値の先端産業と情報産業に依存し、量的拡大によらない僅かな実質経済成長をしています。

その日本経済は体質面・金融面から理解すると米国経済を追い越し、資本主義のトップランナーとなり、アメリカ・ユーロも約10年遅れで、日本を追随している状況にあります。

日本国と日本人は名目的経済成長の拡大に依存せず生きる術(すべ)を身につけ始めています。

資本主義社会は、現在の経済発展途上国の経済成熟化を経て「一つの地球人類定常型社会」を形成することとなります。この社会は総体としては、ゼロ成長・ゼロ金利・ゼロ景気変動の、均衡経済社会となります。日本は20年前からその均衡経済社会に到達している状況であり、日本の在り様が大きく世界に影響することを認識しなければならない立場にあるのです。

一般的には、定常型（系）社会とは、
①物質・エネルギーの消費が一定となる社会で「脱物質化」をめざし「省エネルギー化」をめざします。
②経済の量的拡大を基本的価値ないし、目標としない社会をめざし「脱量的」で「質的充実」めざします。
③変化しないものに価値を置くことができる社会で、伝統を尊重する社会になる傾向となります。
④人間の心意・行動は傾向として、内向き、心の充実に向かいます。

私が著している意味は、主として②であり、時に①③の意味で使用することもあり、すべてを包含している時もあります。

■原則についての説明と自身の基本的理解

（1）に示した「科学的知見・理解を盲信せず……」とは、近代のデカルトに始まる「合理主義」は、自分のなかにある主体もしくは主人を「理性」と考え、その理性は自分以外の部分を全部支配します。つまり人間のなかの感情・本能・イマジネーションなどを理性で支配できた時に「理性人」として優れた存在、優れた人間という理解となります。その際の判定の基準が、「ロゴス」（ギリシャ語で一般的には論理・理解という意味）であり、優劣を判定するロゴスの精神は同時に「批判」の精神であり、人間を生命体として、また、社会的動物としての存在として理解すれば、存在と存在の関係は「批判」の精神以前に「結合・融合」の精神がなければ、また、先行しなければ人間社会は成立しません。

批判の精神は、存在と存在の関係を「区別し断絶する」ものであり、その精神から、存在と存在の関係の「畏敬の念」は生まれません。ですから近代の合理主義、理性による批判精神は、個人と個人、また、社会と社会、また、個人と社会の関係に亀裂・断絶を生じさせるだけで、その関係を修復できないのです。「批判の精神」と「畏敬の念」を対比させた場合、前者は、ロゴスであり、後者は「ソフィア」（一般的には知恵）であり、合理主義の精神のなかから、畏敬の念と帰依の念は本質的には生まれてくる可能性はないと言えますし、ロゴスと批判の精神がはたらくところには「冷たい世界」しか生まれてきません。

しかし合理主義が、生命体として、また、社会的動物としての人間とその形成する社会という理解を認知し、自律的な人間と自律的社会という関係性をおいては、現在の自身の哲学的素養をもってしては、完全否定できないと理解します。これは哲学の究極的命題に触れる根源的な問題と理解します。

畏敬の念と帰依の念をソフィアの働きとして考えた場合、批判ではなく「融合」が問題となります。「融合」とは、どちらが相手をよりよく理解したかが問題となります。

融合というソフィア的な理解をする場合、「判断」についてどう具体的に考えたらよいかが問題となります。

人類の思想史・哲学史のなかで多くの世界観があります。

a 唯物論　b 感覚論　c 現象論　d 現実論
e 力動論　f 単子論　g 唯神論　h 唯霊論
i 唯心論　j 理想論　k 合理論　l 数理論

大別して　12の世界観があり、大哲学者達の世界です。

人間は12の世界観に対し、「七つの認識上の基本的態度」を結びつけ、「判断」をします。

a 直観（グノーシス）　b 論理主義　c 先験主義
d 神秘主義　e 経験主義　f 主意主義　g オルガティズム

つまり、上記の12の世界観と、七つの認識上の基本的態度をもって「判断」をします。

12の世界観と七つの基本的姿勢とが結びつくことで、全部で84種類となり、さまざまな結びつきのなかで、一人ひとりの「判断力」が形成することとなる。と私は理解します。

私は、あらゆる人々の判断力・価値観を相対的に理解し、

「融合」の社会を望みます。

このような理解は、ルドルフ・シュタイナー、C・G・ユング、ブラウファー夫人などの思想家達による「神智学」の基本的理解であり、私は理解も浅く、体現もしていませんが、「和合・融合」の世界を実現するための理解として神智学的理解に依拠します。

こうした人々の理解は、日本に於いても「神智学協会」で行われています。

「いかなる宗教も真実より高くない」をモットーにする協会です。

私は、人生のなかで、唯物論・現実論・理想論・合理論という世界観と、直観・論理主義・経験主義という認識態度をもって現象を判断してきたように思えますが、現在の自分は「実在論」的世界観の傾向が強くなり、時間的領域と空間的領域の拡張・拡大のなかで論理思考をしている感を持つに至りました。

私が現在、最も依拠するのは「実在論」です。この論を知ったのは、恩師の最初の著書『喜働経営学入門』に著述されています。それは昭和42年（1967年）の発刊です。

近代の合理主義は、近代的自我を生み「個人主義」の名の下に人権尊重はともかく、個人の自由と平等を叫ぶあまり、全体存在、全と個の調和を見失い、絶対存在のなかにある相対存在としての人間のあるべき姿を見失ってしまった。「合理主義」は元素・原子の微細に到達できても、1個の人間の全存在に至る万人普遍の過程解明に到達できない。とし。

存在には「絶対存在」と「相対存在」がある。絶対存在とは、全としてある「大宇宙」そのもの存在であり、「相対存在」とは、絶対存在のなかにある存在すべてであり、存在するものはすべて対立しており、対立のないところに存在はない。存在とはすべての存在は「対立存在」として認識されてこそ存在論はその根拠を得る。

「壱」として存在するものはないため、接触・反発・融合などの形をとりながら生成・流転し、一瞬もその形のままにあるものはない。自我の存在は、親と子、男と女など対立存在として認識されて、正しい存在認識にいたる。

自我をとらえることは、おのれを見つめることから始まり、おのれを尊ぶことは、生命の根源にふれ、個我から絶対存在にいたる超自我の過程でこそとらえることができる。としている。

また、人間の存在については、

人間は個としては存在できない。

人間の基本的相対関係は、親・子であり

男・女（夫・婦）あり

子供を産めない男女はあっても、親（父と母）がなくて生まれる子はありえない。

親・祖父母・祖先があって、ここに「ある自分」がある。

親という「ない存在」によって「ある」

この「世にある―存在する」ことも、そのある意味も、また生きていくことに対する期待も希望も、あるいは、その肉体の働き、精神の働き、その能力発揮のすべては、自己が生まれ、生きるために存在する基本となる。親との対立、異性との対立関係における絶対存在が、その絶対法則に、どう左右されるかによって決まる。

絶対存在の「哲学的認識」・「価値認識」は「時間」(タテのひろがり)と「空間」(ヨコのひろがり)として認識しうる。

「時間」に関し、個人の心理・行動の過去・現在・未来は、祖先・親・自分・子・孫という、生命の流れの時間のなかにおける時系列として認識される。

「空間」に関し個人の心理・行動のひろがりは相対存在としてある人・物・自然への適・不適によって決定される。

人間の心と行動に対し、万人普通の法則が体系化されなければ、集団の場にあって、それを構成する人々の心と行動は一致したものとなりえない。

恩師、薄衣佐吉先生は、以上の「実在論」を基本に「創造的経営」を提唱され、大学で講義されていました。先生の論はあまりに深遠であったが故、大学生としては、先生の論を理解するに容易ではありませんでした。私もその一人でありましたが、時を経るにつれ、社会的経験を踏む毎に徐々に理解が深まり体現するに至った、のかもしれません。

想像するに、これからの学問は「実在論」を基軸に、再編成・体系化されるかもしれない。少なくとも、社会科学系には、多大な影響を及ぼすと理解できます。

物理法則と社会法則の関係性については、私は物理法則から、積極的に社会や経済の法則は導き出されることはない。しかし物理法則は消極的に社会や経済の法則を制限する、と理解します。

また、物理学の熱力学の基本第二法則・エントロピー増大の法則については、一般的には「自然界に存在するすべてのものは自然に放っておくとエントロピーが大きくなっていく」つまり「整然として秩序ある状態から乱雑で無秩序になっていく」という法則によって支配され無秩序から秩序に自然に戻ることはない、つまり「可逆性はない」と理解されていますが、その理論に従えば、人間を含むあらゆる生命現象」は説明できないということになります。しかし人間を含む「生命体」は「排泄物と廃熱」を捨てて、エントロピー水準をほぼ一定に保って（平衡を保って）います。つまり健康に生きています。人間という生命体では、汚れを捨てることが難しくなった場合「病気」となり、汚れを捨てることができない。失敗した場合「死」となるという説明ができないのです。

つまり、生命体が、エントロピー水準を一定に保ち、また、エントロピーを減少化・最小化することができ、人間を含む生命体の生命システムの解明によってこれが可能になると理解します。それを以下の2点に求めます。

①環境は、生命と地球の所産とする「生態学」的理解。

②人間については、約200万年前からの人類の唯一の・普遍の親子・夫婦による「家庭」に着目して、社会的動物としての人間の「人間性」の高まりによる、心意・行動の「創造的な働き」の理解。

以上二つの理解を深めることで、エントロピーを減少化・最小化することができる。と理解します。ですから、環境については、生態学的理解、人間については実在論的理解が深まることによって、次なる社会の環境問題と社会問題をなくすることが可能であると、私は理解します。

近代社会は、資本主義を基調とする社会・経済システムであり、近代以前のエントロピーの少なかった封建社会以後、資本の増殖を追求する資本主義がエントロピーを増大し続け、開放定常系である地球の物理的・領土的極限にまで達し、エントロピーの「可逆性」の否定によって限界に達し、死に際の災禍の回避の準備と、未来社会への展望を示すことが必要であると理解します。

資本主義の発展の主たる推進力は技術の進歩でした。技術の進歩がエントロピーを増大化したとも理解できます。これからの社会では、エントロピーを減少化する技術の進歩が要求されます。その意味で、技術の進歩を完全否定してはいけないし、技術の進歩の背景にある科学の発展、また、合理主義を完全否定できないのです。ですから、これからの技術に求められるのは、エントロピー減少化・最少化技術なのです。

これによって「一つの地球人類定常型社会」が安定・均衡するのです。

（1）と（4）に係わり、「生命」「共生」という意味について著述します。

私の理解は、かつて東北大学名誉教授であった、栗原康（くりはらやすし）氏の著した『共生の生態学』1998年、岩波書店発刊岩波新書546、からの理解に依拠しています。

「生命」という言葉は、宗教・哲学・文学などさまざまな分野で独自の内容をもって使われています。広辞苑によれば①生物が生物として存在する本源。栄養摂取・物質代謝・感覚・運動・生長・増殖のような生活現象から抽象される一般概念。いのち。②物事の存在にかかわるような大切なもの。また活動の原動力。とされています。

「共生」とは広辞苑によれば、①ともに所を同じくして生活すること。②生物学的には異種の生物が行動的・生理的に結びつきをもち、一所に生活している状況、と示されています。

共生という理念は美しく解され誤解されやすい理念です。上記①②以上の深い理解、「生態学的理解」をもって理解すべきと考えます。

「生命」とは、自然科学の分野では、複製・自己増殖・合目的性をかねそなえている存在に対して、また複雑・代謝・変異を基本的な特徴とする物質系に対して生命、と名づけています。生態学では、進化の産物としての種が進化のプロセスを踏んで、自然環境や生物環境に適応した自律性をもつ生命体としています。つまり生命を物質ととらえるのではなく、自律性（自分の行為を主体的に規制する）ある生命体として理解しなければなりません。

自然科学の「バイオテクノロジー」に対比し、生態学の「エコテクノロジー」として理解することが、自然系・生態系の真の対応に通じます。

	〈エコテクノロジー〉	〈バイオテクノロジー〉
研究対象	生態系	細胞・個体
基本単位	種	分子
学問体系	生態学	分子生物学
変革者	自己設計能力と人間の助力	人間
制御・変革の対象	生態系	細胞・個体
エネルギー	主として自然エネルギー	人工エネルギー・ 主体エネルギー
生物的多様性	保護される	変えられる

共生とは、生態学的理解によると、本来異なった生き方をしている生物が、関係し合いながらいっしょに生きていることをさします。

私は生まれも育ちも異なり、その自然環境や社会環境も歴史も異なる「相対存在」としての人間が共存している社会に生きていますので、自然科学的に人間と社会を理解すること、また、人間と自然系・生態系との関係を理解してはいけない「エコテクノロジー」として理解します。

共生には、①相利共生と②片利共生の２種があり、②には寄生・宿生の関係と拮抗関係（両者共存）及び中立関係があります。

人間と人間・人間と自然・人間と他の生物との関係に「相利共生」に修復・保全する努力をしなければならないと理解します。

すなわち、ガイアの仮説「この地球の大気・海洋・陸域の物理・化学的環境の形成には共生の存在が積極的な役割をはたしており『生物』と『地球』の両者の共同作業によって、生物にとって快適な諸条件が生み出されている」という理解です。

（4）の自然系・生態系……について

近代の合理主義による自然観は、自然を「征服と利用」の対象と考え、現在の人類社会に「自然の恵や富」ではなく「災禍」をもたらしてしまいました。オゾン層の破壊・気候温暖化・異常気象による大災害の発生は全地球的規模での問題となり、森林伐採や身近な自然破壊は生活の潤いをなくしてしまいました。最早、取り返しのできないレベルまで自然破壊が進展してしまいましたが、これから速やかにその修復と保全を行わねばなりません。これには、近代の合理主義、また、自然科学観では不可能であり、生態学的理解に依拠しなければなりません。

生態系の物質の動き方から見た、一般生態系は図表19の通りです。図表の解説を『共生の生態学』栗原康著（岩波新書）より引用します。

「生態系を物質の動きから見ると『入力』と『出力』と『物質の変化』と『貯蓄』の四つに分解して考えることができる。

地球上のさまざまな生態系は入力と出力をともなう。そして入出力は『有機物』（生物を含む）と『無機物』に分けることができる。入出力は雨・風・雪などの気象学的なものや斜面を流れる地表水のように地学的なもの、生物の進入といった生物的なもの、肥料の散布や収穫といった人間的なものによって運搬される。

生態系に入ってきた物質はたえず変化するが、これは『合成』と『分解』の二つに分けられる。

合成とは無機物のように小さな分子が有機物（生物を含む）のように大きく分子に変わることをいい、分解とは逆に有機物（生物の遺体を含む）のような大きな分子が、無機物のような分子にこわれることをいう。そして有機物（生物を含む）、無機物はさまざまな生態系に滞留し、円滑な循環を

図表19　一般生態系

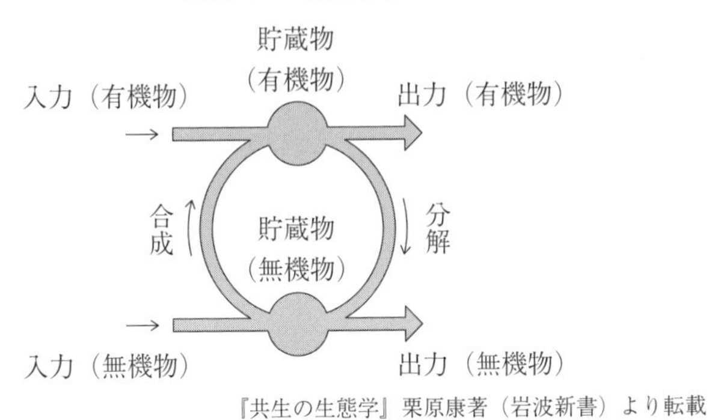

『共生の生態学』栗原康著（岩波新書）より転載

図表 20　森林の生態系

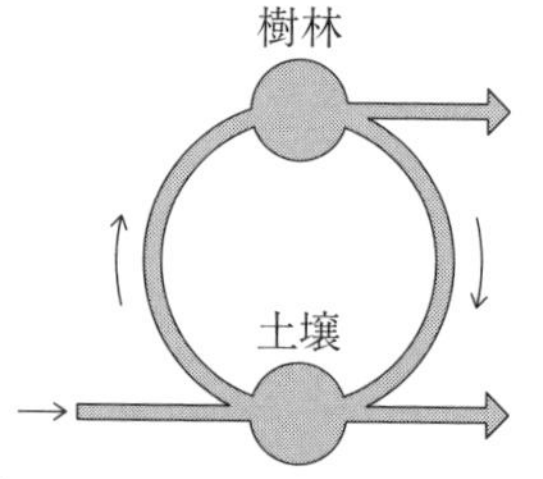

『共生の生態学』栗原康著（岩波新書）より転載

図表 21　生態システムの分類

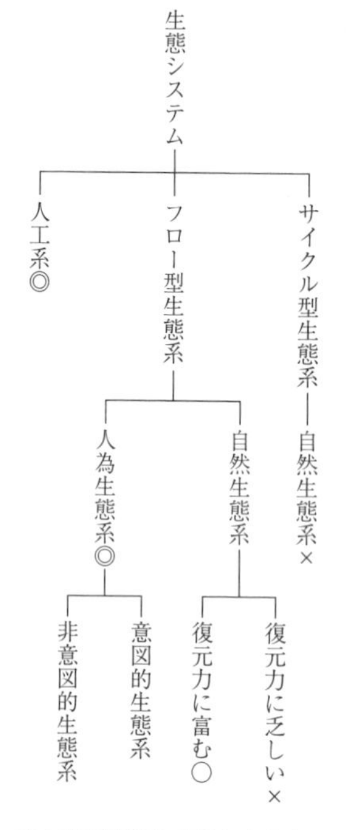

◎人間の管理を必要とするもの
○人間の介入は可
×人間の介入は不可

『共生の生態学』栗原康著（岩波新書）より転載

保障するための貯蔵庫の役割をはたす。だから、生態系は基本的には、（中略）有機物の入力と出力、無機物の入力と出力の四本のハンド（手）をもっていて、これらが合成と分断のリング（環）によって結びつけられ、しかもこれらのハンドとリングの交点に有機物と無機物のストック（貯蔵庫）が位置するものとして表すことができる。

（中略）

森林の生態系には入出力をほとんど欠くものがある。生態系の内部で栄養物質を循環させ、別の生態系に依存することなく自給自足している」

生態系には、保全しなければならないもの、必ずしも保全に値しないものがあり、人間が介入できる自然生態系は復元力の高い生態系に限定されます。

しかし人間は、この自然に対して、自己の願望・欲望を充足すべく、自然を操作し、制御し「人工

図表22　物質の動きから見た生態系

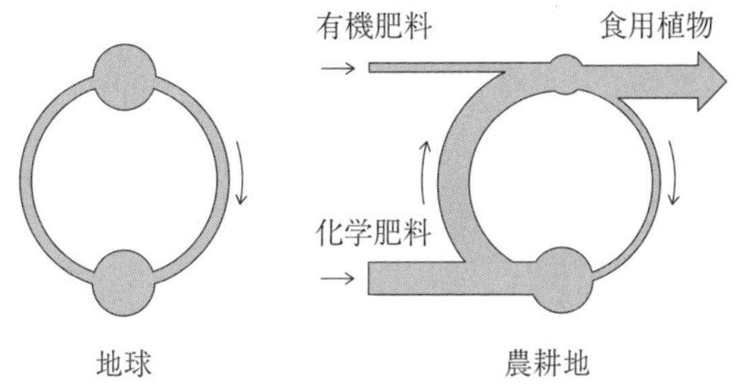

『共生の生態学』栗原康著（岩波新書）より転載

化」を試み、自然を支配する技術によって、人口の集中する場所を「都市」という人工環境に変え、一方で人口が分散する場所を「農地」という人工環境を創り出し、自然林も「人工造林地」と化してしまいました。

自然と人間の関係は、近代化によって対立的状況になってしまいました。自然に「畏敬の念」をもって接し、自然に住む生物との共生をも踏まえ、自然と人間の共生による統合化が人類社会全体の課題であると、私は理解しています。

（2）について

近代化は、資本主義を補完してきた「民主主義」によって、基本的人権の擁護と社会福祉の充実への方向性を提示したものの、現実は、資本主義の本質である「収奪」・「搾取」に加担することに終始してしまいました。

そして民主主義そのものを「腐食化」し「形骸化」してしまいました。しかし、これからの次なる社会への第一歩は「民主主義の再構築」からスタートしなければなりません。

近代化は、他民族の殺戮と強奪そして収奪・搾取という人間として行ってはいけない行為から出発し、民主主義の目標とする「自由」･「平等」を「富の偏在」と「格差の拡大」という結果をもたらすことで帳消しにしてしまいました。

これからの未来社会の展望は、一つの地球人類定常型社会のなかで、「価値観の対立」と「利害」の解消化によって、真に平和で安定化した継続的社会・「融合」の社会を実現するのに、暴力的・軍事的手段によってスタートさせるわけにはいかないのであり、民衆の民主主義への一刻も早い参加を実現し、新たな英智が始動できる状況をつくらねばならないと、私は理解します。

「非軍事」の社会を目ざす。現在の国際状況を鑑みると極めて困難な課題と言えます。

とりわけ、現今の東アジアの状況は深刻であり、近々東アジアに於いて、軍事的緊張が高まることは必至であると理解せざるを得ません。これから10年ないし15年間が正念場であると思われます。この東アジアの状況が現在の日本の政権が支持されている最大の要因と理解されます。

仮に日本が、一時的に多大に軍事力を強化しても中長期的には意味もなく実効も上がりません。

東アジア諸国が軍事力を強化していく程にそれぞれの国々の社会も経済も、資本主義の終焉期では、疲弊化することになります。

東アジアの軍事的緊張はこれから相当期間続くと思われますので、現在のアメリカの核の傘の下で忍び、時を待つ以外に選択の余地はなく、中国及びアメリカの「軛（くびき）」が解かれるまでは、日本の自主性・自律性は相当の制約を受けざるを得ません。最小限の準備を怠ること以外に日本の術はないと思わざるを得ません。

長期的に見て、中国の軛から解かれれば、アメリカの軛から遠からず解かれるに至ります。中国の軛から解かれるまでが、日本の忍従の時代と思われます。

日本が現日本国憲法の第９条を守ることができれば、二つの軛が解かれた後には、日本国及び日本人の、人類社会への貢献の礎となりますが、第９条を守ることができなければ、人類社会での役割は相当に劣化せざるを得ません。つまり、ここ10年か20年間の東アジアの軍事状況が、人類社会の未来に相当な影響を与えると理解できます。

日本が中国の軛から解かれ、第９条を現況に守ることができれば、次なる人類社会の平和への貢献が多大となる可能性が高いと、私は理解します。今が正念の時なのです。

⑶ について

現況の社会的問題の解決のため、また、次なる社会への第一歩・入口となる「新しき社会制度」の導入は、現在の「自由な」経済・経営システムを完全に否定するものでは基本的にありません。新制度の導入によって国内経済を安定化が図られるので、国内に於ける中堅企業・零細企業・自営業、業種・業態を問わずマイナスに影響することはありません。むしろ国内需要が安定化と、中期的に社会の流動化へと進展しますのでチャンスは増えると思いますが、多国籍企業、外需に依存する大企業には、多少の制約と条件づけが行われますので一時的には困難が予測できます。しかし新たな制約を超える能力を持つ企業であれば、何ら心配はありません。経済の体質が、内向きにならざるを得ませんので、輸出主導型企業とその関連には、一時的にマイナス影響は多少出ざるを得ません。

新制度の導入は、確実に国内需要を安定化し、需要の質的向上に導きますので、徐々に外需依存経済から脱却可能となります。

内需の質的変化と新たな政策の導入によって過度の競争からの脱却へと進展できます。

以上は新制度の導入時数年間の予測ですが、その後の経済制度の変革は、5年ないし10年の単位で、国際状況・国内経済を勘案し、B・Iの給付水準を含め総合的に見直し、次なる新制度の導入を予定しますので、導入時の激変に比して変動はゆるやかになると思います。

新制度の導入から数十年間少なくとも一世代の時を要します。故に国民に信頼される安定的な民主的政権の樹立と継続が前提となります。

新たな経済・経営システムの実現化は、国民の価値観の変容によって自然にもたらせられるものであると理解されます。

新制度の導入によって、地方経済の活性化が可能となり、年を追う毎に地方経済の活性化が可能となり、年を追う毎に地方経済の充実化が進展するなかで、現在の世界最低レベルの食料自給率・エネルギー自給率の向上を図る条件が整います。品質の高い食糧を「自給自足化」し、地産地消の生産システムを拡充し生活必需品を確保することは「安心安全経済」のスタートと言えます。

現在の世界経済は、極度の外需依存経済です。しかし日本は、食料・エネルギーを除けば、他国に比して外需依存度は低く、最先端産業は必ずしも頑強とは言えませんが、全体産業の充実度は、世界最強レベルにあり、国内産業の再建化・充実化が実現できれば、世界の経済最強国と成り得ると予測できます。

これから、今が、新制度導入の最高の時であると、私は理解します。

(3) の資本は「会員券化」し、保険は「共済化」する。交易に依存しない「自給自足」の経済をめざす。について。

資本主義は、利子率が「ゼロ」に近づいた時、利子がつくお金が「利子のつかない、また、老化（減価）するお金」に替わった時、最終的な「死」となります。まだこれから死に至るまでも多少の時間がかかります。死に至るまでもなく、利子率が限りなくゼロに近づく状況での、預金者にとってお金は何ら価値を生まないので「会員券」同様の状態です。保険では預かったお金を運用しても、利子がついていませんので運用益は生じませんので保険は共済（共同して助け合う）化することになります。

資本主義が死に至らなくとも貨幣制度・金融制度を、単に物の交換の道具としてのお金を前提とする制度に変更します。

それ以後、お金を所有しているだけでは価値が増加せず所有する・管理する費用（手数料）がかかり、価値が減っていくことになります。それによって、定常型の社会が経済的に安定化し、持続化します。ですから「銀行」も「融資制度」も存続しますが、保険は成立しなくなります。

「交易に依存しない」とは、交易・貿易を否定しているわけではありません。資本主義は軍事力を背景とし、また、優位性を利用し、商品を売りつけ・強要し富の収奪を行ってきました。それによって戦争の時代が長く続いてきました。

供給者が多国に強要するのではなく、需要者・消費国が「必要」とする商品を海外に求めるという交易に変更がなければ、資源・エネルギーのロスや浪費が生じます。金融・資本についても、また、人についても同様と言えます。

輸入国は、必要な商品やサービスを受け入れ、その依存度を下げる自給自足的経済をめざすべきであり、今までの自由貿易・規制緩和政策と決別すべきと考えます。物の移動はエネルギー消費を増し、エントロピーを増大化し、環境の破壊に通じます。

（5）について

世界のGAFAを始めとする先端情報巨大企業は、PCやスマートフォンを通じて、個人はもとより企業からも、あらゆる情報を入手し、ビッグデータとして企業戦略に利用しています。

情報の重要性は増しているのにもかかわらず、情報の「漏れ」による被害・犯罪も日々増加し、個人はもとより企業情報、また、公共の情報まで「漏れ」がみられます。スノーデン事件に象徴されるように、国家の、個人や社会の管理・統制の道具としています。

中国は現在、全国民のあらゆる情報を多角的に収集し、経済的にも社会的にも政治においても、情報の管理による完璧と思える統制国家社会を確立し、情報技術によるサイバー戦で、相手国の経済はもとより軍事まで無力化するレベルまで到達しています。

情報を民主的に適正に管理することに加え情報技術の進歩を社会的に制御するシステムを、国家レベルを超えて国際機関レベルで構築すべき時代に至っています。

第17章　私と経済学・経営学
現在の経済学は完全崩壊

私は、自身を在野の学才のない凡庸で高齢の一人の経済の探究者として理解しています。それ以上でもそれ以下でもないと自身を認識しています。

私が経済学・経営学をまがりなりにも総合的に学んだのは1970年頃であり、激しい大学紛争の混乱の渦中で、受身で専門分野とその隣接分野の書籍や当時の総合雑誌を読み漁りましたが、真に学び、究めたという感はまったくありませんでした。マルクスやケインズ、また、多様な哲学者・経済書を多少なりとも理解しようとしましたが難解で、結果としては接した程度にありました。

そうした渦中で恩師と巡り合い、恩師の講義とゼミナール活動で充実した大学生活を送ることができましたが、卒業後は恩師の教えと自己の生き方の乖離を埋められぬまま達成感の乏しい失敗の連続の人生を送り、親族や関係者に多大な迷惑をかけることもありました。大学卒業後約50年の失敗の経験と、大学時代にもった「資本主義への疑念」というこだわりの結果がこの著作と言えます。

■経済学とは

一般的には、経済という言葉は、「経世済民」からきており、経世とは世の中を治めること、済民とは「民を救済」する意味があります。また、エコノミーとはオイコス（ギリシャ語で「家」）を意味し、ノモス（ギリシャ語で「掟・慣習・法律」）を意味します。つまり「家政」という意味です。

経済学は国家を治め、民を救済するという学問であり、自然科学はもとより、他の社会科学にも国家から民とい領域を総合的に考察・研究対象とする社会科学は他にありません。しかもその領域が、国から地球人類社会という空間的に拡大しています。しかも社会の主体である「人間」の理解が深まると同時に、全体社会と人間の営み・生活のあり方の関係性を問い直す時代になっています。

経営学は、人の営みのなかの、人の働き方・人の働かせ方を中心課題・土台にして発展してきた比較的新しい学問です。

私は経済学・経営学は、人間の社会生活・営みと全体社会の係わりつまり人間と社会の関係現象を理解し、その在り方を探究する社会科学であり、観察はできても実験の難しい単純な確実な真理を論理的思考と推論で科学的に知的な努力によって究め、その成果を人間と社会との関係に生かし、改善する役割と責任を持つ学であり、最大多数の人々の豊かな営み・生活のための社会的・経済的基盤を提供する学であり、「暖かい心」と「冷めた頭脳」をもって、個別的な経験や思想及び社会的立場・地位、また、個別的な歴史認識を超え、自由な立場で究める学であり、経済的と経営学は「一体・不離」の関係にあり、経済的の研究対象領域は全体・マクロ領域に重きを置き、経営学は個としての人間・ミクロ的領域に重きを置く学、と理解しています。

ですから、経済学・経営学はより拡大・拡張された社会空間領域とその成果つまり社会科学全般の理解はもとより、自然科学の理解を含め総合的理解が必要であり、その一方で社会と経済の主体である「人間」の理解は歴史など人間の行動を時間的領域から理解することと人間の行動を規定する「心」「価値観」は宗教や哲学に及び人の目には見えない領域まで及びます。つまり総合的な「人間学」という人類の永遠のテーマである領域まで含まれています。

経済学の考察領域は世界・社会というマクロ領域と人間の心の世界・ミクロ領域に及び、経済学は「人の営みと社会のそれぞれの在り方」を考察・模索するため総合性と整合性と充合性が必要となりますので、学としては複雑性を伴い時として難解となります。

■経済学の特質

経済学は、近代社会以前からありましたが、近代社会に至って体系化された学となりましたので近代の歴史のなかで、多様で多大な役割を果たし、物質的・経済的豊かさをもたらし社会的に貢献はしましたが一方で近代を戦争の時代へと化し、さまざまな問題と災禍を派生する原因をつくったとも理解できます。

それは経済学が未完で未熟な学であった故であり、経済学は現実社会と人間の心意・行動との乖離を埋められず時代を超えた普遍性を持ちえなかったからです。

それは経済学が他の近代諸科学と研究方法論に於いて異なる特質を持つからと考えられます。一般的に方法論には「演繹法」と「帰納法」の二つがあります。演繹法は単純で確実な真理をもって論理的思考で推論し事実を判断します。思考には判断者の価値観が介在し価値観によって異なる判断が得られることとなります。帰納法は事実を観察し、それを実験し一般的法則を立て判断します。

経済学では、複雑な社会現象を実験することが容易ではありませんし、複雑な事象は実験できませんので一般法則が立てられず判断できないのです。ですから経済学は演繹法に依拠せざるを得ず、演繹法による判断は思考がすべてであり、思考の主体である人間の価値観に左右されることとなり、判断対象である社会現象と、判断の主体である人間の価値観は常に変化し続けますので、価値観の違いによって判断が異なることとなります。ですから、経済学の判断に「絶対」はないのです。

人の価値観は、空間領域・時間領域の認識の差異と経験などに左右されます。経済学の大家アダム・スミス、カール・マルクス、ジョン・メイナード・ケインズらは、広い見識と確かな社会観・人間観そして歴史観を持ち、学を究めていました。故に社会に多大な影響を与え、貢献し、歴史に名を遺(のこ)したのです。しかし現在の経済学はまったくその域にありませんし、役割は果していませんし、責任は負いません。それを近代の経済学の一側面・社会と人間の関係から著述します。

■アダム・スミスの経済学

近代の経済学は、今から約250年前の1776年経済学の祖と言われる、アダム・スミスの著述になる「諸国民の富」(国富論)に始まります。

アダム・スミスは国富論を著述する前、イギリスに合同したスコットランドのグラスゴー大学の道徳哲学の講座をもち、新しい市民社会での人間像と市民社会の在り方を1751年「道徳感情論」に著し、道徳哲学者として名声を得た後10年の歳月をかけて「国富論」を著しています。国富論は市民社会が人間的感情を自由に素直に表現し営みが行える社会をめざし、労働によって生産量の増大を実現することをめざし、多くの市民による協力、協働によって行う社会的分業の理論から始まり、現在に通ずる多様な経済学の基本的概念を提示し経済学の基礎を提示してくれました。アダム・スミスの経済理論は「市民社会で自由で道徳を解した市民」という社会観と人間観を前提・仮定した経済理論であり16世紀・17世紀の西欧諸国による殺戮や富の収奪を行った重商主義に強く反対していました。また、例えば、貨幣については社会における交換のために必要な普遍的な用具とし、すべての財とサービスは貨幣を媒介として売買され、交換されるとしています。資本の蓄積については資本の増加に伴って貨幣の利子率が低下する一般的傾向があること、資本家同士の間の競争によって利潤率の低下する傾向にあることなども指摘しています。

つまりスミスは市民社会の充実と市民の営みの向上は自由競争などによる市場経済のもとで新しい産業が実現し、生活の向上に繋がるという信条と信念をもち、産業の発展による社会の発展という資本主義による社会発展理論の先駆けとなるとともに、国家の役割を提示し近代の主権国家体制の確立に寄与しています。

アダム・スミスは当時の市民社会と市民の関係とその在り方を適確に示し、社会の発展と市民生活の向上を願い国富論を著述したが故、産業革命以後の産業の発展の礎となり、後世にも多大な影響を与えています。

■カール・マルクスの経済学

イギリスの産業革命以後社会の状況は大きく変容していました。

1760年代から第二次囲い込み（エンクロージャ・穀物増産を目的に地主・大借地農が農民を追い出す）によって都市に労働者が溢れる状況の下で技術革新と動力革命が進展し生産方式はマニュファクチャー（工業製手工業）から労働依存度の高い「工場制機械工業」へと変容するなかで、デヴィッド・リカード、ロバート・マルサスらによってイギリス古典派経済学は確立化していきました。

産業革命によって形成された工場制機械工業はアダム・スミスが考えていた調和のとれた生産体制でもなく、リカードが主張していた安定化もせず、1825年に「経済恐慌」となり、その後周期的な恐慌が生じることとなりました。産業革命以後約45年間でイギリスの産業発展は不安定化し、古典派経済学の夢は砕かれ、資本家階級と労働者階級の階級対立が生まれ、深刻化していき、アダム・スミスらの自由放任を旨とする古典派経済学はジョン・スチュアート・ミルが「経済学原理」によって集大成をみましたが、その年1848年、マルクス＝エンゲルスになる「共産党宣言」が発刊された年であり、古典派経済学は実質的に解体しました。

共産党宣言はイギリスの約70年前からの第二次囲い込みによって生じた農民が生産手段を持たない都市労働者化し、

苛酷な労働条件・環境の下で働かされ、古典派経済学が想定していなかった「貧困や分配の不公正」が深刻化した社会の下で著されました。

カール・マルクス（1818～1883年）の「資本論」はイギリスの工場制機械工業の下での苛酷な19世紀中頃の社会の現実の下で著され、唯物論を核とする世界観・歴史観にもとづく思想・学問体系はその当時はもとより現在に至るも全世界中に多大な影響を与え続けています。それは思想界のみならず近代社会全体に特に政治に与えた影響が大きく、約100年以上に亘る動乱の世界の歴史を派生させた偉大な大思想家であり経済学者であり、近代社会を代表する人物の一人であると理解されます。

マルクスの思想・経済学の体系の核は「剰余価値」学説であり「搾取」理論であり、この学説が経済学のみならず社会全体に多大な影響を与えた因となっています。この説・論以上に影響を与えた論説を私は知りません。

「剰余価値」とは「資本論」において労働価値説に立ち、資本主義の『利潤の源泉は剰余価値』であり、労働者は自らのための労働（必要労働）以上に労働時間を延長し剰余労働を資本家に「搾取」（しぼりとる）される。剰余価値＝剰余労働であり①労働時間の延長によるものを絶対的剰余価値。②賃金（財）の価値の低下（＝労働生産性の低下）によるものを相対的剰余価値。③労働者が1日に受けとる消費財の引下げ、という三つの搾取が利潤の源泉であると説明しています。また、この説をめぐって長い間、批判・反批判が行われました。

マルクスの「資本」の概念は、一般に理解される会計学的な資本の理解と異なり、わかりにくく神秘的と受け取れます。
マルクスの資本とは資本主義の深層にあって、生産関係を規定し、貨幣資本→生産資本→商品資本そして貨幣資本という形をとって絶えず循環し続け、資本が人格的に表現されたものが資本家であり、資本家は自らの意志で、自らの判断で行動しているように見えながら、実態は資本の意図を表現してゆく一つの人格的存在としています。マルクス理論の批判者はそこにマルクス理論の「幻視」性を見出し追求します。
マルクス理論の労働者は産業革命以後の労働依存度の高い工場制機械工業のなかで働く労働者であり、自らの労働力を商品として売ることでしか生活のできないプロレタリアートとしての労働者であり、自らの労働力が生み出した価値よりはるかに少ない価値しか賃金として得られない人々であり労働によって生まれた剰余価値が資本家に利潤として帰属することを許容できないマルクスの「社会的正義感」が剰余価値説を唱え搾取理論に至ったと思われます。
マルクスは工場制機械工業という生産システムの下での苛酷な働きを強いられていた労働者階級と資本家階級との対立の社会関係のなかで理論を構築し社会の大多数を占める労働者の救済の道を人道主義的に描いた歴史的意義は大きく、労働運動や社会主義国を導くなどし、資本主義を牽制し、修正させ結果として民主主義の発展に寄与したことはまぎれもない歴史的事実であり、マルクス主義の系譜にある人々の社会的正義感は現在の社会に欠落していると理解します。マルクス主義の論理的正当性は否定されていますが、歴史的評価は未だ尚早と思われます。
近代経済学の祖と言われるアダム・スミスの国富論とマル

クスの資本論を対比させてみると経済学の難解さとその他の諸科学との明確な違いが見えてきます。

スミスの国富論は、その名の通り、市民社会を豊かにするための「富」を増やす方法とそのための在り方を示しています。スミス以前の「富」の理解は、それまでの重商主義における理解つまり、富とは金銀などの貴金属でつくられた貨幣、という理解ではなく「消費される財」を指します。財を生産するのは、国民の「労働」であり、価値は人間の労働が生むという「労働価値説」をとります。スミスの労働というのは、工業制手工業（マニュファクチャー）の時代での「人間の主に肉体的働きとその熟練度」を中心として理解されています。ですからいかにして「分業」によって生産力を高めるかが第一章に著されています。スミスの経済学は、労働価値説と分業を中心として体系化されています。

つまり、スミスの理論の人間像は「国家における市民であり」スミスの労働観は、「市民の営みの一側面である社会に於ける肉体的労働」による「労働価値説」と言えます。ですから、国家・市民社会の社会領域という枠組みのなかでの理論と言えます。

一方、マルクスの理論の人間像は「国家を超えた生産手段を占有する資本家（ブルジョワ）階級と生産手段を持たない・苛酷な生活状況にある労働者（プロレタリア）階級という社会構造のなかで、窮乏化している労働者としての生活者」と言えます。

ですから、近代に進歩した技術を含むあらゆる生産資源は人の労働から生み出されたものであり、本来労働者に帰属すべきであるものが、資本家に収奪され帰属し、占有されている実体である「機械装置・工場」といった生産要素・資源を軽視・無視・拒絶する論となり「労働価値イコール剰余価値」となり、剰余価値が資本家に「採取」されているという論となります。

マルクスの「資本論」は18世紀末のイギリスの産業革命以後の西欧諸国全体の工業化・工場化のなかで、階級社会化に至った約80年後の近代西欧諸国の共通の昏迷の社会状況の下で著述されたものであり、マルクスは1867年頃から著述した資本論に先行し、1846年に、マルクスとエンゲルスになる「共産党宣言」が刊行され、1872年に国際組織であった共産主義者同盟がイギリスに端を発し西欧諸国に発せられていました。

宣言の文頭には「妖怪がヨーロッパに出没する。共産主義という妖怪が」文末には「全世界のプロレタリア、団結せよ！」と著され、その後の世界を激動の時代と化した著作であります。資本論は、マルクス・エンゲルスの「唯物論・上部構造論」を核とする「世界観・歴史観・社会観」が、共産党宣言によって明確に示され、その後マルクスの「価値観」によって、資本論は著述されています。

マルクスの社会観・人間観は、スミスの国富論の世界を超えています。スミスの経済学の理解は、その著作の示す通り「国家と市民」との関係であり、国家という空間のなかでの考察であるが、マルクスの人間観・社会観は「国際社会と疲弊した（窮乏した）生活者としての労働者」との関係であり、国家を超えた空間のなかでの考察であり、市民という人間観から、社会関係のなかでの社会の大多数を占める労働者という人間観に出発しています。

マルクスの社会観・人間観は、人道主義、博愛、また、連帯という理念と「社会的正義」で貫かれ、理想主義的社会・共産社会を原型としているが故に、社会的共感を得、永く人類社会に多大な影響を与え、影響を残し続けているのです。

しかし、マルクスの著・エンゲルスの編になる「資本論」は、誤謬(ごびゅう)もあり、理解が難しく、著述した時代で受け止められた理論も時の経過と共にその妥当性は徐々に失われています。

マルクスの経済理論は、精緻に・総合的に著述されているが、唯物論・唯物史観・上部構造・階級性といったマルクスの独自の強靱な「価値観」が、経済の実態の理解に影響しています。マルクスの理論の体系は現在に至るも、とりわけ1991年のソ連邦の解体まで約150年以上に亘り、思想界・言論界の中核として批判・反批判が行われ、近代社会のみならず、人類の歴史のなかで燦然(さんぜん)と輝く思想体系であり学問体系であると理解できるが、現実に変化し・流動化する社会・経済を客観視し、普遍の体系化はできなかったと理解できます。

マルクスの哲学の体系、経済理論の体系の基本・中核は、経済学の剰余価値説であり搾取理論であります。この説・理を基本にマルクスの思想は体系化されています。

剰余価値説は、労働価値説の有力な一つの説であるが「資本」の役割・機能を否定し、資本を、貨幣資本から生産資本から商品資本そして貨幣資本という形で循環するものと理解し、また、資本を人格的に表現し、一般的理解との関係に距離をもつ表現をしていることや、技術の進歩による機械装置の役割・効果をほとんど評価せず、機械装置の導入・利用の対価としての資金・資本の役割・機能をまったく評価せず、排除しているところなどにみられます。

これらは、マルクスの強靱な価値観が現実の経済関係を幻視させ、現実と理論の乖離を生じさせたと理解できます。

また、資本論全体を通して、会計学的理解の著述がないことに気づかされます。

会計学は1494年にレオナルド・ダ・ビンチと親交のあった、ルカ・パチョーリの簿記によって成立し、15世紀から19世紀までの会計理論は「人的勘定学説」とよばれ、人と人の貸借記録により借方と貸方に区分計算するということで成立していました。それが20世紀の初めから「財産、資本二勘定学説」や「資産、資本、負債三勘定学説」に移ります。その学説の萌芽は1830年頃のイギリスの蒸気機関車による鉄道網の整備のなかで、固定資産の重要性が理解されるようになり「減価償却」の概念が生まれていた頃ですので、マルクスがそうした理解を知らなかったか、理解していても、資本家の道具としての会計理論を建物・機械装置と同様に無視したと思われます。会計学はその頃までは、資本家のための会計であり、20世紀以後は他人のための財務会計へそして管理会計に進展することとなり、私の資本の理解は、会計学に依拠しています。

私は、マルクスの経済学は、19世紀後半頃のイギリスと周辺諸国の産業革命以後の資本主義経済の下での社会的昏迷の解決のための新たな次なる社会を提示するために考案された経済学であり、マルクスの思想体系を前提に「価値観」が先導した経済理論であり「剰余価値説」が、その整合性のための説となっていると私は理解します。

マルクス主義は、死後、あまりにも深淵で難解であるが故、また、ヘーゲルの国家主義的体質の影響もあり、誤解されたり、教条化・宗教化・イデオロギー化したり、社会的、また、政治的影響を多大に影響し続けます。

私はマルクス主義を、現在的には以下のように理解します。

何人も、確固たる世界観・社会観をもってしても、激動する社会現象を完璧に理解することはできない。マルクスをもってしてもそれは不可能であった。

また、昏迷する社会から脱却、また、超えるためには社会の主体である人間の営み・生活の充実を実現し、人間の福祉の向上に資する「価値観」をもって社会を変革することが重要であることを教えてくれている。それが教訓であり、また、これからの指針であると理解しています。

しかし、マルクス主義は、新たな社会の実現を急ぐあまり、その実現に「革命」という暴力的手段を指向しました。それが最大の誤りであり、それは苛酷な社会での方法であったが、今後の来るべき社会の実現の方法は、近代社会がもたらしてくれた民主主義の制度によって実現することであり、一つの地球という定常型社会で、融和と融合を実現するためにもスタートを誤ってはならないと理解します。

マルクス以後、社会主義経済学は独自の進展をし、資本主義経済学の古典派経済学は19世紀半ばに実質解体し、1870

年代に、スタンレー・ジェボンズ、カール・メンガー、レオン・ワルラスなどによって「限界効用」の考え方にもとづいて新たな展開をみせ、「新古典派理論」として近代経済学が確立されます。その代表的論がレオン・ワルラスの「一般均衡理論」であり、近代経済学は、消費者行動・労働供給・競争均衡・生産者行動・市場均衡などの分析を行いました。理論の要旨はアダム・スミス、リカードなどの理論に比して矮小化した理論であり、経済活動の主体を「抽象的な経済人(ホモ・エコノミクス)」を前提とした理論であり、生産者の利潤が最大となるように、生産技術を選択し、生産要素の組み合わせを考察しています。ホモ・エコノミックスという概念は、人間の文化的・歴史的、社会的な側面を切り離し、経済主体が経済的計算のみにもとづいて行動する抽象的存在であり、アダム・スミスの市民という営みを行う人間を前提としているのではなく、生産手段の私有制、経済人の合理性、生産手段の可変性などといった仮定の下に経済循環のプロセスを考察していて、実体の社会関係を考慮せず、人間理解を深めることなく経済理論に純化していました。

後に新古典経済学は、ソースティン・ヴェブレンなどによって批判され、時の経過と伴に、新古典の理論と現実経済との乖離が増し、理論の妥当性は失われ、1914年の第一次世界大戦の後1929年の大恐慌の後新古典は実質解体しました。

■ケインズの経済学

1929年の大恐慌の後、資本主義経済の復興の処方箋を提示したのは、イギリスの経済学者、ジョン・メイナード・ケインズでした。1936年「雇用・利子および貨幣の一般理論」を刊行し、1930年代後半から1970年代の初めまでの約40年間、資本主義経済の成熟段階に至る期間、強い影響を与え、その時代を「ケインズの時代」とまで言わしめました。

ケインズの問題意識は、第一次世界大戦後の世界大恐慌の後の失業者の多い、富の偏在と所得の格差によって不平等化した社会を背景として生まれ、資本主義経済で完全雇用を実現することと、富と所得の格差からくる不平等の是正を目標としていました。それは大恐慌から資本主義が立ち直るための処方箋であり、1917年のロシア革命後の社会主義の台頭に対する、アンチテーゼとしての意味と役割をもったと理解されます。

ケインズは新古典経済学の、現実的妥当性の欠落を超えて、資本主義の経済制度に踏み込んで、主権国家の経済政策に深く係わりました。

ケインズの一般理論は、「投資理論」にもとづき「有効需要」の理論と「流動性選好」の理論が骨子となっています。

投資理論とは、企業の最適な投資水準は、投資の限界効率が投資のコストすなわち長期利子率に等しい時に実現し、最適投資水準は長期利子率が低下する時、高くなる。

有効需要の理論とは、有効需要は総供給額と総需要額とが等しくなる水準で対応し、総需要額は「消費」「投資」「財政支出」の合計であり流動性選好の理論とは、労働の全雇用量は有効需要の理論によって決められ市場利子率に影響される。市場利子率は金融資産（ケインズでは貨幣＋短期金融資産）の価格によって決定される。

ケインズは、資本主義市場経済制度の下の資源及び所得の不公正を正し、労働の完全雇用と経済活動の安定化のために、政府の「財政政策」と「金融政策」を弾力的に運用することとしています。

ケインズ主義は、国民の大多数である労働者のみならず、全体経済の安定のために、理性主義を貫き、政治的に偏向せず、資本主義経済社会の調和的な発展に貢献したと理解できます。

ケインズは第二次世界大戦の終結の後 1946 年に死去しましたが、1944 年の戦後を話し合った、ブレトン＝ウッズ会議（国際通貨金融会議）で、発展途上国を含む世界の戦後復興のための「マイナス利子率の国際通貨「バンコールのシステム」を提案しました。しかしアメリカのホワイト案に敗れました。この事実はほとんど知られていませんが。この事実は将来検証され、問題化される可能性は高いと私は理解します。

ケインズの一般理論の本質は「利子率」と言えます。ケインズは、利子率をプラスの利子率で理解していましたが、晩年、マイナスの利子率の通貨による通貨制度を提案するに至ったのは同時代に長らく親交があり、また、ケインズが称賛していた、「時とともに価値の減る自由貨幣」を提唱していたシルビオ・ゲゼルの影響かと思われます。ケインズが健康で長命であったなら戦後の通貨体制・金融体制は大きく転換し、現在の資本主義経済システムが変容したかと思えば、残念でなりません。

■ケインズ以降、経済学は完全崩壊

ケインズの死後1970年代以後、資本主義経済システムは激変し「金融資本主義化」し、その後、経済常識を超えた、「限界費用ゼロ」の可能な情報産業が台頭し、資本主義経済は変容し、経済学は「完全崩壊」に至りました。

経済学が完全崩壊？　聞き捨てならんことを主張するとの批判が出てくることは承知しています。

ケインズの一般理論は、投資理論にもとづく有効需要の理論と流動性選好理論が骨子であり、それを財政政策と金融政策を弾力的に運用することで成立します。

財政政策の主体は国家であり、国家の意志は政治に左右されます。戦後世界政治はアメリカが主導し、現在に至る約75年間変わることはありませんでした。アメリカは、パックス・アメリカーナを維持するため、1970年頃まで続いていた、産業と労働者として国家という主権国家体制内の三位一体体制の維持が困難になり始めました。それは生活に密着していた産業資本主義が成熟化から相対的に衰退化し、終焉期に入ったため、三位一体体制が維持できなくなり、産業はサービス産業化し、サービス産業の中核である金融産業に国家は依存する方向に進展し、産業労働者切り捨ての方向に進展します。金融産業は、産業資本への融資では利益が生み出せないため海外進出を求めることとなります。そのため国家は金融産業の利益擁護の政策をとり始めます。それが1980年代のサッチャリズムであり、レーガノミックスであり、それを後押し正当化したのがフリードリッヒ・ハイエクとミルトン・フリードマンらが提唱した「新自由主義」であり、人・物・金の自由化を求めるグローバル化の理念です。

資本主義経済体制の方向転換は、1971年のニクソン・ドクトリンであり、ドルと金の交換停止であり、これによって米国ドルの増刷ができるようになり、金融産業を後押しすることとなります。これによって、財政政策も金融政策も歪められていきます。

1970年代以後の経済理論は、パックス・アメリカーナという政治政策と金融産業の発展のため、金融産業の利潤極大化の理論へと傾斜していき、ケインズの失業の減少・全体経済の安定化のための理論は排除され、財政も金融も変容・変質し、経済学が「学」として成立しなくなり、特定の経済主体のための「理論」となってしまったのです。

アダム・スミス以来の資本主義経済学は現在完全に崩壊しました。何故崩壊したかと言えば400年以上続く主権国家体制の下で経済学は進展してきました、その理論は「国民経済の枠(わく)組みのなか」で進展し、国際化・世界化、また、地球化した現実経済にまったく適応できないのです。つまり経済学の考察対象領域が「近代国家」から、「世界・人類社会」という究極的領域に、僅か40～50年の間に拡大・拡張したためであり、伝統的なマクロ経済学は、完全にその理論の妥当性がなくなってしまったのです。

第二次世界大戦後の世界は激動しました。経済学の変容に強く影響した事柄を掲げてみると以下の通りです。

・1946年　ブレトン＝ウッズ会議、国際通貨基金（IMF)、国際復興開発銀行（世界銀行、IBRD）の設立決定

・東西冷戦の激化と1965年から1973年のベトナム戦争
・1971年　ニクソンによるドル・金の交換停止
・1973年　第一次石油ショック

アメリカ経済の戦後は、フォード主義的大量生産と大量消費の経済で繁栄していましたが、1960年代末からフォード主義的労使妥協関係も崩れ、大量廃棄もあり公害が深刻となり高度成長から低成長へと向かい1970年代半ば以後経済成長率は2%台となり利潤率は低下に向かい失業率も高くなり、ベトナム戦争もあり、社会は疲弊化が進展していきます。

それと共に、経済学研究に影響したのは、1940年代終わり頃から50年代にかけて吹き荒れたマッカーシズムという反共運動です。アメリカ議会の「非米活動委員会」を足場にして政府・大学などにいる共産主義者とそれに類すると思われる人々を排除する運動が展開されていました。その当時は経済学研究がイギリスの大学からアメリカの大学へ移行していた時期でありその後の経済学研究に多大な悪影響を与えることとなります。社会では自由と平等に多大な影響を与えることとなります。社会では自由と平等を求める理想主義が影をひそめ、アメリカの覇権主義が強まり、学生運動も激化することとなり、そうした時代背景で「新自由主義」が台頭することとなり、反ケインズ主義を唱えることとなります。

■新自由主義はアメリカと金融のエゴの合作

新自由主義は、フリードリッヒ・ハイエク（1899～1992年）、ミルトン・フリードマン（1912～2006）などによって

提唱された一連の理論であり、ケインズ以前の新古典派経済学の考え方やそのバリエイションを基礎に理論化されたものであり、

・合理主義の経済学
・マネタリズム
・サプライサイド経済学
・合理的期待形成仮説

などの理論です。

資本主義の市場経済の下では（全知に近い）自由な個人が、自然に合理的な経済行為を行い、その総体が市場を形成するので、社会や国家などの全体の関与は必要としないとし、経済は市場に委（ゆだ）ねるべきとする。市場原理主義の理念と言えます。

市場制度の成立そのものを否定するような前提条件の下で、市場制度の効率性や最適性を証明するという矛盾で、奇妙な論理を立てています。

1970年代以後の経済学は、アメリカの覇権維持の政策と金融産業・企業のための経済学であり、それを富裕層・既得権者が支持しているという状況にあります。

現在の経済学というより経済理論は、ケインズ以前の道徳性・倫理性が欠落し、全知的合理的経済人という仮説は、個人主義というより利己主義からしか発想できない仮説であり、パックス・アメリカーナという利己主義と金融産業の利己主義を反映した理論で、利己主義的な人々に支持されていると思えます。

近代社会は、個人主義・合理主義によって育まれ、資本主義は個人主義と合理主義によってまがりなりにも支えられ修正を加えながら存続してきました。今は資本主義自体が個人主義・合理主義を毀損し、近代社会を損壊し死滅に向かわせている。それは資本主義の死の寸前の足掻(あが)きの状況と思えます。

人は死・臨終に際し、心豊かに充実した人生を歩めた人は、足掻き苦しむことはない、静かに穏やかに死を迎えることができる。人間関係・社会関係を無視し、利己的に生きた人は臨終に際し、足掻き苦しむ。今資本主義はそのような状況にあるとしか思えない。

新自由主義の経済理論の本質は何であろう。資本主義は終焉に向かって経済・社会に大きく、深い歪みをつくり出している。新自由主義は歪みの生み出した「徒花(あだばな)」としか思えない、利子・貨幣・資本・お金という「種」が生み出した徒花であり、徒花は新たな実をつけることはない。人類は一日も早く徒花を抜き取らねばならない。

■経済学の最大の盲点は「利子」

現在人類社会で求められている経済学の在り方は、新自由主義にはない。現在の経済理論は、人間の営みと全体社会を毀損し続けている。

アダム・スミスは、市民社会の充実・発展を願い、
カール・マルクスは、悲惨な労働者の救済を求め、
ケインズは、失業者の就労を願い、社会の経済安定化を求め、経済学を究め社会貢献をした。

しかし現在の経済理論は道徳性・倫理性は欠落し、個人主義以前の利己主義で社会関係を無視した理論というより「方便」としか言いようない論によって人類社会をミスリードしている。

なぜこのような事態に至ったかと考案すると、経済を学び探究した人々も他の人々と同様に「お金にとりつく利子」についての理解を見落としたことにある、と理解せざるを得ない。経済学者・大思想家もお金の役割・機能、また、利子率については論ずるが「利子そのものの役割・機能」に言及・考察することはなかった。それが経済学の最大の盲点であった。そうならしめたのは経済成長の見込める経済状況の下では利子の役割を理解しても容認していたとしか思えない。しかし経済成長の見込めない状況間近に至って利子そのものの役割を理解した人が出現した。20世紀のシュタイナー、エンデ、ゲゼルといった大思想家達であった。その人々の理解は「問題の根源は利子」であると理解し、利子のつかないお金による社会は資本主義社会とは異質の社会になったと言及している。

アダム・スミスは、利子を従来からの理解で受け止め、マルクスは、お金と利子の役割を無視・幻視、また、敵視し、ケインズは、利子の役割を活用し利子そのものを理解した時は既に遅かった。

現在の資本主義は、私の信頼する水野和夫氏、野田聖二氏の指摘する、経済成長ゼロ、利子率ゼロ、景気変動ゼロに日々近づいている、やがて一つの「地球定常型社会」となる。

近代の経済学は社会変化・経済変化そして技術進歩の激しい時代の学であり、経済学の論理的妥当性が短期間で失われてきた。

しかしこれからの定常型社会では量的拡大が相対的に減少するので、社会関係の理解が多少なり容易となり、人間理解も深まり、経済学が社会と人間の営みの関係を普遍的レベルまで考察し総合化・体系化することが近代社会に比して容易になるため経済学は新たな進化・発展が見込める。その時には利子のつかないお金・老化する貨幣が経済学・経営学の主要概念になるかと思われる。

ケインズ主義以前の経済学はマルクスを除き主権国家体制下での国民経済の枠組みのなかで展開してきたが、マルクスは国家を超えた資本家と労働者という社会関係で論を展開していた。今後の方向性は、後戻りのできないグローバル化が進展したが故に、一つの地球人類社会という考察の枠組みしか考えられない。一つの地球（世界）—地域（文明圏・文化圏）—国家—地方—コミュニティーと社会の主体である生活者・人間という大枠の有機的連関を解明し、それぞれの在り方を究めることであり社会現象の考察に並行し、価値観の統合化が不可欠と思われる。それは、総合科学として経済学となるがそこへの道程は長い。

■一つの地球人類定常型社会での新たな経済学の模索

私は大学時代の専攻は、経営学であったが広義に経済学を解釈した場合、経営学は経済学の一部でしかない。

大学で学んだ頃は、年功序列と終身雇用の日本的経営とアメリカ的経営学の並存の時代であった。

アメリカ的経営学では、経営管理論・組織論、また、ドラッガー経営学などを学んだが、目標による管理・成果主義・マニュアルといった概念に触れアメリカ的経営学とは徐々に疎遠となり、恩師の日本的・創造経営理論にのめり込んでいった。恩師の理は経営の表層的理解に留まらず、人間の心という深層の理解から出発し人間の総合的理解をもとに、人間の自律性を重視し人間性の向上とそれによる職務能力の向上の「働き」を核とする理であり時に「人間学」というレベルであった。

当時のアメリカ経営学は、資本主義経済学を背景としていたため、経営の主体である人間理解が浅く（現在も同様）利潤の追求・極大化を目的とする理を中心としていた。

現在アメリカ的経営学が世界を席巻してはいるが、資本主義の終焉から死への過程でその理論は徐々に崩壊していくと私は理解します。それは、「働き」の主体が、社会的動物としての、また、生活者としての人間であることの理解が欠落しているからであり、経営学としての普遍性はないと理解する。

これからの経営学は、世界の多様な経営学が、日本的経営学を軸に総合化・統合化される方向に進展し、「利潤」という「目標」の先にある、「人間の福祉（生命の繁栄）の充実」の「目的」を掲げ新たな体系化がなされると私は理解する。これによって広義の意味での経済学が確立に向かい、人類社会のみならず地球の救済が可能となる。

第18章　未来社会への道を切り拓く 経済構造の大転換へ

現在の資本主義を基調とする近代社会から「脱資本」を実現し、近代を超える「超近代」の「未来社会」を実現する上で、重要な課題が2件あります。

第一に、価値観の転換つまりパラダイムシフト（時代のものの見方・考え方を変える）の実現、と、

第二に、経済の最も基本的な構造の変化・転換の実現、です。「経済構造の大転換」と表現します。

第一と第二を「同時・並列的」に実現することで、進展の過程での問題の派生を少なくすることができます。そして第一と第二の進展を「国内経済・社会状況」の変化と「海外経済・社会状況」の変化を考慮して、弾力的に適応できる、新たな制度を設計することで「近代社会」からスムーズに脱却することが可能となります。

第一の、パラダイムシフトの方向性は前述しました。

第二の経済構造の大転換について著述します。

■供給と需要が一体でバランスしていた経済

人間の歴史は約200万年前から始まりました。約1万前では、自然物の採取・狩猟の営みが行われ、営みのなかで、自然という「供給」が人の生存という「需要」を規定し、需要者である人が「供給」を選択することで、「供給と需要が一

体でバランス」していた時代と言えます。

■供給と需要が自然と争乱でバランスした経済

約１万年以後の封建社会・時代では、農耕と牧畜の営みが行われるようになり、それは生存のための「基本的欲求」の充足の営みであり「人口の増加」が可能となり、「農耕による生産力の増加」という「供給」と「人口の増加」という「需要」が「気象状況」「病気や疫病」という自然的な力と「争乱・戦争」といった人為的な力で、自然を損壊しない状況で、時には人減らし・姥捨てということもありましたが、バランスさせていました。

■供給が商品・サービスを通して需要を減らす収奪の経済

約300年前からの「産業革命」以後は、「供給」が「商品」を製(つく)ることによって、「需要」を満たすことに始まりましたが、「需要」が満たされない時、また、供給と需要が一致するまではよいのですが、「供給」が「過多・過剰」になった場合に、供給が量を減らしてバランスさせればよいのですが、需要がストップした場合にそれを廃棄(はいき)すればよいのですが、強引に販売し「需要」を創り出します。供給の生産は大量に製(つく)れば規模の経済性が一般的には機能しますので製品コストは低下し、利益が得られますので限界まで供給を増加し続け、過当な競争によって、浪費・対立・戦争にまで至ります。これが国内・国際世界に於いても行われます。つまり「供給」

が「供給の論理」で「需要」をつくり続け、商品に含まれて利子分（約25%と一般的に言われてい）以上の「価値・富」を「需要」から「供給」に移転することになります。その極限が「AIロボット化」によって、供給者でもある需要者の雇用をなくし、「需要」を減らしていきます。

つまり「供給」が「商品・サービス」を通じて「需要」を減らします。

ですから「供給」は、新たな需要をつくりながら、究極的には「需要」をゼロにすることになります。「供給」が「需要」をつくり出し「需要」を減量化し、供給が需要から富を移転することによって、成立しなくなる経済構造をもちます。

資本主義の歴史は「供給」による「収奪」の歴史です。「需要」側にいる「生活者」が貧困化することは必然と言えます。それは、「人間の欲望」によって行われ、「お金にとりつく利子」がそれを可能にし、人類の問題の大部分を生み出し、深刻化させているのです。

■生活者・需要が供給を誘導する経済へ

これからの未来は「生活者」としての「需要」が「供給」を「誘導」から「統制」そして「支配」する方向性に向けて、経済構造を大転換する必要があります。

需要が供給を誘導する経済・社会システムは、人間が、経済や社会の状況とその変化をみながら、つくり上げていくものです。人間の価値観の変化・転換とは一体であり、まさに「コインの裏表」の関係と言えます。

現在の世界の状況を総合的に理解すれば、需要の領土的空間はゼロに近づいていますので遠からず、需給関係は総くずれになり、経済・社会関係が成立しなくなり、人は営みができなくなります。

この単純な論理さえも、資本主義は資本の増殖のために無視し、生活者はこれを容認させられているのです。それは、強欲な人々の望む「便利さ・便益」を、生活者を含む「需要」に植えつけ・繁殖させているからです。

■基本的所得保障（B・I）がその入口

前述しました「ベーシックインカム」（B・I基本所得保障）を土台にし、共生保障を、構築し、「税制の抜本改革」という制度改革提案が、需要が供給を誘導する経済の入口・出発点になります。

B・Iの年額総額は90兆円ないし100兆円を予定しています。その額は、日本の年間消費額の30％以上の金額です。それを入口にし、その定着化の過程で、次なる新たな経済・社会制度を、次次と導入していくのです。

この第一のパラダイムシフト、第二の経済構造の大転換のための、B・I以下の制度改革は、未来社会への新たな選択肢を拡大化し増加させてくれます。

B・Iの制度によって、最低限の所得が保障されますと、経済的セーフティネットが張られることになります。経済的な一部の束縛や支配から解放されることが可能となります。

また、共生保障によって、社会的セーフティネットが張られることにより、二重のセーフティネットが張られることになります。

そこで、徐々に「安心感」が生まれ醸成する方向に進展します。一部から平等感が生まれ、選択肢が拡大し「自由」が育まれます。人の安心感と、平等と自由の確保が新たな社会的な選択に導いていきます。

現在の人類社会は、立場を超えて、不安感が増幅し、平等が喪失し自由が奪われています。それが価値観の転換に結びつくことになり、信頼に足る政治を信用し支持することに結びつきます。

これからの定常系（型）地球で人類が継続し生きていくためには、その第一歩として「安心感」を増幅し、安定的でしかも継続的な社会・経済を築き、それをより安定化し改良する選択の道への歩みを始めることです。

B・Iを土台にする社会保障という制度改革は、資本主義の終焉期から死に至る前になるべく早急に導入することが必要となります。

死に至りますと多大な犠牲が生まれることは必至です。一日も早く実現すれば、死の直後の対応が可能となり、日本が資本主義の死の宣告者となり、近代社会以後の未来社会への先導国となり、人類社会全体への真の貢献が可能となるのです。それは日本が新たな覇権国となるのではなく、他国が、日本の後ろ姿を見て、自然に自律的に追随する形です。

次の新たな制度については後述します。

第19章　利子のつかない貨幣システムの提案

■利子はお金以前に生まれたもの

現在の人類社会で生まれている、また、約500年前からの資本主義が産んだ多大な問題とその深刻化は「お金」が原因にあると理解されている人は増加しているが、厳密に、「お金」についている「利子」であることは、極めて少人数の人にしか理解されていません。お金は自分が生まれた以前から存在し、使用されているため「不可思議な物」と理解された以上の物ではないのです。

お金は約1万年前からの農耕社会化の過程で生まれた「余剰物」の「物々交換」の媒体として生まれたが、「利子」は「お金」以前に生まれたものであり、農耕の生産力の増量化の過程で、種を植えつける人が、他の種を持つ人から必要とされる種を借り受け、農産物を収奪したなかから、種を借り受けた分以上の種の量を貸してくれた人に返却したことに始まっています。借りた種の数が「元本・元金」であり、種を返した数からすなわち元本である種の数を差し引いた分が「利子」であり、元本に対する利子の割合を「利子率」と呼んでいます。すなわち借りた種の数が、100とし返した種の数が150であれば、利子率は50%ということになります。

利子の概念は、お金の存在以前からあったものであり。このことをほとんどの人は見落とし、理解しないできました。

■旧約聖書のモーゼの言葉――同胞には利子をつけて貸してはならない

『旧約聖書』・申命記（23章21節）には「外国人には利子をつけて貸してもよいが、同胞には利子をつけて貸してはならない」という預言者モーゼの言葉があります。旧約聖書はユダヤ教の聖典であると同時に、ユダヤ教から派生したキリスト教、イスラム教でも聖典とされています。

現在、イスラム世界には銀行がありますが、利子をとることはできません。銀行は融資先との共同出資という形で事業を行い、利益が上がったら銀行と融資先とで折半することになっています。

旧約聖書には利子に対する厳しい規定がありましたが、「外国人＝異教徒から利子をとることは罪ではない」とされています。

■お金に長けた少数民族は利子を知っていた

「金融」とは、貸し手が借り手に資金を融通することです。古代ギリシャの都市国家アテネには利子をとって融資を行う銀行も在りました。

また、古代バビロニアの「ハムラビ法典」（紀元前18世紀）には、「商人が穀物1クールに対し60クールの利息を超えてとった時は、貸与したものを失う」といった利子の上限を定めた規定もありました。

先述しましたように、一般的には、「お金にとりつく利子」

についての理解はありませんでしたが、古くから金融業に従事してきたフェニキア人（中東レバノンを本拠地）、ソグド人（中央アジアの現在のウズベキスタンを本拠地）、アルメニア人（トルコ東部、黒海とカスピ海の間に住む少数民族）、ユダヤ人そして中国人の客家という、金融に長けた人々は、歴史のなかで迫害されながらも、多大な影響を与えている人々は、お金と利子に対する明確な理解をもち、交易に必要な「両替商」として、両替手数料として利子を得ることで銀行家となり、現在の金融資本主義に多大に影響を及ぼしています。

■2%以下の利子率では資本主義は成立しなくなる

資本主義は「お金」の増殖を目的とする経済・経営システムです。しかし「お金」にとりつく「利子」をなくしてしまえば、「剝奪」すれば、資本主義は成立しないのです。「利子」がお金についていたことによって「お金」を持つ人が、眠っていても、働かなくとも「お金」自体が、価値を増す能力を持つが故に問題なのです。利子率が高いほど利子の力が強くて、お金の価値を高めるのです。

現在、利子率は低下の一途です。しかし現在ゼロではありません。2%以下の利子率になると基本的には資本主義は成立しなくなるのですが、1970年代以後の金融業は「電子・金融空間」で低利のお金をレバレッジという手法で数十倍にして利用して高い利益を得ることで資本主義を延命させ、まだ経済発展途上国の経済発展領域が多少残されていることが資本主義を延命させているのです。いずれ遠からず利子率がゼロとなり資本主義は、死の宣告を受けます。しかしこれからの社会・経済を展望すると死の宣告の後に「利子のつくお金」を許容し・利子を剝奪しませんと資本主義が復活してしまう可能性をもつことになります。

これからの未来社会は、利子のつかないお金を基本に経済経営システムを改変することが重要です。

■お金の五つの役割・機能を三つ以下に

お金には、①交換の媒体、②価値の尺度、③価値の保存、④投機的利益の道具、⑤支配の道具、という五つの役割・機能を持ちます。このうち、④の投機的利益の道具と⑤の支配の道具としての機能を完全に剝奪し、でき得れば、③の価値の保存の機能を減退化する必要がありますが、資本主義の死の直後ではそれを実行しますと経済に混乱を生じさせますので長期的課題とします。

■国家レベルの利子のつかない貨幣の実現と日本の可能性

利子のつかないお金、老化するお金という理解は、20世紀ヨーロッパ諸国の、ルドルフ・シュタイナー、ミヒャエル・エンデ、シルビオ・ゲゼルらによって提唱され、ヨーロッパ諸国・アメリカなどで「地域通貨」として実際に使用されています。地域通貨に留めるのではなく、国レベルの通貨にレベルアップし、やがて、国家レベルの「利子」のつかない貨幣による金融体制を、地球全体に波及させ、その体制ネットワークを構築し、上からでなく、国家レベルからの積み上げによって、地球的規模の金融ネットワークを構築する提案です。全体を完成させるには100年200年という時間のかかる遠大な構想です。

これを進展させる可能性のある国は、日本を除いて、現在では、世界のいずこにもないのです。

多額の金融資産をもつ巨大金融大国の日本、資本主義経済の最先端を歩む日本、世界の最先端の多くの技術を持つ日本、伝統文化の上に新たな世界の文化を重層化できる日本。

日本人としての一体感を共有し、世界の多様な価値観を受容できる民族の居住する日本。

こうした条件にあることで、日本人・日本は地球的規模での、利子のつかない貨幣とそれによる金融体制を構築できるのです。

■貨幣の価値は信用・信頼

最早、銀や金を本位とする貨幣・金融体制は一部に存続することはあっても地球全体を包含する金融システムにはなり得ません。

現在のアメリカのドルを基軸とする体制は第二次世界大戦時の1944年のブレトン＝ウッズ会議によって、アメリカが全世界の金保有の70%を所有すのなかで、継続されたものであり、その崩壊が予見される今、また近い将来とも後戻りすることはないのです。

貨幣の価値は、かつて銀や金が裏づけにあることで保たれていましたが、もともとは貨幣の価値は「信用」によって保たれ、信用が貨幣の価値を決定づけているのです。

現在の「地域通貨」はそれを利用する地域の人々の信用と信頼によって成立しています。

現在の日本は、800 t 近くの金しか所有していません。実体の金融資産に比較し僅かな金額にしかなりません。これからの貨幣の価値はそれを使用する人々の信用によって決定されるのです。信用のある国民の使用する通貨の価値は上昇し、信用のない国民の使用する貨幣の価値は下降するのです。

これからの人類全体の金融ネットワークは使用する国民や地域住民の信用で価値が決まる貨幣の相互関係の調整によって成立するのです。

旧約聖書は「同胞には利子をつけてはならない」外国人には利子をつけて貸してもよい、という預言者モーゼの言葉がありますが、今や人類全体が、小さな狭い地球で同胞意識を持ち融合して、和合して、生きていかねばなりません。最早外国人意識から脱却し、利子を撤廃すべき時代になっていると理解します。

日本の現在の通貨「円」から、利子の剝奪を「法律」によって行うことも機が熟せば可能となる時もありますが、円は現在の世界通貨ドル・ユーロに次ぐ第三の地位にあり、世界経済に組み込まれている状況の下では、法律によって強行することはできません。日本国民が現在の経済状況下ではそれを選択しません。

■第二日本銀行の設立――利子のつく円を利子のつかない新円にかえる

私は以下の道筋・方策であれば可能となると考えます。

①B・Iの社会保障体制を構想化・実現化する過程で、現在の日本銀行に加え、第二日本銀行（仮称）を設立します。第二日本銀行は、B・Iの給付と利子のつかない新円（仮称）を発行する銀行とし、当分の間、約5年間程度、新円のみを預かるだけの「預金銀行」とし国がその預金を保全・保証します。

第二日本銀行は、利子（利息）を要求しない個人・企業から預金を受けて、一切の運用・利子を行いません。その金額は、当初少なくとも50兆円以上を集め、第二日本銀行は、いかなる経済関係もないクローズシステムとして存在し、でき得れば数百兆円プールします。それは利子を支払う必要がありませんので、運用は必要としません。ただ預かるだけでその資金の保全義務だけを持たせ、国家が保証するのです。なぜそのような方法をとるのかと言えば、現在日本の国債の発行されている金額は2019年次で1100兆円、通貨発行量は600兆円以上を超えており、現在の政権はこれを増加し続け、日を追うごとに危険な状況をつくり出しています。国債の外国人所有比率がこれ以上増加しますと危機的状況に至り、中国経済のバブル崩壊とアメリカドル基軸金融体制の破綻のどちらかでもあれば、個人を中心とした国債を含め日本国の金融資産が、ハイパーインフレによって、「霧散化」する可能性が高いのです。それらの金融資産を第二日本銀行に移転すれば、最悪国債の外国人持分を消化する方策をとるだけで、すべての金融資産を失うことが避けられるのです。

第二日本銀行が現在の円を所持しオープンシステムであれば、金融資産が保全されないのです。

国債の10年物利回りは最高2%であり、銀行預金は実質0%です。仮に100兆円以上の資金が第二日本銀行に集まれば、B・Iは即始動可能となります。仮に500兆円資金が集まれば、500兆円を「利子のつかないお金」に変え日本の金融が世界金融を誘導することになります。

仮に50兆円程度の資金しか集まらなくても現在の財政を改変し税制を多少強化すればB・Iは始動となります。

B・Iの給付はすべて、利子のつかない新円で行い、3年経過すれば、新円の消費経済に進展します。

②B・Iの実施年には、徴税により円の回収を始めます。年間50兆円以上の円の回収が可能となります。それを新円に換えて給付に充当します。それを数年繰り返しますと、ほとんどの円が新円に変わります。

■利子のつかないお金での融資

③B・I制度後数年経過しますと、第二日本銀行に新円の資金が貯蔵されます。その資金を国内の重点諸施策の資金として利用を始めます。厳格な施策・プロジェクトの診査と債権の保全のための確実な保証を確保し融資を行います。融資への対価は融資に係わった最低費用以上の対価を融資先の意思で決定してもらいます。対象は、国内の公的組織・民間組織に関係なく行い、富の偏在と格差の是正を図るのです。国内

から徐々に国外へ融資対象を拡張していき国際貢献を行うのです。

④Ｂ・Ｉを土台にした社会保障の制度改革と富の偏在の解消と、格差の是正の税制を行い財政の健全化の努力によって、また、国際貢献を行うことによって、日本の信用を高め、評価を高め、利子のつかない通貨の価値を高めるなかで、国際社会での日本の地位を向上させるのです。お金をたくさん持っているだけでは、人の評価も国の評価も下がるだけなのです。それを利用してもらい貢献していくことでお金の価値が高まるのです。今の日本は宝のお金の持ち腐れ国家と理解できます。利用してなんぼです。

お金に利子がついていると、それができないのです。寝ていても働かなくとも利息が入り、より多く増やそうとするからであり、行く末は、守銭奴となりかねないのです。

欧・米諸国は、基本的に「お金」によって階層化から階級化した社会です。上流階層・上流階級がお金を実質的に所有しています。

日本もお金によって社会が二極化し、階層化が始まっています。それは消費税率の高まりに反映されます。消費税率が高いほど階級化され、上流階級が少数化しながら今以上に階級が固定化されていきます。ですから私が提案したような方向でお金が使われないのです。

■仮想通貨の本質は「商品」

仮想通貨についての著述は『仮想通貨の真実』保野成敏・坪井健著（日本経済新聞社出版）の内容をベースにしています。

現在の日本では、日本国政府の発行する「円」というリアルな通貨を基準として成立しています。銀行預金されている「円」を元に銀行振込みをしたり、カードやスマホに「円」を組み入れ、リアルな円という通貨をデジタル化し電子カードとして決済に使用したりしています。

その一方で、2008年「サトシ・ナカモト」という名の方が発明・提唱した、ビット・コインなどの「仮想通貨」による、PCやスマホによる決済も行われそうになりました。

「仮想通貨」は世界各地で多種類使用されています。日本では、現在、ビット・コイン（Bitcoin）・イーサリアム（Ethereum）・リップル（Ripple）・リスク（Lisk）・モネロ（Monero）・オーガー（Augur）・ネム（Nem）などの「仮想通貨」が使用されるようになっています。

仮想通貨は、通貨の価値を「国」になどの権威に頼らず「貨幣の仕組み」で、お金の価値を担保し、2017年4月の「改正資金決済法」によって使用が認められるようになりました。

仮想通貨とは、インターネット上で決済手段として用いられる「暗号化された電子データ」であり「暗号通貨」と理解でき、その本質は「商品」と言えます。リアルな円などの通貨で、仮想通貨を購入することから決済が始められます。また、仮想通貨を使用しない状況に至った場合、仮想通貨をリアルな通貨に変えることになります。ですから、仮想通貨を通貨と呼んでよいのかどうか微妙と言えます。

仮想通貨は、それぞれの種類で独自の電子システムによって、決済機能や契約機能が組み入れられているので、使用してみなければ、容易に理解することができません。それぞれに長所・欠点があると思われます。大多数の一般庶民が簡単に利用できるレベルにない、状況にないと理解できます。

現在の仮想通貨は、仮想通貨を購入すること自体で「投資」となっているのです。それは、リアルな商品市場における「商品」と同様の状況と評価できますが、仮想通貨の決済機能は評価せざるを得ませんが、現実は「投機」・「投資」の対象となっています。

■仮想通貨の不安

仮想通貨の不安について、『仮想通貨の真実』の著者の一人、坪井健氏は、著述のなかで仮想通貨の五つの不安として、
①ITリテラシーの欠如……わざわざITのしくみまで理解する必要はない。
②通貨の管理方法……自己責任である。
③取引所リスク……大切な資産を売買するための機関である会社が「目に見えない」という不安がもたれ、取引所自体が撤退してしまう、というリスクがある。

④ボラティリティー……価格変動が大きい。
⑤税金の確定申告……無意識に脱税している。仮想通貨は別の仮想通貨へ両替するにも税金がかかり、使用した物品の購入時にも課税される。
⑥詐欺に遭う……法的な専門家が存在しない世界にある。
といった指摘をしています。

現在、先端巨大情報企業の一つである、フェイスブックが、2019年6月に、デジタル通貨「リブラ」による金融サービスを2020年から始めるとの声明を出しました。フェイスブックによると、リブラは法定通貨を裏づけとする、所謂「ステーブル・コイン」(安定している通貨) の一種になるとし、非営利組織のリブラ協会が運営し、24億人以上のフェイスブックの利用者から使用を始めると提案し、検討されましたが、リブラという世界通貨を多くの国家が警戒し、それは頓挫してしまいました。

その理由は

① 国家の通貨主権が脅かされ金融政策に支障をきたす。
② 信頼性の低い通貨からリブラへ乗り換えが進み法定通貨が機能不全となる。
③ 法定通貨の裏づけとなると大恐慌が生じる可能性がある。
④ マネー・ロンダリングやハッカーによる攻撃対象となる。

といった理由などにより、リブラ構想が排除され、頓挫したのです。

■安易な通貨統合は経済破綻に

仮想通貨は、国家の発行する通貨に対する不信・不安から生まれたものです。ですから国家主義者は当然反対します。しかし現実には世界にさまざまな仮想通貨が利用され利用者が増大している事実を見落としています。しかし一方で現在の世界の主要通貨である、ドル・ユーロ・円の信認は低下する一方です。そうした法定通貨を裏づけにし、基盤とする通貨システムでは、現在の世界のアメリカドル基軸通貨体制の破綻が叫ばれる状況では、後に大混乱が生じる可能性が大であると理解せざるを得ません。つまり、現在の資本主義が終焉期に入り「死」を迎える状況にある、貨幣・金融体制の下で、世界統一通貨的な「仮想通貨」を認めれば、全地球的レベルで、経済・社会問題が深刻化することに繋がります。現実の世界は、所得水準・生活水準、産業活動レベル・文化レベルなど、あらゆる面で「差異」があり、世界統一思考的な通貨体制は世界の経済や社会を破綻化していくのです。

それは、EUの実情を見れば明白と言えます。EUは、ヨーロッパ社会の対立・戦争を抑止するための政治的統合をめざし、その後グローバル経済化の進展により、経済的な地域統合に進み、統一通貨・ユーロによる通貨金融体制に移行することになりました。

EUは世界の地域を見渡しても他にない「一体感」を持つ民族・国家の集まりであり、キリスト教文明を共有しています。他の世界地域にない一体感を持つが故に、政治的統合ができましたが、社会的一体感を持っている民族・国家であっても、それぞれの民族・国家には、経済的差異や優劣の強弱があり、統一的な経済ルールを設定し、統一ルールによる縛りによって、EU内の国家の自由な選択が失われることになり、EU域内で富の偏在や格差が増幅していきます。EUの統一通貨ユーロは2002年1月に流通し始めました。

それはグローバル資本主義への対抗をするために始められましたが、旧ドイツの圧倒的な経済力によって域内諸国の経済力は弱体化し疲弊化し、大量の失業者を生み出しています。ユーロの実施は早過ぎたのです。域内諸国の経済力の差異が縮小するまで、統一通貨へ移行すべきではなかったと言えます。

ヨーロッパ諸国は現在以前に比較し相対的に弱体化しています。その原因は、グローバル資本主義による影響。統一通貨ユーロ、及び堅固な階級社会にあると理解できます。

■通貨体制は国家・地域・世界へと積み上げていくもの

これからの、全世界の通貨体制は、上からでなく、身近な「地方」から徐々に「国家」「地域」そして「世界」へと積み上げていくことであり、経済レベルの同等化、同質化の地方・国家から「地域通貨」を確固たるものにし積み上げ、それぞれの通貨のネットワークのなかで、それぞれの通貨を評価し「為替」相場を公正に設定し「為替価格」のネットワークによって、数百年という長期展望のなかで「世界統一通貨」への道を歩むべきと私は考えます。

■リアル通貨と仮想通貨を１対１に

日本は、新たな未来社会の通貨体制への先導国の可能性を持ちます。

2016年現在の「三菱UFJ銀行」が「独自の仮想通貨を開発中」と公表されました。「MUFGコイン」と名づけられ、現在、自社行員を対象に試験運用していると報道されています。

さらに、みずほフィナンシャル・グループが「Ｊコイン」構想を発表。「すべての邦銀が大同団結すべきだ」という呼びかけに応じて、ゆうちょ銀行や地方銀行約70行が参加を表明しており、三菱UFJ銀行もこれに同調するものとみられています。

三菱UFJ銀行の「MUFGコイン」という仮想通貨は、リアルな通貨「円」とのレートは１対１と言われており、これを使用しても１円も増えません。使い方も目新しくなく、投資にもなりません。つまり、現在の仮想通貨の「投資性」を廃除することになり、貨幣価値の「安定性」が確保できます。

それに加え、現在の、北欧諸国のスウェーデンは98％がキャッシュレスの経済社会になっています。

「ｅクローネ」という独自通貨を、カードとスマホを使ってやりとりをし、スウェーデンのリアル通貨クローネと１対１の等価交換で、つまり、スウェーデンのクローネというリアル通貨が、ｅクローネというデジタル通貨にとって代わった状態になっています。

これは、決済モバイルアプリ・スウィシュ（Swish）を使い、携帯番号と個人認識だけで使用されています。つまり、だれでも簡単に使用できるレベルまで仮想通貨は発展しているのです。

私は、だれでも簡単に使用できるデジタル仮想通貨によって、リアルな通貨を使用しない新たな通貨システムが実現できる時代が間近に迫っている、と理解できます。

金融システムも大きく変容します。ATMは要らない、銀行窓口も必要でない、支店も減らせる、また、人件費も少なくでき、融資（金貸し）に専念することになります。

■新たな通貨システムを創造

私は以上に加え、現在の利子のつくリアル通貨「円」を、利子のつかないリアルな通貨「新円」に、利子を洗浄・剝奪し、それによって「新円」というリアル通貨を基本にする新たな通貨・金融体制ができるとの確信を持ちます。

お金から利子をとる方法は、基本所得保障の給付と新設の（仮称）第二日本銀行を通して行います。給付金総額が仮に年間100兆円としますと、1年間に100兆円に対する利子を洗浄し、翌年は税収分のすべて100兆円以上を洗浄します。5年間で500兆円以上が、利子のつかないお金にすることができます。

現在のマイナンバー個人番号に、また、新たなマイナンバー法人番号を中心に業務を行い、個人の在住する近くの金融機関を介して、基本所得給付を行います。日本国籍を有する人に限定し、多国籍を有する個人・法人には給付しません。

■（仮称）第二日本銀行（第二国立銀行）設立と、金融制度改革について

第二日本銀行は、開設当初から基本所得保障給付以後数年間は、完全に閉鎖的なシステムとして、他との関係を断ち、基本所得（以下Ｂ・Ｉ）保障の準備基幹組織として位置づけし、給付のための資金集めを始めます。

第二日本銀行の役割は以下の通りとします。

①Ｂ・Ｉの給付基幹組織とする。

Ｂ・Ｉの給付は第二日本銀行が、利子のつかない貨幣によって行います。基本的には個人の存在する地域の金融機関に、現在の個人番号カードによる給付専用銀行預金口座を開設してもらい、その専用口座に給付する体制の準備をします。

②第二日本銀行は、現在の円を、利子のつかないお金「新円」に変容させます。つまり円を廃棄し、新円に変更します。

③第二日本銀行は、個人・企業・自治体・国から預託による資金を預かります。日本銀行は運用しますが、第二日本銀行は一切運用せず、預託金に利息を支払いません。ただ預かるだけで、預託金には個人番号をつけ証券化し保存・管理し、返却は厳格に実行します。また、国家が預託金を完全保証します。

④開設当初、少なくとも５年以上は預託金を積み増しします。

その後、国内経済・社会状況・国外の経済・金融状況と預託資金量、また、現在の円通貨の残存状態を考慮し、国内はもとより海外に対しても、優先順位をつけて、利子のつかない資金によって、地域銀行他金融機関を通じ、融資先を開拓します。厳格な融資審査を行い、確実な債務保証をつけて、融資を実行し、融資手数料・及び融資管理費用以上を含めて返済してもらいます。
⑤第二日本銀行は、資本主義の終焉期での、経済的・社会的混乱で生じる金融資産の保全の役割を目的とします。日本人と日本企業の金融資産を世界経済の動乱に際して隔離することにより、金融資産を「霧散化」させることなく、将来に継続させることとなり、現在の日本銀行の経営負担を軽減することにも繋がるのです。現在、日本国債の外国人所有割合は10%台ですが、仮に可能性の高い世界の大動乱が生じた際には、世界のエネルギー資源や食糧などの高騰により、極度のインフレが見込まれ、ハイパーインフレ化することの可能性があるのです。ゼロに近い利子率の金融資産を現在所有する人、また、日本国民の将来に対しても保全する必要があり、保全ができれば金融面も含めあらゆる面での世界への貢献が可能となるのです。

第二日本銀行は、資本主義の終末期の後の新たな次なる社会に移行したら、現在の日本銀行を統合化します。

第 20 章　自由貿易から共生貿易へ

■近代世界システムの崩壊へ

交易は、農耕・牧畜の封建社会に始まり、農産物の余剰物を物々交換することに始まり、徐々に広域化が進み、各地に交易商人が生まれました。その代表的なものが、シルク・ロードに代表される交易で、世界中で行われていました。徐々に封建社会の領主・支配者が係わるようになり、交易による利益を交易商人と封建権力者と分かち合う関係となり、権力者は交易による利益を、権力支配の充実・武具・武器の購入に充当する状況になりました。

しかし、大航海時代以後の交易・貿易については、アメリカの歴史学者、イマニュエル＝ウォーラーステイン（1930 ～ 2019）は、「近代世界システム」として説明している。

大航海時代の以後の世界は、世界的な広がりを持つ資本主義的な「分業」ないし経済体制にしだいにおおわれていき、19 世紀頃にこの体制に一元化されました。

つまり、1770 年代頃のイギリスの産業革命以後の資本主義の確立以後の体制です。

中核は、経済的には製造業や第三次産業に集中しており、周辺の分業体制を通じてシステム全体の経済的余剰・利益の大半を握る。また中核の国々では自由な賃金労働が優越している。政治的には、国家権力が強力となる傾向が見られる。

周辺は、鉱山業や農業などの第一次産業に集中、中核の工業製品と周辺の原料・食料の交換の形で貿易がなされ、格差

図表23　近代世界システム

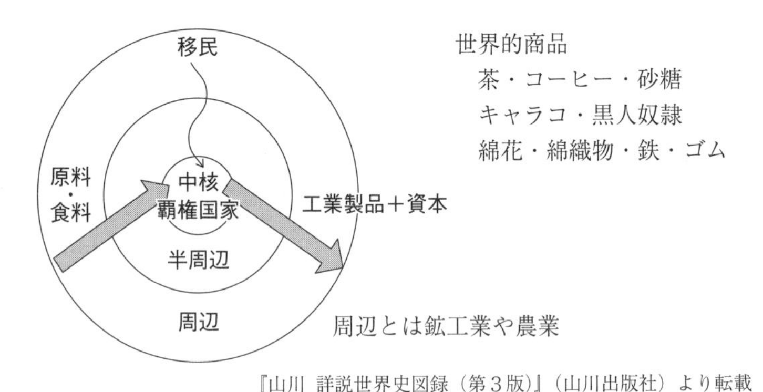

『山川 詳説世界史図録（第３版）』（山川出版社）より転載

をうみ出す（不等価交換）。また奴隷や契約労働者など。様々な形の非自由労働が展開した。政治的には、国家機構が弱体化し、外国資本が自由に活動する植民地的な状況がみられる。

ウォーラーステインが示した、近代世界システムは、中核が、産業革命を主導したイギリス・フランス他の西欧諸国にそしてイギリスから覇権国となったアメリカが主導した体制ですが、ドイツ・日本が台頭しそして、グローバル資本主義の進展により、中国が台頭したことで崩壊していますが、産業革命以後の自由貿易の本質は変化していません。つまり、工業製品の貿易によって、輸出国が輸入国から富を移転する構図・商品のゴリ押し販売によって富を収奪する構図は変わっていません。それを主導してきたのはアメリカであり、アメリカによるルールの強要をしてきました。世界貿易機関（WTO）であり、1948年GATT（ガット）（関税と貿易に関する一般協定）が結ばれます。

■世界貿易圏の成立と自由貿易体制の崩壊

しかし、1990年代には、WTOは加盟国が多すぎて、協定がまとまらないので、2国間や多国間で協定の締結に進展します。関税などの貿易障壁を撤廃する「自由貿易協定（FTA）。サービス（金融・通信）や知的財産権（特許・著作権）まで対象を拡大した「経済連携協定」（EPA）が結ばれていきました。

自由貿易協定の先駆は「欧州連合」（EU）で当時西欧12ヶ国が域内関税を撤廃し、「人・物・金」の移動を完全に自由化しました。

しかし、EUに対抗し、世界各地に地域貿易圏が生まれました。

・AFTA（アフタ）（ASEAN自由貿易協定）—東南アジア10ヶ国
・MERCOSUR（メルコスル）（南米協同市場）—ブラジル・アルゼンチンなど4ヶ国
・NAFTA（ナフタ）（北米自由貿易協定）—アメリカ、カナダ、メキシコ。
・APEC（エイペック）（アジア太平洋経済協力）—アジア太平洋諸国（NAFTA・ASEAN・日本・韓国・中国・台湾・オーストラリア、ロシア）

などの多様な協定が結ばれるようになりました。

結果としては、先進工業国は例外なしの自由貿易を望む一方、発展途上国は国内産業を守るため例外規定を設けようとします。だが覇権国アメリカの経済力・政治力は1970年頃までの自由主義経済圏での絶対的力はなく、社会主義国の資本主義経済への参加もあって相対的な覇権国家になりましたので統制力もなくなり、2017年のトランプ大統領の就任によるアメリカン・ファーストによって最早「自由貿易体制」は崩壊したと判断すべきです。

しかし尚、日本は、アメリカの放棄(ほうき)した、TPP（環太平洋連携協定）をアメリカ抜きで締結しています。最早「自由貿易体制」が崩壊したことを感覚的に受け止めたのがイギリス国民なのです。

イギリスは、EUに寄り添いながら、金融に傾斜した経済で実態は崩壊に近いのです。

ドイツ―フランス主導のEUでは国益は守れないという理解があり、アメリカ一国主義に結果として同調し、EU離脱に至ったのです。1770年頃の産業革命以後のイギリスの覇権そしてアメリカの覇権の弱体化によって、資本主義による自由貿易体制は崩壊過程に入っていると考えます。

■共生貿易への模索

日本・日本人は、第二次大戦以後それ以前以上に、自由貿易の観念・理念を植えつけられました。自由貿易によって真に発展できた国は西欧諸国・アメリカを除けば、ドイツと日本そして一部資源所有国です。他多くの貿易主導経済国はこれから貿易依存体質から脱却できなければ国家崩壊の危機に至ると理解できます。

日本・日本人は、一日も早く、「自由貿易」から脱却すべきですが、成功体験がそれを許さないのです。EU の主導国ドイツも同様です。イギリス人の感覚は鋭敏です、さすが資本主義の発祥国の国民です。

日本は、食料もエネルギーも海外に依存する国です。食料の自給率はエネルギーレベルで 30％台後半であり、エネルギーでは自給率、3％台の国です。自由貿易体制が維持されなければ国家として存立できないと一般的には考えますが、その理解は誤りです。

私は、自由貿易に変わり、「共生貿易」を提唱します。これを実行できる立場にある国は、日本と EU なのです。EU が先行する可能性が一番高いと考えますが、日本国内の制度改革が順調に推移できれば日本がトップランナーとなり得ます。

「共生貿易」という経済システムは、資本主義による「富の移転」「富の収奪」のシステムではありません。短期的には多くの富が日本に移転するシステムではありません。長期的に日本が適度に富を得られるシステムです。

「共生貿易」とは、資本主義経済の自由貿易は「供給」が「需要」に働きかけるシステムですが、反転して「需要」が「供給」に働きかけるシステムです。自由貿易は供給が需要に商品を強要し、摩擦・対立・戦争を起こしますが、共生貿易は需要が供給を選択することに始まります。

需要側が不足する物やサービスを供給側に求め価格や条件を話し合いで決定する貿易で決済は、「利子のつかないお金」で行います。これによって、摩擦や対立は起こりませんし、その需要国の「信用」が価格の決定権を持ちますので、信用の多寡によって輸入価格が決定されますので、信用があれば、低価格や有利な条件で輸入できますし、相手国の過剰資源と商品との交換もできますので輸出も可能となります。

自由貿易は軍事力を背景とした経済力・政治力を背景とした交易システムですが共生貿易は相手国の経済や社会の発展と共有しながらの交易ですので、全地球的規模での、経済や社会の「平準化」が可能となりますので、国や地域の発展に寄与する商品やサービスを開発すれば全世界がそれを輸入するのです。

相手国の経済や社会を豊かにし全世界の福祉の増進・充実が可能となります。

何故日本が共生貿易の実現が可能かと言えば、現在の日本には1300兆円1500兆円と言われる絶大な「個人金融資産」があり、その一部を「利子のつかないお金・金融資産」に転換できる確率が世界で一番高い国であり、それは「一体感がある日本人意識」と「個人金融資産が実質0の利子率」にあることで可能なのです。

共生貿易は、自由貿易という成功体験による「妄想」から脱却し、B・Iを土台とする共生保障によって、日本の経済的・社会的な安定化をはかり、利子のつかない貨幣制度とそれによる金融制度を構築することによって、実現できるのです。

それは日本のみならず、全人類社会の富の偏在や格差の拡大に終止符を打ち、その縮小化に寄与できるとの確信をもって提唱します。読者の方には、私の提案を契機により充実した、より実現の確率の高い提案をしていただきたいと思います。

第 21 章　東京一極の中央集権国家体制から地方分権社会へ

明治の初めの頃の日本の全人口は約 3500 万人程度であり、江戸時代末期の江戸の人口は約 100 万人と言われていました。

2020 年頃の日本の全人口は約 1 億 2500 万人、東京都の人口は約 1400 万人以上、周辺神奈川・埼玉・千葉を合わせると 3800 万人以上と言われています。

約 150 年前の日本の人口を、東京都と周囲 3 県の合計人口が上回っているのです。

2018 年次で、東京・神奈川・埼玉・千葉を除き、すべての道府県の人口が減少化しています。しかも、東京を指折りの世界都市と位置づけ、従来以上に東京重視の傾向に拍車をかけ、日本を東京一極集中国家としてしまいました。かつての主都機能移転の話はどこかに飛んでいってしまいました。

私は仕事がら全国を飛び回り、観察していました。「地方の惨状は深刻」であり、かつての新産業都市は停滞し、地方の主要行政都市だけが、そこそこの状況にある、という感想を持ちました。

■大災害に弱い危険な都市・東京

東京の中心部に近づくほど、建物の容積率の緩和により、高層化し、空地もほとんどない災害に弱い街づくりが行われ、その建築費も他に比べ極度に高いと理解せざるを得ません。予見される大災害が発生すれば、多大な人命が失われる予想がされても、ほとんど効果的な対策は行われていないのです。

日本を含め大都市の多くは、臨海部・大河川流域に立地しています。都市臨海工場などは資本主義の経済的合理性に合致し、大量生産・物流に適合していますが、日本の場合、沿岸部は極めて軟弱な地盤が多く、災害の多い日本に於いては致命的な欠陥であると言わざるを得ません。そこに過度の投資を行い、より都市構造を悪化させています。これは、資本主義の目前の利益を追求する姿勢がこれを行わせています。

現在の地方振興政策は、ほとんど実効を上げていません。無駄な予算を組み、中央の一部事業者を潤しているだけであり、地方振興は名ばかりの状況にあります。

東京は「一極集中」に悩み、地方は「過疎化」に悩む、これが日本の実情と言えます。

■江戸は大災害を前提とした都市

歴史的に東京を見直ししてみると、問題の大きさと、東京一局集中の解消の困難さが見えてきます。

日本の歴史は、京都を中心として基本的には推移してきました。京都の天皇家を中心として京都、一時代奈良を中心として、政治も経済も展開してきました。

封建時代に台頭してきた武家勢力の、平清盛は現在の神戸に遷都することを試み、鎌倉幕府は現在の鎌倉で京都の権力との一線を画し、織田信長は現在の滋賀県安土に、豊臣秀吉は大阪に権力機構を立地させ、徳川家康は豊臣秀吉に「移封」され関東の小さな村落から江戸を開きその地に開幕しました。

江戸は関東の洪積扇状地で水運には適していましたが、軟弱地盤で災害には弱い土地柄であったため地震に弱く、火災も頻発しました。そのため「広小路」をつくり火災に耐える都市づくりをし、幕藩体制のネットワークをつくり、江戸を補完する機能を分散化させました。経済の中心は水運の関係から大阪に、権威は京都に、そして徳川一族を戦略的に配置し、和歌山・名古屋・水戸、また、関東周辺、甲府・川越・館林といった地域に拡散し、徳川の権力体制を盤石にし、徳川家を江戸・中央に置き、各地域に自主性・自律性を持つ藩体制のネットワークによって、江戸を政治的にも経済的にも社会・文化的にも充実した都市に築いたのです。封建時代は、各地域に独自の文化が育ち、各地域に特有の気風を育んだ時代で、その象徴は江戸と言えます。

■世界に稀な重層都市・東京

ところが、明治維新以後の政府は、京都と江戸と地方の権力を、東京に一極集中してしまったのです。天皇家を東京に迎え入れ、権威と権力を一体化させ、富国強兵の主権国家体制を強引に構築するがため、都市つくりを誤ってしまったのです。

その後、東京湾岸を埋め立て、安価で脆弱な地盤の上に工業・産業を立地させ、経済的に合理的な都市づくりを、全国一律に、画一的に行いました。これによって、東京は、政治的都市・文化的都市・産業都市そしてその上に、グローバル都市と、「重層化」してしまったのです。あらゆる機能が存在し集中し過ぎているのです。

現在の東京は、重層化したが故に魅力ある都市とも言えますが、明治維新以来の、経済的合理性を主眼とする近代化による都市づくりのため、環境や災害を無視・軽視してしまったと言えます。つまり福島原発事故に通ずる価値観が、東京一極集中をもたらしています。明治維新以来の近代化はあらゆる側面を単純に積み上げ、集中化させただけで将来への展望もなく、問題を一部補修しているだけの状態と言えます。それは「日本橋」の上に首都高速を架けてしまった事実が証明しています。

■バックアップ体制のない都市・東京

日本の近代化による都市づくりは、東京のみならず、大阪・名古屋を始め全国の主要都市の多くが失敗しています。仮に予想されている南海トラフ地震が発生すれば、日本の崩壊も考えられます。東京に大災害が発生したら東京を支援するバックアップ体制は日本のいずこにもありません。

私事ですが、55歳頃から実質15年間総計約240万㎞全国津々浦々をトラックで走破してきました。全国の状況を観察し、各地で食し、語り合ってきました、各地域の様相が目に浮かぶくらいの状況です。

過疎の地域でも魅力ある、住みたくなる地方はたくさんあります。生活の充実が難しく危険極まりない都市も多くありました。

■生活コストの高い都市・東京

現在日本国内で、地域間格差が拡大し続けています。その結果、生活コストが拡大し続けています。特に食費・住居費の拡大は目を見張る状況にあります。東京での家賃の支払いだけで、地方・田舎暮しができる時代です。下図は2019年末の朝日新聞に掲載されていた世界の主な都市の月額家賃の表です。東京では月額約123,000円の家賃ですが、サンフランシスコでは月額約320,000円となっています。単純に比較できませんが、東京が世界都市化していること、日本が格差社会化していることなどによって徐々に家賃が高騰しています。また、サンフランシスコやニューヨーク、ロンドン、香港といった世界都市との関係で東京の家賃がこれからも高騰する可能性があることも示しています。

東京は現在の世界の経済状況のなかで地位が高くなる可能性があっても、地位が下がる可能性は少ないのです。こうした理解をすれば一般庶民が平均的な所得で家族共々の経済的に豊かな生活ができなくなります。つまり地方に確かな就職先があれば転居するという選択も増えてきます。

図表24　世界の主な都市の月額家賃の平均

サンフランシスコ	3490ドル
ニューヨーク	3120ドル
ロンドン	2237ドル
香港	2234ドル
シンガポール	2052ドル
ミュンヘン	1335ドル
東京	1140ドル
北京	1036ドル
ベルリン	1001ドル
大阪	666ドル

寝室が1部屋の場合、世界の生活情報を集めるデータベースサイト「Numbeo」から　　（朝日新聞2019年12月29日）

こうした状況は、日本国内では東京にしかありません。

東京は今後、今以上にサービス産業化した都市になり、都市の構造は複雑化します。そうした状況で、大災害が発生した場合「万事休す」となります。大災害に被災すれば、現在の都市構造では、復旧に数年間以上の時を要し、数ヶ月ではインフラは復旧できません。

私は高校生時代から東京との縁が深く都内の主要な所へは地図なしで、現在でも行くことができますが、今では、東京から離れているだけで安心感が生まれています。必要以外に、東京に行く気がしません。

高層建築物や工業地帯が被災すれば、即生活は困窮化します。まずは人命を優先する都市造り・国造りからスタートさせ、日本全体を見直すことが肝要と思われます。

■基本所得保障が地方分権化社会化を促す

私が提案した、基本所得保障（B・I）は全国一律の給付金額で行います。「都市」から「地方」への人口移動を容易にする制度です。夫婦子供二人の基準所帯で月当たり最高24万円までの給付を予定します。生活コストの高い都市で働く人々、低所得の人々からの移動が始まります。それによって都市のサービス機能が低下します。それに対応する外国人の雇用を考えても、外国籍の人にはB・Iは給付しませんのでこれもできません。自然に都市から地方へ移住することができ、同時に地方振興政策を行いますのでその流れを加速することになります。近代化が人を地方から都市へ「労働者」として移住させましたが、B・Iは都市から地方へ「生活者」として移住することを可能にする政策と言えます。

■近代は労働者として都市へ、次なる社会は生活者として地方へ

生活者として生きる個人にとって大切な価値は、創造的に働くこと、また、生活の充実を補完する社会関係であり、国家ではなく、地域であり地方自治体となります。国の存在価値・国との関係は薄くなることはあっても濃くなることは基本的にはありません。B・Iと共生の社会保障と税制の抜本改革は、長期的に地方分権社会への入口となるのです。

当初B・Iの給付主体は国家ですが、地方社会・経済の充実化によって、国家給付から地方自治体給付へ移行することが可能となります。地方自治体と生活者としての個人・家族との関係の充実化は、国の権限の縮小化・限定化を推進します。国家を「外交」と「交易」そして「防衛」の役割に限定化し、日本全体をバランスする機能を充実化し、生活に、人生に密着する側面を地方・地域の質的発展によって充実するのです。

人の都市からの移住は、広い土地面積のなかでの選択性の多い生活を可能にします。定着性を高め、地域社会の多様な社会関係の充実によって、コミュニティーの充実・家庭の充実もでき、子供の養育・教育の充実、高齢者の生活の支援、また、活躍の場の提供もでき、社会犯罪の減少化も可能となります。

資本主義の経済（的）合理主義と個人主義が、人間の働きを商品と同様化し、人間を生活者から経済人としての労働者

と化し、人が人として支え合う社会関係を解体し、個人主義が社会秩序を必要以上に、無秩序化したことが、東京一極中央集権国体制をつくり出したと理解できます。

人が生活者とし生き・営みをし、社会関係を、徐々に秩序化する道筋は、地方分権社会への道と理解します。現在の中央集権体制の継続は、必ず、日本国の解体に繋がり、日本の国際社会でのこれからの役割を減退化させます。

第22章　戦後の日本政治の歴史

まず、私の政治的立ち位置を表明します。

私は現在の既成政党のいずれにも所属していませんし、現在の既成政党に入党する意思もありません。しかし、過去に、中央政界の中枢でその実体を数年間観察した経験はありますし、小都市の首長選にも挑戦し敗退した経験もありましたが、自ら政党に積極的に支援を呼びかけたことはありません。身近な友人の支援者に支えられ、約1ヶ月間で著作した100頁以上の「政策小冊子」を選挙公示数日前に市内の全戸に郵便配送し、選挙戦を、一市民の立場で闘った経験を持ちます。政策小冊子の選挙公示前の郵送による全戸配布は前例にありませんでしたが、私は独断で強行しました。警察には選挙違反の疑いをもたれましたが、選挙違反で逮捕されれば大きく話題になるといった理解で行いましたし、兄弟親族はもとより支援者にも驚きを与えたようで、迷惑もかけました。

政治は「政策」。人格・人柄ではないとの強い認識を持ちますので、首長選での支援者には申し訳ありませんでしたが今も惜敗したことも含め悔んでいません。ですから政治家の人柄・能力によって政治を理解することはしません。政策とその背景にある体質により判断します。

それに加え、私の学生時代は70年安保闘争と世界的に学生運動の吹き荒れた時代で、学んでいた学内で死者が多数出るという渦中に入り、しかも経済学・経営学を専攻しましたが、そのなかで資本主義や近代経営学に疑問を持ち始め、恩師の教えに傾倒し、学生時代から今までその疑念が徐々に増幅し続け自己の行動が師の教えとの乖離を自覚するようになり、近代社会に疑問を持ち徐々に否定する理解になり、現在の資本主義は終焉期に至り死の寸前にあるという理解するようになり、そうした視座で現在の政治を捕らえています。

■日本の戦後政治史と政策

日本の第二次世界大戦以後の政治史を政策面から考察すると以下のように要約することができます。

■吉田・鳩山・岸が官僚政治を定着化

日本の政治の戦後史をかたちづくってきたのは「自民党」と言えます。野党は結果としては抵抗勢力として、政策に抵抗し一部修正することしかできなかったと言えます。

1945年日本は敗戦し、実質的にアメリカのGHQ（連合国軍総司令部）の統制・管理下に入り、焦土からの復活から始ました。

戦後政治は、第45代内閣総理大臣「吉田茂」から始まりました。吉田氏は、戦前に外務官僚として駐英大使を経験し太平洋戦争にも反対し、戦後初めての首相であり、天皇制を擁護し「日本国憲法」を公布・施行し、傾斜生産方式による経済復興策をとり日本経済の発展の基礎を築き、サンフランシスコ講和条約を締結し、MSA協定（日米相互援助協定）により日本の安定化に寄与した。戦後日本をデザインした政治家であり、明治維新以後の最高の政治家と評価できます。当時第二次農地改革も行われ、独占禁止法も公布され現在に至る70年以上影響を残しています。
次は戦後に吉田茂と親交のあった戦前からの名家・名門の出で外務官僚であり、政党史的には吉田茂が所属する諸方竹虎の自由党と民主党との大連合を行い「自由民主党」を結成し保守合同による55年体制を築いた初代自民党総裁であり第52～54代1954年～56年首相・鳩山一郎です。その実績は日ソ国交回復、国連加盟などを成し遂げています。鳩山一郎はリベラルな平和主義者でありました。鳩山の影響は自民党の一部にリベラルな体質を残し、その孫鳩山由紀夫は反自民勢力の後ろ盾となっていました。

吉田茂・鳩山一郎と同様、また、それ以上に現在の日本政治に多大な影響を及ぼしている人、「昭和の妖怪」と評されている（1957～1960年）第56代57代首相、岸信介を忘れることはできません。太平洋戦争時翼賛体制下の軍事政権東条英機内閣の商工大臣をつとめ、太平洋戦争の遂行に重要な役割をはたし、戦後A級戦犯として戦争犯罪人となり、復帰後保守合同の自民党の鳩山一郎総裁の下初代幹事長を務めていました。
官僚・政治家として戦前から活躍してきた岸にとって、理想の国家像は戦前であった。目標は「占領政治からの脱却」であり、具体的には日本国憲法の改定にありました。
岸は吉田・鳩山によって遂行されていた、日本の自衛力の強化策を実行し、日米安全保障条約の再検討による「日米新時代」を提唱し、日米新安保条約批准書交換直後に安保闘争の責任を負うかたちで総辞職しました。
日米新安保条約は岸の提唱に反する「片務性・不等平性」

を残し、日本の政治・外交には今も強く影響を残し、アメリカの属国的立場に日本を陥れています。

吉田・鳩山・岸3名とも官僚出身であり、明治維新以後の日本の政治は有能な官僚が支えてきた政治の性格を持ちます。日本の明治以来の欧・米諸国の近代化の社会・経済システムを「模倣」「咀嚼」「定着」「改良」を行ってきたのが日本の官僚の歴史であり、官僚は社会的にエリートとして存在し、江戸期以前の精神や気風をもつが故、日本の官僚の評価は高かった。その優越した官僚達が戦後日本政治をリードする状況をもたらしたのは3名の存在が大きいと理解せざるを得ません。

■田中角栄は自律的政治を行い、利権・金権政治を定着化

岸内閣の退陣後、日本社会は政治の時代から高度経済成長の経済の時代へと進展しました。

岸退陣後、池田勇人・佐藤栄作による官僚主導政治が行われました。そのなかで異才の庶民宰相・民衆政治家田中角栄が出現しました。

1972年～1974年第64代65代首相・田中角栄は「決断と実行」を提唱し、日中国交正常化を実現し、経済発展の基盤と言えるインフラの整備をめざす政策「日本列島改造論」を提唱し、建設・開発ブームを引き起こしました。

この時代は党内派閥戦国時代とも言うべき新たな政治状況となっていました。

日本の戦後政治史のなかで良くも悪くもアメリカに対し自

律的な政治を行ったのは、田中角栄、ただ一人と言えます。田中政権の項はアメリカの産業資本主義が成熟期から実質終焉期に至り経済も社会も混乱していました。その象徴は1971年のニクソン・ショックであり、第一次石油危機（オイルショック）であります。田中政治は、金脈問題で国内世論の批判を浴び総辞職し、日中国交正常化がアメリカという虎の尾を踏んだという理解、つまり自律的な田中政治をアメリカが警戒・危険視し、1976年のロッキード事件で放逐されてしまいました。

田中政治は、政治の金権体質化、政治と産業・企業の癒着体質を強化し利権政治を増幅化し、定着化させてしまいました。

それまで曲がりなりにも維持してきた、公正な選挙を「お金の選挙」としてしまい民主主義を腐食化し、民主主義の形骸化を進展してしまったと言えます。

田中政治の終焉の後、三木武夫、福田赳夫、大平正芳、鈴木善幸が首相となる官僚政治となり、日本経済はオイルショックを克服しながら経済成長し経済の末期症状であるバブル化へ進展するなか、1982年～1987年に田中曽根内閣と揶揄（やゆ）された第71～73代中曽根康弘首相が登場します。

■中曽根政治はグローバル資本主義に日本を編入

中曽根政治は現在進行中のグローバル資本主義に日本を編入させた張本人と言えます。

中曽根氏は「戦後政治の総決算」をスローガンに行財政・

教育改革を推進しましたが、1983年新自由主義・レーガノミックスを唱えるアメリカ大統領との13回に及ぶ所謂ロン・ヤス会談によって「新保守自由主義」を唱え、バブル経済の萌芽をつくった「三公社の分割（NTT・JT・JR)」を行い、日本をグローバル資本主義の中核主体に組み入れその流れを定着化してしまい。その後現在に至る約35年間に、新たな社会・経済問題を生み出し、それを深刻化した「規制緩和策」の先駆けと言えます。

中曽根氏は1987年後継に竹下登を指名し退陣し、竹下氏は3%の消費税を導入、宇野宗佑、海部俊樹、宮沢喜一へと短命の政権が続き宮沢氏が政治改革に失敗し総選挙に敗れ、政権を野党に渡しました。

田中政権の1970年頃から、自民党の派閥対立と政治の金権体質化が進展し、自ら政治改革をできず、自民党内部から政治改革志向の離党届を出し、38年間続いた自民党一党支配の55年体制は1993年に崩壊しました。日本経済は1980年代に金融バブル経済化し1989年末の株式相場の最高値をもって1990年代以後経済の長期低迷状態となり今も続いています。

1993年以後、日本新党の細川護熙内閣。新生党の羽田孜内閣、日本社会党の村山富市内閣は基本的に自民党政権の政治改革志向者による集団による政権であり、中選挙区から小選挙区制への移行という選挙制度改革に留まり何ら社会や経済に係わる改革は行われることもなく、小選挙区によって後の自民党の復活を容易に許してしまったと言えます。

細川氏他の5代続いた野党政権は、単に反自民党の野合政権であるが故、経済や社会の基本的問題の解決能力はまったくなく、新たな社会・経済・政治の展望はまったく示されなかったのです。

その後1996年に2年5ヶ月ぶりに第82～83代橋本龍太郎首相となり、5%に消費税を増税し、財政構造改革法を成立させましたが現在でも尚実効は得ていません。また、日米安全保障条約共同宣言をし、アメリカに一層寄り添う方向に向かいます。

■橋本政治は世襲政治を定着化

橋本龍太郎氏は政治家の父をもつ二世議員です。この後、世襲政治が本格始動します。世襲政治は官僚政治に増して質(たち)が悪い傾向にあります。

小泉純一郎・福田康夫・麻生太郎・安倍晋三は世襲政治家です。

小泉氏は三代目、福田氏は二代目、麻生氏は吉田茂の孫、安倍氏は岸信介の孫、鳩山由紀夫氏は鳩山一郎の孫に当たります。

世襲政治家は、先代以前の選挙地盤を受け継ぎ、先代以前の既得権益者の支持を受けて当選する傾向があり、軟弱で甘い環境にありますので側近者の影響が強く、側近者を重用する傾向にあります。

■民衆を捨てた政治体質

現在の日本の政治は、中央・地方を問わず官僚的体質と世襲的体質に加え金権的体質が充満する・重層した状況にあります。

官僚はエリートとして一般庶民を無視し、世襲は近親者に頼り庶民を無視し、金権はお金持を大切にする傾向が強く、一般大衆を無視して既得権益者の利益を擁護するため、全体と長期の普遍性を求める心意を持てず行動をしないのです。

日本の権力者達、既得権益者達は総じて経済的に豊かな人達です。社会的弱者を見捨て救済を怠る傾向にあります。自己中心的に。

こうした日本の政治体質で現在に多大な影響を与えている自民党政治家が2名います。

2001年～2006年第87代～89代小泉純一郎首相と2006年～2007年90代2012年～現在第96代～安倍晋三首相です。

■小泉政治はアメリカの従属下

小泉政権は日朝国交正常化交渉などで国民に喝采を受けましたが、その後何ら進展はありません。グローバリストである竹中平蔵氏らを重用(ちょうよう)して強引に「郵政・道路公団」を民営化したり、自衛隊の海外派遣に関する法律を成立させたりしましたが、郵政の民営化は実質的には日本の低利の個人金融資産をグローバル金融企業に利用させるための手段で、郵政の3分割は今後とも問題を起こし続けます。また、政治姿勢が国会論議を空洞化しました。国民受けをした「小泉劇場」は多様な問題を深刻化させただけであり、アメリカの属国から従属国への道筋をつけました。

■安倍政治は資本主義延命、後世に多大なマイナス遺産を遺す

次の安倍内閣は単にアメリカに寄り添い、自らグローバル資本主義政策をとり日本の社会的弱者を増大化させ、資本主義の延命策・アベノミクスと自ら称する政策を強引に遂行しています。政策の根幹を三本の矢と称しています。それは①大胆な金融政策。②機動的な財政政策。③民間投資を喚起する成長戦略、と呼ばれていますが、①によってデフレ経済からの脱却をさけびながらインフレ経済化するために通貨供給量を増大させています。インフレ経済でないと資本主義は成長しないという妄想にかられ行っていますが、日本企業の利潤率低下、利子率が実質0の状況にあるなかで高い経済成長はありえません。世界はアメリカを含め日本の後追いをしているのです。②によって大企業の輸出企業の支援策を講じ、法人税などの減税などの助成策をとっていますが、これによって社会保障・福祉関連予算を実質減額化し社会的弱者にしわ寄せをし、不用な公共投資を行い、財政を赤字化させ、国債の発行残高をGDP比で270%を超える他国にない危機的状況まで至らしています。日本国民の国債持分は所得の減少化のなかで低下し続け、外国人持分割合が増加し、有事の際利子率が一時的に高騰した場合金融はもとより経済全体が破局に向かうことにも繋がります。③は本国内には十分に過ぎ

る資金はあります。技術開発に資する以上にです。技術開発が行われても短期的にその効果はでません。

安倍政権は、経済成長という神話・資本主義延命策を行い、国民経済を不安定化し、危機的経済状況への道をひた走っています。

■安倍政治は民主主義を空洞化

安倍政権は日本経済を危機化するばかりでなく、日本の民主主義を空洞化・破壊する体制での権力を行使しています。この体制は中曽根政権以来の橋本政権・小泉政権のなかで育まれ、野党に対抗するためにでき上がった政治・権力システムです。

これは、「政策会議政治」と呼ばれる権力システムです。これは2013年の「国家公務員制度関連法案」の成立によって完成した「首相官邸主導」の「内閣人事局」に人事権を集権化する権力執行システムです。

1889年（明治22年）大日本帝国憲法の発布によって生まれた「官僚内閣制」による「官僚主導」の「審議会政治」です。これは、戦前・戦後を通じ行われて審議会を隠れ蓑（みの）にし、政・官・財の癒着の構造を形成していました。戦前と同様に戦後も1993年の55年体制の崩壊まで継続していました。

■内閣人事局と官僚の併任システムが政治を破壊

中曽根政権の時始めて、土光税調と言われた私的諮問機関に出発し、橋本政権の行政改革で、閣議人事検討会議、内閣官房強化、内閣府創設、内閣府特命担当大臣制度1府12省体制がつくられました。小泉政権では経済財政諮問会議と官邸主導の小泉手法の突出となり、派閥打倒と与党との対決を生み、その後、民主党政権の後、第二次安倍内閣で、官邸主導の、内閣人事局と官僚の巨大な「併任システム」による、「政策会議」という内閣制度に変わり「安倍一強政治」の源泉になっているのです。

「政策会議政治」は緊急時の対応にはよいのですが、多くの弊害を生み、民主主義全体を形骸化しています。

・政策会議での結論は「閣議」で討論のないまま究極の「シャンシャン会議」で法案化します。

・「国会」では、与党の沈黙のなかで議論のかみ会わないまま、時間切れで議決し、政権の掲げる重要課題は猛スピードで実行されます。

国会での審議では討論もほぼ皆無で与野党の非公式な話し合いや活動は弱体化します。国会は本来、野党のためにあるものですが、野党無視の国会となります。

・現在の組織は、首相を頂点に、官房長官、総務大臣、経済産業大臣、財務大臣、文部科学大臣という序列で主要閣僚とされてそれ以外の大臣は首要閣僚扱いされていません。巨大組織の厚生労働大臣も、副首相も一般化され、序列は低いのです。

・政策会議の内閣官房の現在の人数は1000名以上であり、その内各省庁の併任は740名で併任を除く専任者数は290名以上です。その内閣官房の人事権は「内閣人事局」が集権的に持ち、内閣官房を統制し、各省庁との併任官房が各省庁を統制するという、強力な体制にあります。

こうした官僚への強力な統制は官僚組織を脆弱化し、官僚組織から新たな芽も出ず、中央・地方も問わず行政組織全体を弱体化します。

官僚は政治の横暴に「忖度」をもって対応しています。メディアでの報道を聞き、悲哀し、有能で心ある人は官僚の世界から逃げ出しています。

政策は人が立案します。思想家や政治家だけではできません。現場を知り、情熱をもって立案する有能な官僚がこれまで以上に必要とされるのです。

■維新の末裔が近代政治を崩壊

資本主義による近代社会化は、主権国家体制の下、官僚は重要な役割を果たしてきました。資本主義は、近代化の推進母体の中核的存在である官僚にまで、悲哀を味わわせているのです。

現在の首相は、山口県の出身、明治維新の長州藩の系譜にあり、副総理は、薩長土肥の高知県・吉田茂の系譜にあります。御両名で資本主義の延命の策をとり、国民に、昏迷と苦しみを与え、危機をもたらしているのです。何か因縁を感じます。中味のない美辞麗句に気をつけましょう。

これからの政治は、官僚主義でもなく、強引な政府主導による体制など、安定的で変化に適応できる政治体制を構築しなければなりません。現在の議院内閣制の基本的改革と大統領制への選択もあり得ますが、これからを長期展望すると、地方分権化が主要な課題となりますので、次世代以後の選択に委ねるべきと考えます。

第23章　民主主義の再構築と政治の変革

■時代に流されている日本の政治

1990年代以後、つまり日本のバブル経済以後の日本の政治状況を観察してみると、以下のように表現できます。

大河の川岸で、停泊していた「日本丸」の傍らを、「米国丸」という巨大船が日本丸に警告をしながら通り過ぎて、先に行ってしまった。日本丸は米国丸の警告に従い出航しゆっくりと大河を下っていったら、横を乗組員の多い、大砲を積んだ「中国丸」という大きなボロ船が追い越していった。

日本丸は中国丸の後追いをしながら、大河の分流の手前の停泊地をめざし、係留したらそこは、米国丸と中国丸の間であった。

行き先の確認のために停泊した日本丸から下船したのは、金ピカの服を着た3人と普通の服を着た3人とボロボロの服を着た4人であった。3人の金ピカ服のなかの、リーダーとおぼしき御坊ちゃま風の1人が強引に下船させようとしたが、金ピカ服の3人だけが下船し、後の7人は日本丸に留まった。

日本丸が休息している間に、米国丸と中国丸は出航してしまった。金ピカ組の3人が日本丸に乗船し出航した。川の流れに沿って下っていったら、そこに、米国丸と中国丸では通行できないが日本丸なら通行できる多少狭い川が現れてきた。もちろん、米国丸と中国丸は大河を航行し先を急いだらしい。

日本丸に乗船していたボロボロ服の1人はこの分流点の先

を承知していた。一方は大湖に向かい。一方は大海に向かうことを。

日本丸は分流点で錨(いかり)を下ろして現在川の流れを見定めている。

1990年代以後、日本は金融経済バブルの崩壊によって、今後の展開を理解せず、デフレ経済化のなかで昏迷していた。その頃、アメリカ主導のグローバル資本主義が定着していた時期であり、日本はグローバリズムに便乗したら「規制緩和」を従前以上に要求されTPP交渉の中核的役割を負わされる事態まで至った。

自民党政権は、財界の要請もあり、生産コスト低減のための政策を1986年に人材派遣法（労働者派遣事業の適正な運営の確保及び派遣労働者の保護等に関する法律）を施行していたが、1995年頃から景気の停滞による就職氷河期となり、若年層の雇用が不安定化するなかで、正社員が減少し、非正規社員・契約社員化が進み、現在2020年50歳前の人から所得の減少が進展し、経済的格差のみならず社会的格差、そしてあってはならない教育の格差まで派生させている。

■1990年代以後、日本の政治は劣化の一途

この約25年間にわたる格差の拡大化によって民主主義の腐食化政策が行われ、民主主義は形骸化の一途をたどり、選挙の投票率は低下の一途を辿っています。

民主主義の発展は、中間所得層の担い手によって成立するものであり、これからの変革は、民主主義の再構築が前提と

考えれば、中間所得層・若年層の選挙への無関心・無参加は将来の日本を左右すると言えます。

1990年代に、自主的・主体的に賢明な選択が為されていれば、これほどの社会的・政治的な昏迷に至らなかったと思えますが、新たな選択もなく、グローバル資本主義・米国の要求という世界の潮流にただ流されるだけで、中国の存在に気づいた時には、軍事力の強化に向けた憲法改正やアベノミクスと称される時代錯誤の資本主義延命策を大統領制以上の強権の発動を可能とする体制の下で実行されています。

現在の安倍自民党政権による政策は日本国・日本人の将来にとって、とり返しのつかない問題が生じることが予定されている政策と言えます。

現在の安倍自民党政権の政策は、少数のグローバリストに強引に誘導され、新自由主義・資本主義を漠然として受け入れ、前近代的要素も残る既得権益者と近代社会の問題理解がない富裕層・一部高齢者の古く、理解の浅い価値観を持つ人々に支えられています。

■二つの軛を、どうとりはらう

日本人・日本国には、二つの軛(くびき)（自由を束縛するもの）がつけられています。一つはアメリカという軛、もう一つは中国という軛であり、太く強い軛は自らの弱体化によって一方的に切られるかもしれませんし、もう一本の軛はみかけは太いが腐蝕し取り替えられるか自然に切れる、という状況にあります。

日本国日本人が、日本国を希望の持てる社会とできるか、国際社会にあって、人類社会に新たな役割を果たすことの可能性を持つことができるのは、喫緊の問題であり、選択であると理解できます。

まず中国の軛を自主的・主体的に切る。次に米国の軛を自然に切る。そして未来社会への一歩を始めることが肝要であり、今日本の与党系政治家には、二つの軛をタイミングよく有効に切れる政治家を私は知らない。その術(すべ)を持つ野党系政治家の登場を期待するしかありません。

■現政権は最悪の政権

現在の安倍政権は、未来への展望をまったく持ち合わせていない。美辞麗句を並べるだけで内容は乏しく、反知性的で知性の言葉が通じない、理性的・論理的に論じることはなく常に心情を政策化しているにすぎない。民主的で論理的な討議はできない、拒絶する。国家主義者と評するより国粋主義者と評価せざるを得ない。それは強権でエリート組織である行政組織を抑えつけ有・無を言わせず従えている姿が証明している。問題が派生すれば他に責任を押しつけ責任はとらない。政策の責任は、後の国民大衆に押しつけ、そのツケも最早とりかえしのつかないレベルに至っている。数年先には国民全体の知るところとなる。安倍政権の唯一の貢献は、中国の脅威の警鐘を鳴らしただけで対中国政策に誤りが多い。他に実績はない。

すみやかに、大海に繋がる少し狭めな川を下るしかない。大河の流れは大湖に繋がる川であり、そこで死闘が行われる。

と思える。

■民主主義の再構築

私は、現在の社会や経済の新たな問題の派生や問題の深刻化は、かなりの部分、資本主義の終焉の過程・死に至る前の過程で生じていると理解しています。

今までには考えられないような社会犯罪・経済犯罪が多発する事態になっているのはその一例です。

それにはまず、終焉と理解せず、それを延命する人を排除することが最初と言えます。それは、定常型化する社会のなかで和合・融和して生きていく社会を実現するのですから、暴力的手段によらず、民主的方法で延命する人を排除・少数化するのです。それは「民主主義」を再構築することです。一般諸民が大挙して特に若い世代が奮起して、民主主義に参画することです。現在圧倒的力を持ち権力を行使している人を排除します。「小選挙区制」という制度はこれが容易にできる制度です。51％の多数派になれば新しい政策が実行可能となります。それによって日本の変革の第一歩となり、世界の新たな出発に通じる可能性もあります。

その第一歩の過程で、生命や社会的弱者の救済の政策に反対し、現体制の擁護の人々を排除する政策を打ち出し、それを踏絵にして、徐々にパラダイムの転換の一歩を始めるのです。その方法はいくらでも考えられます。踏絵はすべての中央の政治家のみならず地方政治家にも踏ませるのです。それを数回行えば、政治状況はガラリと変容します。それでも、岩盤化した既得権益者の体制は容易に崩れませんので、その人々に新たな生存の方途を提示する政策を打ち出し瓦解に向けるのです。もともと利に聡(さと)い人々ですのであまり時間は用しません。

■長期的政策と中期的戦略が不可欠

これには中期的な政治戦略と長期的（社会）政策が前提となります。

第二歩は、第一歩の段階で、長期的・基本的政策の立案・検討を行い、国民全体に問いかけするレベルまで集約化します。

第二歩目はこれを土台にし全面的に具体的に国民全体に問いかけをし、全国民を一つの土表に立たせるのです。

これは徳川幕藩体制の第３代、第４代で準備し、第５代で行った政治であり強力な軍事力を背景とした権力によって行われました。また、第二次世界大戦後のアメリカ・マッカーサーの権力によって行われましたが、現日本国憲法を背景とした、信頼される政治。「民主主義」によって実現するのです。

第三歩は、例えば私が提案したＢ・Ｉと共生保障と税制の抜本改革は、国と地方自治体の権限・役割も変わり、徴税体制の変更を伴い大量の国・地方を超えた人事異動が必要となり、明治維新以来の大改革となりますので多くの時間と多数の合意形成の努力、大きな多数の法律改定・法整備が必要とされます。これを周到に実行するのです。

大変革を伴う制度改革は周到な準備をしても、どこかに不備が発見されたり、不具合が出現したりするものですので、それへの対応も準備するのです。それを３年ないし５年毎に行い改正していくのです。

私の提示するＢ・Ｉをはじめとする制度改革は資本主義の終焉期に実行すべきものであり、資本主義の死の宣告前に実行すべき制度です。

死の宣告の時に重なりますと、混乱が予想されます。

■多額の国債の霧散化

現在のグローバル資本主義を信奉する現在の政権の政策は国民の多数が所有する長年の国民の働き・汗の結晶である「多額の国債」を、インフレ経済化・ハイパーインフレ化のなかで「霧散化」する政策であり、現在その兆候が見え隠れしています。また、「死」の際には、その保全をする能力も理解もありませんので「霧散化」が予想されますし、仮に保全努力が為されても、多額の減額化が予想されます。

現在の国債を所有する主体は銀行ではなく銀行に預金する人、また、直接国債をもつ個人です。

銀行に預金する人はほとんど利息を長年の間、受け取っていませんし、直接国債をもつ人でも10年物国債利回りは２％以下です。直接国債をもつ個人でも霧散化するかその価値が減ることになりますので「現在の利子のつく円」を、第二日本銀行（仮称）に「利子のつかない新しい新円」として預金して欲しいのです。預金の引出しには多少の制限はつけますが、利子のつかないかわりに第二日本銀行は保存を確約します。

これによって、ヨーロッパ・アメリカで行われている「地域通貨」を国レベルでの「利子のつかない通貨」による金融体制を出発させ・資本主義の死に対応できるのです。

■次なる社会へのソフトランディング

現在全世界の重要なテーマの課題の一つは、資本主義の死をソフトランディングさせ次の未来社会へ繋げるか、ハードランディングし全世界が経済的に崩壊され社会を再生できるのかという理解にあるのです。

日本は全世界に先んじ利子率0になった金融大国なのです。他国に先んじ貨幣・金融に対する選択肢のある国と言えます。B・Iの制度にからめて「利子のつかないお金」による新たな経済経営システムの構築によって「脱資本」が実現し「超近代」への道への一歩となるのです。

一度に短期間に、「利子のつかない新円」が実現する訳ではありません。現在の「利子のつく円」との並存から出発し、B・Iの給付を通じて、徐々に日本全国に、そして全世界にそれを波及させていくのです。そして、第二日本銀行の保存する「利子のつかない新円」を利用し、全世界に貢献ができるのです。全世界のそれぞれ固有の利子のつかないお金とのネットワークを構築し、全世界の「利子のつかないお金」で富の偏在を解消化し、格差を縮小していくのです。

利子のつかない新円は新たな金融制度の実現に繋がります。

一国内の一地域通貨とは基本的に異なります。それも、世界は金融大国も含め、日本の異常な国債残高を危惧し懸念をしている程の国であり、他国もこの制度を模倣導入する可能性は多いと思います。これにより全世界が、資本主義のハードランディングの悲劇を避けられ、新たな未来社会への入口に立つことが可能となります。これ以上アベノミクスを継続させず、財政を健全化し貨幣量の供給を止めることがその一歩です。

■世界経済に新たなルールをつくる

B・Iを中心とした社会保障制度と「お金に利子のつかない新円」による金融制度は極めて強固な国際社会での日本の基盤・地位を築きます。世界経済に新たなルールをつくれるのです。これによって過剰な交易からの脱却も環境破壊を停止し環境の修復も行い、現在8億2千万人以上とされる飢餓に対面する人々への援助・支援も可能となるのです。

それは、戦後汗水流して働いた果実である国債を、現在の国債を血栓状態に置かず、全人類の経済に流れる血液として利用できるのです。世界の経済のみならず社会全体の潮流を変えることに繋がります。「利子のつかない新円」は必ず元に戻り、日本社会の充実に貢献します。今ある国民の富である国債を、これから設立するであろう第二日本銀行に預託していただくことを祈願します。

第24章　まとめ

近代社会における資本主義の成立とその発展過程については理解されていることを前提として著述します。

第二次世界大戦後、アメリカは自動車産業に代表される、大量生産・大量消費の時代を迎え、産業資本主義の絶頂の時代・黄金の時代でした。資本家も労働者も国家も資本主義の成果を享受し繁栄を謳歌していました。しかしその状況は他国に良き影響を与えたもののアメリカの繁栄に限られ、約25年間という短期間でした。1776年のアメリカ独立宣言から約200年後に、アメリカ産業資本主義は絶頂期から急下降し、新たな変容をとげることとなります。

戦後・東西冷戦期、西ドイツ・日本などが戦後復興する本格成長期に入り、アメリカの経済的立場が相対的に低下した時代となります。

アメリカはベトナム戦争に参戦し、社会の疲弊化が進展した頃、戦争復興国の経済的追い上げによって世界経済が急拡大することによって、アメリカ通貨ドルの裏づけとなる、「金（キン）」が不足状況となり、金本位制を放棄する事態となります。1971年のニクソン・ドクトリンによる、ドル紙幣と金の交換を停止することとなり、1973年に第一次石油ショックがあり原油価格・資源価格が急騰することとなり、所謂「価格革命」が生まれ、交易条件が悪化することとなり、産業の「利潤率」が急低下することとなり「利子率」も低下することとなります。アメリカの国内の繁栄の資本・労働・国家の三位一体制が崩れ始め、製造産業中心からサービス産業化に進展しました。

1970年代は、人間の生活に密着し、生活の充実に寄与する実体産業である産業資本主義が実質的に終焉したと理解できます。水野和夫氏は、この時代をもって、「資本主義は終焉した」と宣告されました。

これ以後の資本主義の進展は、実質的に生活者の生活の充実・向上に繋がらない経済化に向かい、実体経済（生活者に密着した生活の向上に資する経済）を毀損（きそん）（こわし傷をつける）する経済化という意味で、資本主義は「死」に至る道程に入った「終焉期」に入ったと理解できます。

1970年代以後、ダボス会議の開催による新経済秩序形成、また、アメリカのチェース・マンハッタンに代表される米国巨大金融企業とロスチャイルドに代表されるヨーロッパ巨大金融企業の協調体制が成立し、資本主義は新たな展開となりました。

1970年代以後の世界の経済は「アメリカの覇権維持」という「国家意志」と「利子率低下を危惧し、利潤の最大化」を追求する「金融産業の意志」を反映した経済社会化であり1995年頃には、金融資本主義が確立することとなり、その後、戦後の情報技術の発達のなかで育まれた「情報産業の意志」が加わり、2008年のリーマン・ショック以後は、情報産業がリードする所謂、情報資本主義化に進展することとなりました。

1980年代の、サッチャリズム、レーガノミックスに始まる、人・物・金の自由化を求める「グローバリズム」であり「規制緩和」と「アメリカルール」の強要が現在に至るまで行われ、鄧小平の指導により「一国二制度」をとる中華人民共和国（以下中国）と、1991年のソ連邦の解体により社会主義の諸国、また、世界のほとんどの国々が、アメリカ主導の「グローバリズム」と称する「弱肉強食の市場原理主義による金融資本主義自由経済」に組み込まれ現在に至っています。

情報産業は、20世紀後半、情報機器・ソフトウェアーの販売・情報サービスから始まりましたが、産業においては、経営管理、工場でのオートメーション化、ロボット化で生産性の向上に寄与し、国民生活においても、PC・スマートフォンなくして成立しない必要な産業になっています。しかし、情報産業の生み出したロボット化・AI化は「人の雇用を奪う機能」を持ち、人間の働きを大きく変えていきます。情報産業は人の働きの在り方を変えるだけでなく、生活全体を変え、社会全体を変容させていきます。

情報産業は、「限界費用をゼロ化」が可能とできる産業の特質を持ちます。従来型の産業ではこの理解はできませんでしたし、ゼロ化の経済経営システムの構築はできませんでした。限界費用ゼロとは、従来産業でしたら、商品を製（つく）り、サービス提供の費用をかけて、消費者・需要者から対価を得ますが、情報産業では、目に見えない、プラットフォームというサイバー空間に、サービスを行うための基盤をつくり、サービスを行うことによってその対価を得ますので、一度プラットフォームに基盤をつくれば、売上が増加する毎に、基盤をつくるコスト・費用が限りなく減少化・ゼロに近づいていく、規模（量）の経済性が究極的に機能するため、売上増になることで、利潤率が高まることになります。ですから、情報産業は、プラットフォームに基盤をつくるプラットフォーマーとして競い合っているのです。

GAFAを始めとする情報企業は、インターネットというサイバー空間の成長とともに業容を拡大し、サイバー空間を寡占的に支配し、サイバー空間は、国境を超越し、国家主権が及ばないが故に、情報産業から派生する問題の解消化が困難であり、産業の暴走化が止められず、ビックデータを蓄えながら、成長していますので、情報産業による、経済・社会の監理・統制化が危惧されています。

現在、巨大情報産業は「利潤率を高める」競争をしています。利潤率を高めることで、株式市場での、自社の「株価」を高めます。株価を上昇させることによって株主の資産を増加させ、株を貨幣化することを認めさせましたので、企業を、株という貨幣で買収することができるのです。

現在、巨大情報産業は株を貨幣化することで、投資銀行としての巨大金融企業は、高い利潤率をもって、従来型の巨大企業を含む、全産業の支配・従属化が可能となり、情報と金融の少数の巨大企業を頂点とする産業の、階層化（ヒエラルキー化）が急速に進展しています。

頂点に位置する少数の人々の所得は高額化し、階層の中間に位置する人々は順次、時の経過と共に、低所得化し、大多数の民衆は貧民化に向かうと理解できます。結果として、富の偏在の今以上の加速化と格差の拡大の増幅化に向かい、それらの解消化は、資本主義経済社会を前提としている限り不可能と理解できます。

資本主義社会は、資本の管理が民間企業によって行われ「民主主義」が機能する限り、その生存は延命されます。

しかし、中国社会、中国共産党独裁独占金融資本主義は、全国民の全資産及び情報と金融が、実質完全に政治権力下にありますので、民主主義が機能することは不可能と言えます。愚鈍と揶揄されている習近平でも政治権力の要諦は理解していますので、米国ドルの外貨準備金が底を突くまで、貨幣「元の増刷」を行いますので、中国の経済・社会の崩壊は日を追う毎に悲惨化することが予想されます。

これからの中国は、ドル立て外貨準備金のゼロ化から、金融経済バブルの崩壊から、中国社会の崩壊へと進展せざるを得ません。

近代の資本主義は、

① 重商主義（重金主義）
② 産業資本主義
③ 金融資本主義
④ 情報資本主義

という段階を経て、しかも「重層化」しています。

2020年頃での世界の資本主義をリードしている主体は、情報産業のうち、GAFAに代表される巨大企業、金融産業のうち、投資業務を行えるメガバンク、産業資本のうち、巨大多国籍企業、それに加え、投資ファンド、機関投資家などと富裕層と言えます。金融企業のうち国内の融資業務を行っている商業銀行は、利子率の低下によって存亡の危機にあります。

アダム・スミスもマルクスも長期的には「利潤率の低下」を予言していました。産業資本主義の時代では、金利は4%から6%レベルで推移していました。しかし1970年代以後世界の金利は、急上昇しました。水野和夫氏の示されたグラフによれば、日本で1974年時11%、現在2020年時、利子率は殆どゼロですが、現在の金融産業の総資本利益率は15%から20%、実体産業の総資本利益率は最低5%以上10%を投資家から要求されます。現在の投資家の異常さが窺えます。

資本主義経済で、業種・業態によって異なりますが、商品の占める製造コストのうち、20%～25%という利子分が含まれています。製造過程の単純な業種で借入金依存度の低い分野では低くなりますが、現在のように複雑多岐な商品は多様で多数の業種が関わり、時間も要しますので利子分割合は多くなります。

また、住宅ローンの返済の際には、長期間借入金が減額されない事実をみれば、サービス提供に占める利子分割合が多いのが理解されると思います。

現在の経済社会は、利子率が低下しているにもかかわらず、利子率の低下を反映した商品・サービス価格提示はありません。利子率の低下が反映されれば、商品価格は低下し、当然デフレ経済化することとなりますが、企業は投資家の高い要求により、利潤の極大化を目標としますので、利子率の低下を価格に反映させることができないのです。

現在の産業・企業内の（社会）構造は、産業資本主義の当初は、資本家対労働者、成長期は資本家対経営者対労働者、現在は、資本家＝経営者対労働者という構造になっています。

それは、金融資本が産業資本から利益が得られなくなり産業を見放し、また、企業が全体として大規模化したことが主たる要因です。資本を「金融市場」から得られなくなり「資本市場」に依存せざるを得なくなり、資本市場は「大衆投資家」中心から「機関投資家及び投資ファンド」中心に移行したため、資本市場の影響が大きくなり、経営者は「極大の利潤の追求」を余儀なくされています。それが現在の経営の問題であり、企業内はもとより社会問題の原因となっているのです。

資本主義経済では、商品やサービスの提供を介して、需要（消費）から供給（生産）へ富を移転します。富の移転は、利子（利息）に「利潤」を加えた価値の総額です。例えば、商品に占める利子分が10%、利潤率が10%とすれば、商品価値のうち20%の価値が供給に移転することとなります。

供給は利子（息）分以上の利潤を追求しなければ生存することはできませんし、利潤を高めることで、企業を存続・成長・発展することが可能となるのです。

資本主義の発展過程で利子をなくした貨幣による金融制度を創設していれば、資本主義は大きく、良好な方向に変容したかもしれません。いずれにせよ、最早後の祭と言えます。

現在の資本主義を基調とする近代社会は、富の偏在や格差の拡大など多様な問題を生み出し、環境の破壊・オゾン層の破壊、気象の温暖化などの災禍をもたらしています。

資本主義は、1970年代以後、それまでの産業資本主義は成熟期を過ぎ、「終焉期」となり日々その死に向かう段階に至ったと理解できます。

水野和夫氏は、ヨーロッパの近世末期における、穀物類などの価格騰貴による「価格革命」を背景として、封建社会から近代社会へ移行し、1970年代の、石油ショックなどによる、石油・資源などの高騰によって、産業資本主義は「交易条件の悪化」による、産業企業の「利潤率」は低下し「利子率」も低下しました。2.0%以下の利子率では、経済システムは継続できない。また、産業社会が社会の「中間層」を見放したことをもって、資本主義は終焉期に到った。また、中国などの発展途上国が、近代化先進諸国の所得レベルに近づいた時「死」に至ると宣告されました。

野田聖二氏は、技術の進歩による「生産性の向上」は「エントロピーの増大化」によって不可能となり、経済も社会もエントロピーの増大化によって、秩序から無秩序化し資本主義経済は行き詰まり、終焉を迎えている。と宣言されました。

二人ともその結果として、経済成長はゼロ化し、利子率はゼロ化し、経済循環はなくなり「定常型社会」に向かっていると示されました。

水野氏は、資本主義を基調とする近代社会を、次なる社会へソフトランディングさせることの重要性を示され、ハードランディングの危険性に警鐘を鳴らされ、新たな社会制度への模索を示されました。
　また、野田聖二氏は、エントロピーの減少化を指摘し、次なる社会への展望を示されました。
　水野・野田両氏は、金融産業のなかで御活躍され、最新のデータの分析・理解をもって、資本主義の「終焉」を宣言されました。
　二人の論に類する理解は、ヨーロッパ諸国にもアメリカにもありません。先端的な金融分野、また、情報分野からもありません。

　日本は、1990年代、金融バブルの崩壊の後、「デフレ経済化」が世界に先んじ進展し、産業経済の終焉、また、金融経済の実質的な終焉期に、世界に先んじて突入しました。その後の約25年に亘り「デフレ経済」から脱却できず、経済成長は実質2.0%以下、利子率は、2.0%以下から世界に先んじ、ゼロ化に進展しアメリカの2008年のリーマン・ショックの際にはその影響を受けた以外、基本的には景気変動はなくなりました。世界の国々は、日本経済の後追いをし続け、デフレ経済化と利子率のゼロ化に向かっています。そのように理解すれば、日本経済は、世界経済のトップランナーと言えます。

　日本経済は、1980年代、1945年から実質1950年以後の30年間で世界に類例をみない経済発展をとげ、1980年代に成熟化し、金融経済化し1990年代の、日本の金融経済の崩壊の段階に於いても、他国に比してその被害も少なく、2000年頃からは、従前からの傾向に加え、輸出主導型経済体制となり、量的拡大に依存しない質的転換による僅かな経済成長を実現してきました。しかし、BRICSを始めとする世界の発展途上国の経済的追上げとグローバル資本主義化によって、国内経済は弱体化・疲弊化する状況となり、グローバル化の進展により、新たな問題が派生し、問題の深刻化が進展しています。

日本の経済の現在の実態は、最先端情報分野で、アメリカ、一部ヨーロッパ、中国に後れをとるも、ほとんどの先端産業分野で、高い技術水準にある大企業を中心として経済状況の安定化がなされていましたが、現在では、発展途上国の追い上げにより、旧来型の産業は窮地に追い込まれています。総じて輸出産業以外の産業も含め、高品質・高付加価値産業は安定していますが、規制緩和政策の影響の強い、地方の産業は疲弊化し続けています。

日本経済は、輸出主導型経済の下で、大企業を中心に460兆円以上の海外純資産を有する国となりましたが、自民党現政権による、アベノミクスなる資本主義延命策により、財政の悪化による、GDP比270％に及ぶ国債発行残高となり異常を危惧される状況に至っていますが、世界一の「金融大国」にもなっています。

全世界の輸出主導経済国家は、総じて日本経済の後追いをしながら成長するも、国際的過当競争により、ブロック経済化・地球経済化が進展するなかで、国際金融企業、また、巨大情報産業の支配下・従属化に怯(おび)えながら経済成長していますが、社会は年を追う毎に疲弊化し、富の偏在や格差の拡大もあり、社会の二極化が進展しています。

金融主導型経済であるアメリカは、先端情報巨大産業の台頭によって破綻には至っていませんが、国内市場の開放も限界に至るなかで産業資本の企業・産業は総じて弱体化の傾向にあり、財政支出・貿易収支の赤字化もあり米国ドルの増刷が続き、金融体制の破綻が危惧される事態に至っています。

中国経済は今や「中国共産党独裁金融独占資本主義」と理解させる状況に至っています。

かつての「世界の工場」と称される輸出主導型経済に加え、5Gに象徴される先端情報を中心とし、極度の資本依存の「金融大国化」しています。2008年のリーマン・ショック後の、多額の公共投資によって、金融バブル経済化が進展し、国家の統制下にある国営企業を中心として旧来型産業が、過剰投資のつけもあり、弱体化も相まって、多額の不良資産を有するようになるなかで、強引な政府の経済成長政策によって、得体のしれない産業国家となっており、中国企業が、金融バブル経済化し、中国は、正確な経済統計を公表していませんので、世界第二位の経済大国でありますがGDPが1500兆円と経済成長率も6%程度と公表されていますが、GDPについては1100兆円から1200兆円、また、経済成長率もせいぜい2%程度と、中国ウォッチャーは推定しています。

中国が金融バブル経済化は、輸出主導型経済下で獲得した、最高4兆ドルと言われる、ドルによる外貨準備金によって実現されました。しかし現在その準備金残高は2兆ドル台まで減少しています。中国通貨「元」は米国ドルを基軸にしていますので、本来であれば、ドルの所有に比例して、元を発行すべきものですが、中国はそれを無視し、元紙幣を増刷しまくり中国経済を安定・維持させているのです。しかし中国は近年、近隣諸国に軍事的圧力をかけたりする他、政治的覇権・技術上の覇権を標榜したりして、アメリカに貿易戦争を仕掛けられ、政治的にも経済的にも追い込まれる事態に至っています。

中国の米国ドルによる準備金の減少・枯渇に至りますと、中国経済は14億人とも言われる生活に必要な、食料・エネルギーなどが輸入できなくなり、過剰な元の発行量のため、ハイパーインフレが必然的に生じ、中国経済、社会が完全に崩壊することになりますので、習近平は、高度の情報技術を駆使し、強大な権力機構によって社会統制を行うに至っています。

現在の中国は、まったく民主主義が機能しない、心ある人々には「生き地獄」の世界であり、その世界が、中国全土・全人民に拡張されることは必至であり、時間の問題です。

資本主義は段階的に重層化しながら進展してきました。それのすべての段階を通じて。

「利子＋利潤」の価値を、需要者から供給者に移転しているのです。

供給は、利息分以上の利潤を追求しなければ、存続することはできません。資本主義の発展過程で、利子をなくした貨幣による金融システムを創設していたならば、問題の派生・拡大や災禍を避けられたかもしれませんが最早後の祭と言えます。

現在、世界経済は、日々破局に向かっているのです。

現在の世界経済の実情は、資本主義の終焉期の「藻掻(もが)き」と理解することができます。

現在の資本主義の延長線上には、現在社会の問題解決も、災禍を修復・防止することもできない事態に陥っているのです。

こうした世界経済の惨状に加え、予期せぬ巨大災害に発生した場合、人類社会はいかなる事態に至るのでしょうか。

1968年、マーティン・ルーサー・キング・ジュニア牧師の演説に示された「三つの革命」、すなわち①オートメーションとサイバネーションの影響を受けた科学技術の革命。②原子力兵器・核兵器の出現という兵器上の革命。そして③全世界における爆発的な自由化という人権上の革命。によって、人類社会は、暗闇の社会へと進んでいるのです。キング牧師は、現在を透視していたのです。

これからの人類社会は、いかなる方向に進展するのでしょうか？　最早、現在の資本主義を基調とする近代社会の断続・延長上にはない。「近代化」という人類社会の発展理論は、現在の人類社会の現況を鑑みれば、最早1970年代をもって破綻したと、理解せざるを得ません。

近代社会は、封建社会以前の人類社会を超えて、宗教改革とルネサンスを背景として、「人間の復権」に始まり、人間の「思考・思惟・理性」が人類の発展の主体となる社会へと変え、近代合理主義と個人主義という時代のものの見方・考え方によって展開されてきた社会であり、合理主義と個人主義が、近代科学の発展と技術の進歩を促し、それらを原動力とし、人間を経済的存在として理解し、資本主義は成長、発展し、人類社会に「経済的豊かさ」をもたらしてはくれましたが、その成果・恩恵を受けたのは一部の人々に限られました。

資本主義はその発展の結果として、限られた人々に、経済的豊かさと恩恵をもたらしましたが、その発展は一方で、人間の「心」を疲弊化し、人間社会を分断し、人間とその社会関係を崩壊させ、人間社会を、経済的存在としての供給者と、その財やサービスを受ける経済的存在としての受給者という構図つまり冷たい経済関係による、経済社会にしてしまったのです。その結果として、人間は「お金や資産」に重きを置き、依存する価値観を持つ人間と化してしまったのです。

近代の合理主義・個人主義は最早限界に達しています。合理主義・個人主義によって産まれ成長してきた資本主義が、人間とその社会を毀損し、非合理・反合理、また、利己主義を醸成し、それらが近代社会を崩壊の社会に導いているのです。

近代社会は、人間の復権に始まりましたが、人間の理解は「市民社会に生きる人間」としての人間という理解に始まり「自由」「平等」また博愛（友愛）という理想の理念をもって「民主主義」を成長・発展させました。

しかし、資本主義は、人類社会全体に、富の偏在と、格差の社会をつくり、民主主義の理想を打ち砕いてしまい、「営みをする人間」とその人間関係を否定してしまいました。

資本主義は、現在、民主主義を腐敗化し、形骸化していますが、資本主義また近代社会を否定しても、近代社会が生み出した成果である民主主義を否定することはできません。それが、次なる社会へ歩む、唯一の方法であり手段なのです。次なる社会への第一歩は、「民主主義の再構築」と私は確信します。

近代社会を超える。簡単に表現できますがそれは並大抵ではありません。それは社会の表層的な面を変えることでは実現しません。

超えるには、人間社会の根源の理解、を深め、新たな根源的理解をもって超えねばなりません。

人類社会は、近代の時代において、紀元前の古代ギリシャ哲学、哲学と神学の融合をめざした中世哲学、経験論、観念論などを生み出した近代哲学、また、社会状況に寄り沿う現代哲学など多くの哲学の世界、また、ユダヤ教に始まるキリスト教・イスラム教の世界を、東洋に於ては、バラモン教に始まるヒンドゥー教、また、仏教や儒教の世界といった、世界の哲学・宗教が総合的に理解されることとなりました。

哲学や宗教は、その発生の由来・環境や風土によって異なり、地域や生活に密着し理解され、時に社会と時代を支配してきました。

しかし、近代の合理主義は、世界の哲学や宗教を相対的に認知することなく、理性による批判によって、排斥し、対立を生みだしてきました。

人の価値観と利害の対立をコインの表・裏と理解すれば、近代の時代は、資本主義によって利害の対立を生み出し、理性による批判によって価値観の対立を生み出し、近代の時代を、総じて対立・抗争・戦争の時代としてしまったのです。

封建社会は「武力」（軍事力）によって、領土的領域の拡大によって、世界を「統合化」する時代でした。その象徴は、チンギス・ハーンによる西方遠征でした。

近代社会は、主権国家の軍事力を背景とし領土的空間を「人間の理性」と「お金・資本」という経済力によって世界を「統合化」する時代であり、現在は、それに加え「情報」によって、世界の統合化が進展しています。
現在、資本主義の統合化は、最早領土空間領域・地球の隅々まで至り、最早拡張の余地がないのです。そのなかで、中国が、先端情報技術をもって、アメリカの覇権に挑戦しているのです。

現在の資本主義は、その領土・空間領域が行き尽き、活動の領域がなくなっても「電子金融空間」を創設し時間的領域から収奪を行い、現在は、情報産業は、サイバー空間（PCや情報のネットワーク）を創設し、収奪を行っているのです。人間の飽くなき「利己的な欲望」が、資本主義を終焉期に至るも継続、生き長らえてさせているのです。

近代を超える次なる社会は、拡大することのない地球のなかで、利害対立することが許容される社会ではありません。極大の利害対立は地球人類社会を破壊し、人類社会を滅亡に追い込むのです。従って、利害の対立と価値観の対立を消去化することが必要不可欠と言えます。人類は、今日まで体現してきた世界観や哲学に固執してはならない時代に至っています。少なくとも「他」に強要してはならないのです。自己の内に収めなければならないのです。他に強要すれば必ず対立となり利害の対立を誘発し戦争にまで至るのです。

それには「融和と融合」の理解と姿勢をもって接することであり、「自己の理解、また、あらゆる宗教も真実より高くない」という「神智学的理解」を持ち、自己の理解・判断を「絶対」とせず「相対的」にとらえることが望まれます。社会的判断は「民主主義」に依拠しなければなりません。

人類社会は、人間の集合体になる社会です。一人ひとりの人間は生まれも育ちも異なり、考え方、また、心意行動も異なる相対として、また、対立して存在しており、相対存在の人間の集合体として社会は成立しています（詳しくは基本理解に記述）。

次なる社会を展望する上で、人間を相対存在として理解することが必要と思われます。即ち「実在論」的理解です。この論を否定することはできませんし、他の世界観を否定することではありません。

また、私は、人間と社会の関係を考察・理解するには、自然科学の「バイオテクノロジー」ではなく、「エコテクノロジー」即ち「生態学」的理解に依拠します。

「実在論」的理解に加え「生態学」的理解をすれば、近代社会の人間の理解である「市民」としての人間、「経済人」としての人間理解を超えられます。

すなわち人間を、生命体としての、また、社会的動物としての人間、また、生活者としての人間という理解に至るのです。次なる社会への展望は、こうした「人間像」を基本にしなければならないと、私は理解します。つまり、「生命体」として社会的動物として生活者としての人間理解です。

・水野和夫氏と、野田聖二氏御両名の、資本主義の終焉の理解

・現実の先端情報産業の人間の営みに与える状況、世界経済の危機的状況や国際金融体制の破綻への理解

・トランプ大統領を生み出した社会状況、グローバリズムからの脱却を実行しているホセ・ムヒカ元大統領の理解

・次なる社会の展望を示してくれた近代化に変わるべく模索したもう一つの発展理論としての内発的発展論の理解

・普遍的な人間の営み・働きの在り方を示しこれからの人間と社会の基本的在り方を示してくれている恩師薄衣佐吉氏の人間観・社会観・世界観・創造経営理論の理解

・社会の問題の根源は利子であるとし、利子のつかない、また、減価する貨幣を理解させてくれたエンデやゲゼルの貨幣や金融に関する理解

・日本人と日本国の次なる社会への挑戦の可能性を示し、次なる社会への道程と方法を示してくれている江戸時代の理解

・私の約50年持ち続けていた、資本主義への疑念を持ちながらの経験・理解

私は以上に依拠し、統合的に理解し資本主義の終焉期に生じている問題の解決や災禍への「待機」のための制度提案を

お示しします。それは、現在の「主要な問題の解消化」と「次なる社会へ繋がる、継続可能な」制度提案です。この制度は人類社会で初めて行われるものであり、日本国・日本人でなければ、現在の世界状況の下では、実行することができない提案であり、資本主義の次なる社会へのソフトランディングの準備のため、また、不測の危機への対応可能な提案であり、ハードランディングの際には、世界に先んじ立ち上げることのできる提案です。この制度の実行には少なくとも7年・10年間以上の準備期間が必要とされ、明治維新以来の150年間の主権国家体制の大変革を伴いますので、信頼される政治・信頼される政府の構築が前提となります。

それは、基本所得保障（ベーシックインカム＝B・I）をベースに共生保障を構築し、それを税制の抜本改革によって支える、という制度です。

B・Iで経済的セーフティネットを張り、共生保障で社会的セーフティネットを張り、税制の大変革によって財源を求め、第二日本銀行を設立し、その運営主体とする制度提案です。

この制度は、次なる未来社会への入口の制度としての役割を課します。

第一に、B・Iと共生保障によって「安心と安全」の社会の前提をつくり、安心と安全の下で、次なる社会への価値観を醸成（機運・雰囲気などを次第につくり出し、かもし出す）し、徐々にパラダイム（時代のものの見方・考え方）を転換・変えていくのです。近代社会がルネサンスや宗教改革によって旧来のパラダイムシフトを行ったように、社会制度によって、パラダイムシフトの環境・条件を整備するのです。これには長い時間が必要となります。少なくとも2世代・50年以上の時が必要となります。これなくして次なる社会を充実してはいけないのです。

第二に、経済構造の究極的な大転換を行います。資本主義社会では、供給者（製造者）が商品の提供・サービスの提供によって、需要者（消費者）が選択するという状況にありました。故に供給者の論理が優先し、需要者は受身で需要していました。供給者の論理は基本的に利潤の最大化・資本の増殖を目的としますので、資源のムダ・浪費が多くそれが利害の対立・抗争・戦争の因となっていました。それを需要者（消費者）である「生活者」が自然に供給を誘導することで、資源のムダ・浪費を減少化させ、供給者間の対立を減少化し、利害の対立を縮小化することに繋がります。また、現在進行中のロボット化、AI化によって雇用の喪失が予定されていますが、供給者はまた同時に需要者ですので、需要者、生活者の立場で供給を社会的に統制・管理をし、全体経済をバランス・調整するのです。

それは、B・Iの給付総額が全体需要・消費の3分の1以上となりますので、需要が供給を誘導することが可能となり、定常型社会では供給の誘導なくして社会は成立しないのです。

第三に、「利子のつかないお金・貨幣」による金融体制の構築です。これによって日本国のみならず、世界の通貨体制と金融体制を無理強いすることなく、自然に誘導することが可能となり、全世界の経済経営システムを、次なる社会で変革することが可能となります。

資本主義社会で派生する問題の根源は、お金・貨幣にあるのではなく、お金・貨幣にとりつく「利子」にあるのです。

資本主義社会では、商品・サービスの提供によって、利子分以上の価値・富を、需要者から、供給者へ移転することとなります。供給者の利潤動機が大きいと、利子分以上が供給者へ移転します。供給が需要の富を「収奪」しているのです。ですから長期的に、需要が減退し、供給とのバランスが崩れ、究極的には需要がなくなるのです。資本主義は、利子のつくお金や貨幣が交換の媒体である限り最終的には崩壊する経済経営システムと言えます。お金から利子を剝ぐことで、新たな経済経営システムが稼働します。つまり「利潤」を目標とし、「福祉の充実」を目的とする新たな経済経営システムの布石が構築できるのです。

例えば極端な例ですが、公共施設の建築・運営コストの60～70％は利子分です。大幅にコストが削減できるのです。

利子のつかない貨幣はいろいろな可能性を持ちます。新たな「融資制度」が可能となります。富の移転のない「共生貿易」を可能とします。

利子のつくお金を、利子のつかないお金にし①交換の媒体、②価値の尺度、③価値の保存、の役割・機能に限定し、将来的には③の保存の機能を減退化、つまり所持していると自然に価値が減る・老化するお金に変えるのです。

利子をお金から剝ぐ役割は「(仮称) 第二日本銀行」が行います。第二日本銀行は、B・Iの給付基幹管理主体と利子剝奪機関の二業務が主で、B・I給付の過程で、国内・国外の経済社会状況時に金融状況をみて弾力的に数十兆円単位で、現在のリアル通貨「円」を「新円」に転換していき、霧散化する可能性の高い日本国民の金融資産を「円」と切り離し、保全し、資本主義の死と不測の社会的危機に対応し、将来の国際金融体制に寄与し、世界の富の偏在と格差の解消化に役立てる他、国内経済の充実化の原資とするのです。

以上三つの、パラダイムシフト、産業構造の大転換、利子のつかない貨幣による金融を、同時並列的に進展させ、新たな価値観を醸成し、次なる社会への道程を人が歩むことを可能にするのが、B・Iを始めとする制度改革なのです。

この社会制度は、自然に成るものではありません。近代社会のもたらしてくれた「民主主義」によって、人間の英智を集約し実現するのです。それを、世界に先駆けして実現できるのが、日本人であり日本国なのです。

それには、資本主義の延命を行い、問題を深刻化している政治を刷新しなければなりません。1970年代以後約50年間、資本主義の発展を補完していた民主主義を腐蝕化し、形骸化してきました。その形骸化された民主主義を再構築するためには、未来を展望できる特に若い世代に、希望や夢の持てる、未来社会の構想を描き、その構想をもとに、新たな政策を打ち立て、大多数を占める民衆に、問いかけることが第一歩なのです。

現実の疲弊した社会を、変革・刷新するのは、生き甲斐を求め、人生の充実を求め、生活の充実を願う人類の大多数を占める生活者である「民衆」なのです。

私は、この著作の論旨を、以下に要約します。

資本主義を基調とする近代社会から、次なる人類社会をめざすには、「神智学」的理解をもって、つまり、今までの世界観を超える「新たな普遍的な真実」を求めて、「人間の営み」と「社会の在り方」を「実在論」的理解と、「生態学」的理解を拠り所にし、近代社会を超える、新たな・次なる人類社会の展望を示し、次なる社会への道程と方法の出発を、「基本所得保障と共生保障」という社会制度に求め、その社会制度の運用によって、人間と社会の価値観を自然にあるべき方向に徐々に変容させるなかで、経済の基本的構造を転換し、「利子のつかない貨幣」による金融制度によって、資本主義を終わらせ、資本主義のもたらした問題と災禍を解消化する努力によって、「一つの地球人類定常型社会」という次なる未来社会を創る・実現する。

次なる未来社会は、夢想的な理解では実現しません。生命体として社会的動物としての「生活者」としての人間と、常に変化・流転する社会での人類社会であり、地球の外で、大多数の人間が営むことができない限り、この一つの地球のなかで、定常型社会で生きる以外に選択肢はないのです。

この著作は、私自身が描く、次なる人類社会の一つの理解であり、絶対という理解はしていません。一つの提案であり「タタキ台」として理解していただければと思います。

私の理解は、資本主義の大波に打ち消され沈められてきた理解・智恵の寄せ集めです。

私に知恵を与えてくれた先人達の理解を深め、新たな・次なる社会への展開を、読者の方には期待します。

あとがき

国際連合は、人類社会・世界の深刻な状況にある問題解決に、総合的な取り組みをやっと始めました。2015年9月の国連サミットで採択された、国連加盟193ヶ国が2016年から2030年の15年間で達成するために掲げた目標「SDGs」(エス・ディー・ジーズ) です。SDGsとは、Sustainable Development Goals 持続可能な開発目標の略称です。17の目標と、それを達成するための具体的な169のターゲットで構成されています。

SDGsの17の目標は、

①貧困をなくそう。②飢餓をゼロに。③すべての人に健康と福祉を。④質の高い教育をみんなに。⑤ジェンダー平等を実現しよう。⑥安全な水とトイレを世界中に。⑦エネルギーをみんなにそしてクリーンに。⑧働きがいも経済成長も。⑨産業と技術革新の基礎をつくろう。⑩人や国の不平等をなくそう。⑪住み続けられるまちづくりを。⑫つくる責任つかう責任。⑬気候変動に具体的対策を。⑭海の豊かさを守ろう。⑮陸の豊かさを守ろう。⑯平和と公正をすべての人に。⑰パートナーシップで目標を達成しよう。とあります。

国連において、世界の大多数の国によって採択され、人類社会の一つの方向付けがなされたことは、政治的妥協の産物であるとはいえ喜ばしいことであり、一歩前進との評価はできますが、基本的目標①②③⑧⑩⑯は、近代社会の資本主義の数百年の歴史の中で派生した問題であり、現在の資本主義の延命策や予想される経済・社会の危機的状況、また不確実な社会変化状況を鑑みれば、一層の深刻化への進展が予想できます。

この目標認識には、社会と時代を超えた普遍的な価値や理念が示されてはいますが、現在の資本主義経済の進展を前提としている限り、目標の達成の努力が徒労に終わる可能性が高いと理解せざるを得ません。

資本主義を脱却し、次なる未来社会への展望がみえたとしても、それから数十年、何世代にもわたる期間がその課題の達成に必要とされると思わざるを得ません。

仮に資本主義が破局に進展し、次なる未来社会が展望できない場合、目標課題は達成できないと推定できます。

2030年での目標は不可能としても、達成に向け国際社会・人類社会が努力することが、人類の未来を切り拓くことに通ずることを願います。

私のこの著述は、2019年9月の退職の後に妻にも子供達にも親族にも理解されず、他者から誤解され続けていた自己の人生を、何らかの形で記録に残しておきたいとの思いで出発しました。

しかし、始めてみると、過去50年間、持ち続けてきた資本主義に対する疑念へのこだわりが隆起し、10月には「脱資本主義」をテーマにするに至りました。この「脱資本」を中心テーマにした従来より書き留めていた文章を基本に簡単にまとめ、約1年前の中学の同窓会で級友と55年ぶりに再会し、長時間懇談し、再会を誓った長野県内に移住したばかりの柴崎武夫氏を急慮訪問し、一方的に相談を持ち掛けました。その後、柴﨑氏は私に６、７冊のシュタイナーやエンデ等の著作を提示してくれました。

借り受けた著作によって、資本主義に対する新たな理解が可能となり、脱資本の多角的理解に進展し、脱資本の著述の多様な展開となり、「超近代」への論の入口への糸口を見つけました。それによって「脱資本」に加え、「超近代」をテーマ対象とする方向に進展し、著述骨子を全面的に変更し、文章化を急速に短期間で進展することとなり、何回も柴﨑氏に原稿を検討してもらい、感想・助言を頂きました。柴﨑氏との55年ぶりの再会がなければ、この著作はなかったと思います。

柴﨑氏との再会の後、約３ヶ月間で著作の約90%を文章化したものの、出版に値するレベルにあるのか否か、自己判断はできていませんでした。

出版界の実情も知らず、出版業との係わりのまったくなかった状況の下で、大学のゼミナールの50年前の学友であった伊藤文一氏を40年ぶりに急遽訪問し、600枚以上の乱筆乱文の原稿をチェックしてもらい感想と評価を頂き、多少の自信を持つことができるようになりました。しかし、自信を得るも、出版社の講評を得なければ、出版の可否は決められないとの思いでした。

伊藤氏は、早々に、氏の友人・文芸社の関係者である吉岡芳子氏に連絡していただき、２月の中旬に文芸社を訪問し、原稿の写しを手渡し検討をしてもらい、２月の末日に出版社の回答・講評を得ることとなり、その講評を得て、出版の意志を固めました。

講評には、私が著述を敢えて避けていた内容が示唆されていました。その後、講評の示唆に対応する文章化を行い、全体の文章の調整を行いました。講評の示唆への対応によって、自己の理解は深く、強固なものとなったと思えます。

その項は、4月7日に新型コロナウイルスでの「緊急事態制限」が発せられた頃でありましたが、伊藤氏には、コロナ災禍の渦中3回も新宿の文芸社本社に同伴を頂きました。

文芸社の企画部・竹野成人(まさと)氏、編集長の片山航(わたる)氏には、自身の初めての著述に際し、助言・示唆を頂き、また出版に御尽力頂き感謝申し上げる次第です。

私は、第二次世界大戦の終戦（1945年）以後にこの世に生を受け、団塊の世代の一員として、アメリカの属国状況下で、戦前以前の封建色の残る田舎の商家の長子として、大家族の中で温かく、時に厳格に養育され、所謂近代民主教育の下で学び、平和・人権・民主といった人類の普遍的価値や理想を追求する社会教育環境の下で成長し、1970年頃大学に進学し、大学紛争の中で学生生活を過ごすことになりました。

大学紛争の渦中、理想とかけ離れた社会の現実を知ることとなり、理想と現実の狭間での葛藤と苦悶が始まり、多様な学問領域の独学が始まり、その渦中に、恩師薄衣佐吉先生と出会うこととなり、師の講義を受け、ゼミナール活動を中心とした学生生活に、敢えて一年留年してまで没入しました。

師の教えは厳正で、深遠で、時に学生にとっては難解というレベルもありました。現実を知らない、経験の乏しい学生達にとっては、師の教えを受動的に受けとめるしかない傾向にありました。師との出会いによって、学生生活は充実しましたが、その出会いが、自身の一生に大きく・深く係わることが、今に至って知り得ることになりました。

私は、理想と自身の行動や現実との乖離の中で、失敗を犯し、他に迷惑をかけ、不義理の人生に陥ったことも多々ありました。

戦後の人類社会は、理想主義をタテマエとしてしまいました。欧米の進歩主義によって、経済発展を中心として近代化が強力に推行されてきたのです。

20世紀末までに、マルクス主義は完全に溶解し、他の理想主義も溶解し、地球規模での人・物・金の自由化という美名による、弱肉強食のグローバル資本主義化が進展し、理想主義は完全に崩壊し、すべての人が自由で平等で平和で、最大多数の人々が満足できる社会づくりは、所詮実現不可能なユートピアであり、夢見るほうが愚かと理解される人類社会となってしまいました。

人類社会は1990年代以後、理想と希望と展望を喪失した時代に陥っています。

近代社会は、経済的豊かさを追求する資本主義という名の経済・経営システムと、それを補完し、修復する役割・機能を持ち、人間と社会の理想や希望の実現の為の民主主義という名の社会・政治システムの両輪によって、1970年頃までは、まがりなりにも成立してきました。しかし資本主義に対峙してきたマルクス主義の溶解の後、近代思想は資本主義の暴走を許容し、近代の合理主義と個人主義は、グローバル資本主義の不合理・反合理を正さず、利己主義の蔓延する経済発展中心の、民主主義を形骸化・腐蝕化した人類社会をつくり出し、近代思想は、人類全体の大多数の人々の幸福の実現の為の新たな理想を提示することはせず、現実に埋没してしまったとしか理解できません。

日本国は、戦後、アメリカの属国から出発しました。経済・社会・政治も何もかもアメリカ依存から出発し、75年を経た現在、経済と社会はまがりなりにも自律的となりましたが、政治は中国の強い影響もあって、アメリカに対し隷属的とも受け止められる状況に陥っています。

日本国は、戦後までは、仏教と神道という二大思想を背景として、儒教的体質をもつ立憲君主制によって政治権力体制を形成しながら、近代化が推進されてきました。

しかし、戦後は立憲民主制となり、象徴天皇制となり、日本の二大思想を背景とした権力構造は崩壊し、仏教や神道の政治的影響は直接的には廃除され、二大思想をもってしても社会的影響は縮少化・限定化し、基本的にはグローバル資本主義の下に埋没してしまいました。日本二大思想は、日本人の資質と能力の形成に深く関係し、寄与してきましたが、今後の社会づくりに、いかなる役割と責任を果たせるでしょうか。

現在、人類社会は、資本主義の終焉期の渦中で昏迷を窮めている。それは少なくとも今後数十年以上の期間継続する。こうした状況の中で、資本主義経済の最先端を歩む日本人及び日本国は、人類全体を、旧来的方法によらず先導しなければならない立場に置かれ、国際社会から期待を寄せられています。

これからの人類社会は、日を追うごとに、「一つの地球人類定常型社会」に進展します。グローバル資本主義が、新たな人類社会への扉を開けてしまったのであり、最早後戻りすることはできません。しかし扉の先に前進する展望も構想もなく、前進への術（すべ）を人類社会は持ち合わせていません。

人類は現在、未踏の領域・段階に入る直前にあり、それを先導する条件・資質・能力を有するのが日本人であり、日本国である。しかし、国際社会は期待を寄せるも、日本人の自覚は未だ少ない。

今や、日本人・日本国は自身の持つ条件・資質・能力を十分に活かし、新たな未来社会への展望を切り拓かなければなりません。そのスタートは、自国の社会・経済を大変革し、実績を上げ、その行動と後ろ姿で示すだけで済ませ、高らかに先導する必要はありません。

現在の世界の覇権国アメリカは凋落の一途を辿っています。しかしその覇権力は相対的低下であるが、絶対的な低下ではない。アメリカに代わる覇権国は有り得ません。次なる覇権国の話もあるが絵空事でしかないし、国際社会からは拒絶される。民主主義を否定する国家は百害あって一利もなく、その存在は否定しなければなりません。

私は、2020年1月末に、この著述を基本的には終了していました。その後、新型コロナウイルス（COVID-19）が地球的規模で蔓延することとなりました。コロナの影響はグローバル化の高度情報化の下で、全世界中に、短期間で生じました。

コロナ災禍は、グローバリズムの多くの問題性を露呈させ、人類社会の苛酷な現実を顕わにしました。コロナウイルスは、人間・人類社会にとっては災禍であり、一日も早いワクチンや特効薬の開発を願うが、コロナウイルスも生態系の一部の生命体であるという理解をすれば、人類社会に一つの警鐘を鳴らしてくれたと受け止めなければなりません。共生の問題は、人類・民族・国家・地域を超え、地球上全体のあらゆる生命体との係わりの問題として理解しなければなりません。

コロナ災禍は人類社会に共通のテーマを提供してくれたり、これからの人類未来社会の新たな構築に向けた共通の基盤を与えてくれたが、その影響により、経済的弱者・社会的弱者が日々増加し続け、民衆の不安は増幅し続けています。

人類は不測のコロナウイルスという災禍に遭遇しました。しかし不測と理解してよいのだろうか。人間の活動によるエントロピーの増大化によって派生した災禍かも知れません。

コロナ災禍は資本主義の終焉期間を確実に短期間化し、その死を早め、近代社会を超えた次なる未来社会への道程を早める。これから「本格的な未知の、不測の人類社会全体の大動乱」が始める。その予兆がコロナ災禍かも知れません。

資本主義を基調とする近代社会化は、人間と地球を、僅かな隙間の残る暗闇の空間に結果として導き、閉じ込めてしまいました。

暗闇に閉じ込められた人間は、生きづらさ・不安を感じ、死に怯え、地球は徐々に変容していきます。

地球外生命体に、地球の現況はいかに映るのでしょうか。

人類地球社会は、大転換期を迎えています。

人類は、新たな理想を掲げ、新たな希望を持ち、新たな展望を持たなければ未来はありません。

新たな未来を拓き、創造する力は、人間の「新たな知恵」しかありません。新たな知恵で、新たな展望を持ち、新たな構想を描き、新たな理念を掲げ、未来に向けて前進しなければならない。それが人類の唯一の未来への選択と言えます。

完

【参考文献】

『GLOBOTICS（グロボティクス）グローバル化＋ロボット化がもたらす大激変』
リチャード・ボールドウィン著、高遠裕子訳、日本経済新聞出版（2019）
『ロボットの脅威―人の仕事がなくなる日』
マーティン・フォード著、松本剛史訳、日本経済新聞出版（2015）
『超図解 世界最強４大企業GAFA「強さの秘密」が１時間でわかる本』
中野 明著、学研プラス（2019）
『こんなに借金大国・中国 習近平は自滅へ！』
宮崎正弘、石 平著、ワック（2019）
『だまされないための年金・医療・介護入門―社会保障改革の正しい見方・考え方』
鈴木 亘著、東洋経済新報社（2009）
『ベーシック・インカム―国家は貧困問題を解決できるか』
原田 泰著、中央公論新社（2015）
『ベーシック・インカム入門―無条件給付の基本所得を考える』
山森亮著、光文社（2009）
『共生保障〈支え合い〉の戦略』宮本太郎著、岩波書店（2017）
『人々はなぜグローバル経済の本質を見誤るのか』
水野和夫著、日本経済新聞出版（2013）
『資本主義の終焉と歴史の危機』水野和夫著、集英社（2014）
『株式会社の終焉』
水野和夫著、ディスカヴァー・トゥエンティワン（2016）
『2018年 資本主義の崩壊が始まる』
野田聖二著、かんき出版（2018）
『ドル消滅　国際通貨制度の崩壊は始まっている！』
ジェームズ・リカーズ著、藤井清美 訳、朝日新聞出版（2015）
『ポピュリズム化する世界―なぜポピュリストは物事に白黒をつけたがるのか？』
国末憲人著、プレジデント社（2016）
『暴君誕生―私たちの民主主義が壊れるまでに起こったことのすべて』
マット・タイービ著、神保哲生 訳、ダイヤモンド社（2017）
『世界で一番貧しい大統領と呼ばれたホセ・ムヒカ―心を揺さぶるスピーチ』

国際情勢研究会 編、ゴマブックス（2016）
『内発的発展論』鶴見和子、川田 侃 編、東京大学出版会（1989）
『エンデの遺言―根源からお金を問うこと』
河邑厚徳、グループ現代著、NHK 出版（2000）
『パン屋のお金とカジノのお金はどう違う？―ミヒャエル・エンデの夢見た経済・社会』
広田裕之著、子安美知子監修、オーエス出版（2001）
『愛蔵版 モモ』ミヒャエル エンデ著、大島かおり訳、岩波書店（2001）
『喜働経営学入門―日本的経営と人間革新』薄衣佐吉著、白桃書房（1967）
『創造経営経済学』薄衣佐吉著、白桃書房（1982）
『道徳とモラルは完全に違ふ』出光佐三著、出光興産株式会社（1983）
『日本人が知らされてこなかった「江戸」世界が認める「徳川日本」の社会と精神』
原田伊織著、SB クリエイティブ（2018）
『天下泰平の時代〈シリーズ 日本近世史 3〉』高埜利彦著、岩波書店（2015）
『江戸の思想史―人物・方法・連環』田尻祐一郎著、中央公論新社（2011）
『共生の生態学』栗原 康著、岩波書店（1998）
『神秘学講義』高橋 巖著、角川選書 110（1980）
『諸国民の富』アダム・スミス著、大内兵衛、松川七郎訳、岩波書店（1959）
『マルクス 資本論』エンゲルス編、向坂逸郎訳、岩波書店（1969）
『雇傭・利子および貨幣の一般理論』
J.M. ケインズ著、塩野谷九十九訳、東洋経済新報社（1955）
『経済学の考え方』宇沢弘文著、岩波書店（1989）
『カール・マルクス共産主義者宣言』金塚貞文訳、太田出版（1993）
『会計の世界史 イタリア、イギリス、アメリカ―500 年の物語』
田中靖浩著、日本経済新聞出版（2018）
『経済は世界史から学べ！』茂木 誠著、ダイヤモンド社（2013）
『トップ１％の人だけが知っている「仮想通貨の真実」』
俣野成敏、坪井 健著、日経 BP（2018）
『自民党と戦後日本史』洋泉社（2016）
『政策会議と討論なき国会―官邸主導体制の成立と後退する熟議』
青木遥、野中尚人著、朝日新聞出版（2016）
『山川 詳説世界史図録（第３版）』山川出版社（2020）
「朝日新聞」（2019/12/29）

著者プロフィール

濵田 富司（はまだ とみじ）

1947年（昭和22年）埼玉県出身。
日本大学経済学部産業経営学科卒。
埼玉県在住。
大卒後、緑化産業の見習いを経て、植木・造園業を自営。
地域でのボランティア活動を経験。
54歳時より72歳頃まで実質15年間長距離トラックドライバーを経験。

「脱資本」「超近代」の未来社会への入口を探る

2020年12月15日　初版第１刷発行

著　者　濵田 富司
発行者　瓜谷 綱延
発行所　株式会社文芸社
〒160-0022　東京都新宿区新宿1－10－1
電話　03-5369-3060（代表）
03-5369-2299（販売）

印刷所　株式会社フクイン

ISBN978-4-286-22070-3